UNE VIE POUR DEUX

Marie Cardinal est née le 9 mars 1929 à Alger. Mariée, trois enfants. A fait des études universitaires et a été professeur de philosophie à l'étranger pendant sept ans. A écrit plusieurs romans.

Par le biais d'une fiction captivante, insolite, où l'on peut deviner aussi une allégorie de l'écriture, Marie Cardinal réussit à explorer très profond le mystère de vivre à deux, ces silences, ces heurts, ces surprises. Avec les justes mots pour le dire, une sensibilité chaleureuse et inspirée, ce roman s'impose comme le livre de tous ceux qui s'aiment encore en croyant parfois ne plus s'aimer. Quel couple ne s'y reconnaîtrait ?

Une noyée rien qu'une noyée, trouvée sur une plage d'Irlande, et tout est changé dans la vie d'un couple. Jean-François ne connaissait pas plus la morte que Simone, sa femme ; ils sont Français, ils viennent de s'installer pour les vacances. Mais l'ombre de cette Mary MacLaughlin ne les quitte plus. Elle contraint Simone à s'interroger sur elle-même, sur eux deux, sur leur amour à bout de souffle. Mary devient si présente à leurs côtés, qu'ils en viennent à lui inventer une existence pour se débarrasser d'elle. Fantasme autant que fantôme, la morte se transforme en personnage où se reflètent leurs propres obsessions, l'image travestie des remords et des regrets de chacun. A travers ce jeu de la vérité par Mary interposée, c'est la leur que ces êtres débusquent. Comme on suscite les boucs émissaires pour ne point s'attaquer aux vrais coupables, Simone et Jean-François détournent sur cette inconnue rêvée toutes les hantises de leur union désaccordée. Soudain complices de sa vie et de sa mort, ils font d'elle le lien retrouvé, le commun secret qu'on partage.

Paru dans Le Livre de Poche :

LA CLÉ SUR LA PORTE.
LES MOTS POUR LE DIRE.
AUTREMENT DIT.
CET ÉTÉ-LÀ.
AU PAYS DE MES RACINES.
LE PASSÉ EMPIÉTÉ.
LES GRANDS DÉSORDRES.

MARIE CARDINAL

Une Vie pour deux

GRASSET

A Bénédicte, ma fille.
Et à Dorian.

A propos de l'Irlande, puisque c'est en Irlande que l'histoire va se dérouler : c'est un pays vert et pluvieux. Et changeant.

A propos du couple formé par Simone et Jean-François, puisque c'est de lui qu'il sera question : c'est un film de Charlot qui fait rire et pleurer, qui tremblote, et dont l'image unique et saccadée est composée des mille images lisses, fugitives, étrangères les unes aux autres, de leurs accouplements singuliers.

JEAN-FRANÇOIS et moi étions mariés depuis plus de vingt ans lorsque nous avons débarqué, une aube de juin, dans un petit port proche de Dublin. Impossible de dire à cette heure matinale quel temps il ferait ce jour-là.

Je ne sais prévoir le temps que sur la côte méditerranéenne de l'Afrique du Nord où je suis née. Là-bas, la moindre variation de la lumière, le moindre détail dans le ciel et sur la mer, la plus subtile altération des couleurs, l'air, les bruits, l'ombre, les odeurs, tout me dit quelle sera la journée. Je suis née dans ce rythme-là, il est en moi, il n'y a que lui que je sente bien. Les racines de Jean-François, elles, s'enfoncent dans la terre du nord de la France, dans la poussière du charbon, dans la platitude du sol dont l'uniformité, gorgée de crachin, de dur travail et du sang des guerres, n'est rompue que par ces reliefs artificiels que sont les terrils rouillés et les boueux amoncellements de betteraves. Il ne sait rien de la mer, rien du soleil, rien des rivages.

Avant de connaître Jean-François je pensais qu'on ne pouvait ressentir physiquement la beauté d'un paysage que dans les contrées de soleil. Lui, pourtant, m'avait parlé du plat, du gris, des canaux, des couleurs frisquettes, des villes de brique et de granit. Il m'avait fait comprendre qu'il aimait sa terre, qu'il la trouvait belle et harmonieuse mais il ne m'avait pas fait partager

11

son goût. Cette beauté m'échappait et nous séparait.

Et puis en Irlande, où j'étais allée seule deux fois, pour mon travail, à Corvagh, ça m'était venu. Le Nord avait couru sous ma peau : la pluie, la grisaille, le fermé, la flamme des dedans, s'étaient mis à me séduire.

J'avais donc décidé Jean-François, plus tard, à passer nos vacances là-bas, de longues vacances exceptionnelles, presque deux mois. J'imaginais que nos géographies s'uniraient là.

Nous avions traversé l'Angleterre, avec notre voiture, pour atteindre l'Irlande. Nous nous étions perdus dans la campagne anglaise. Heureuse errance méandreuse parmi les hauts arbres, les villages, les fleurs fraîches, l'herbe verte, les routes lentes et encaissées. Ces deux journées se sont disloquées dans les bourgs étrangers, les maisons étrangères, d'autres coutumes, d'autres heures, une autre écriture, une autre cadence, des mots différents. Sortis de la semaine, du mois, de l'année, nous étions en mouvement ailleurs, hors de nous. Nos habitudes ne s'accrochaient plus à rien et se heurtaient à d'autres habitudes. Nous devenions étranges pour nous-mêmes, nous devenions nouveaux.

Enfin nous avons rencontré la côte du pays de Galles et traversé des ports brumeux comme on croit qu'il n'en existe plus, avec des barques aux noms de femme, faites pour affronter des tempêtes glacées, avec des mouettes piailleuses, suspendues au-dessus des grèves comme un toit mouvant, et des pêcheurs, coiffés de bonnet de laine, qui fumaient des bouffardes. Jusqu'à Holyhead où nous avons embarqué sur un petit bateau rond qui s'est mis à rouler bord sur bord, toute la nuit, à travers la mer d'Irlande.

De l'autre côté nous avons approché un sol glabre, couleur d'ardoise, s'élevant par bosses érodées jusqu'à un ciel bas dans lequel on avait l'impression que le relief se prolongeait, tant les gros nuages gris qui le comblaient ressemblaient aux remous de la terre. Seule une ligne blanchâtre, qui allait en s'épaississant, nous montrait le partage entre ce qui était solide et ce qui ne l'était pas, nous laissant deviner qu'elle était elle-même l'est par où l'aurore naissait.

Nous avons glissé entre les hautes carcasses de bateaux rouillés, amarrés à des pontons défoncés, jusqu'à une procession de lumières maigres qui, lorsque nous avons accosté, n'avaient déjà plus de raison d'éclairer car le jour bleuté grandissait vite. L'air, chargé de sel et d'iode, était tiède et paisible et se laissait embrouiller par les lourdes odeurs de goudron et de poisson séché. Des mouettes, encore, douces, belles, fluides, aux ailes écartelées.

C'est là que nos vacances commençaient vraiment et c'est à une allure gaie que nous sommes montés vers Corvagh, tout en haut de l'île.

Corvagh est une terre océane emmêlée à l'eau qui enfonce en elle de longs doigts liquides, de fins doigts articulés, chargés des bagues de leurs îles.

Prise par la beauté voilée de ce lieu, par le rythme lent du temps ici, scandé cependant par les incessantes navettes de la marée, j'avais imaginé que ce serait à Corvagh que notre couple prendrait la forme parfaite, belle, pleine, ronde, que nous cherchions depuis tant d'années... Que « nous » cherchions ou que « je » cherchais ?

Pour notre mariage nous avions respecté les coutumes les plus anciennes, les plus saugrenues, les plus incompréhensibles. Comme si nous avions voulu trouver les racines mêmes du couple, celles qui enfoncent solidement un homme et une femme — jusqu'à ce que mort s'ensuive — dans la terre de l'humanité. C'était fait sans doute pour prouver à nos familles et à nous-mêmes que nous allions construire quelque chose de ferme et d'essentiel. En somme, nous voulions ressembler aux galets et aux grains de sable qui forment les rives des continents, eux dont les petitesses multiples et unies font le solide. De quelles falaises proviennent-ils? De quels abysses? Questions que nous ne nous posions pas et que, d'ailleurs, nous aurions trouvées déplacées si elles nous avaient été posées. Le devoir, l'instinct, le principal — croyions-nous — était de former le sol, celui où la famille est en sécurité, là où ses enfants marchent sereinement. Nous avions été élevés dans les règles d'une morale injuste que, dans le fond, nous ne discutions pas. Nous avions la bête certitude que la récompense vient après la peine et que le chemin du bonheur est pénible, étroit et rectiligne.

Nous entrions bravement dans la tradition et c'est pourquoi le jour de nos noces je portais « quelque chose d'ancien, quelque chose de neuf et quelque chose de bleu ». J'ai totalement oublié quelle était la chose bleue mais je suis certaine de l'avoir portée, bien cachée quelque part sur moi pour ne pas entacher ma toilette immaculée. Quelque chose de neuf, c'était simple, tout était neuf dans mon habillement sauf, justement, la chose ancienne dont je ne sais plus si c'était ma culotte ou mon supporte-jarretelles.

Nous nous préparions à être un couple pour le restant de nos jours.

J'écris « Nous » et à l'époque je pensais « Nous ». Mais ce « Nous » ressemble maintenant à une trahison. Car, depuis nos vacances en Irlande, il m'est devenu impossible de me substituer à Jean-François et d'écrire quel était, quel est, quel serait son désir ou sa pensée, la qualité de son plaisir ou de sa peine. Je suis incapable d'écrire comment il a vécu notre mariage. Alors qu'avant je m'en croyais capable, je croyais pouvoir raconter l'Histoire à sa place. Aujourd'hui je sais que nous sommes tissés de milliards de fibres dont chacune est importante mais je ne sais pas exactement lesquelles forment la trame de l'instant que nous vivons ensemble ou à côté l'un de l'autre.

Pourtant, les deux algues de nos existences se sont tant emmêlées au cours des années qu'elles se confondent par endroits et que, grâce à ces contacts, à ces repères, à ces cicatrices communes, je comprends mieux notre mariage aujourd'hui qu'il y a vingt-trois ans. Ces nœuds identiques forment un gué servant à traverser ensemble le flux du temps qui, en coulant, a fabriqué « notre » passé, ce présent momentanément figé dans la mémoire ou dans l'oubli. Notre passé c'est la vie de Jean-François et la mienne unies et aussi celle de nos enfants. Mais « notre » passé c'est également nos vies singulières : des rencontres, des émotions, des découvertes, des désirs et des craintes vécus séparément. Notre passé éclate, il s'enfle de l'ailleurs, du différent, de l'autre. Deux devient innombrable.

Où est la frontière entre la vérité et la réalité ? Où est la limite de la fiction ? Qu'est-ce qu'un roman ?

Il a fallu l'Irlande pour que je comprenne que les vingt-trois ans que nous avions vécus ensemble étaient comparables non pas à un champ de blé dont les épis mûrissants donneraient, à la fin, une récolte plus ou moins bonne, mais à un sol capable de fournir des moissons, des vendanges, des fleurs des champs, des cailloux, de la mauvaise herbe aussi bien que du pétrole, de l'uranium, des diamants, des squelettes, un trésor enfoui par un prince phénicien... Tout est possible, je suis allée de « Nous » à nous, de ce qui ne bouge pas à ce qui est en constante évolution.

Notre HISTOIRE a commencé en moto, sur la route droite qui longe la Méditerranée entre Maison-Carrée et Alger. La vitesse nous rendait muets et nous forçait à nous agripper, lui au guidon et moi à lui. C'était le soir. Il faudra que je demande à Jean-François si, pour lui aussi, ce moment est un commencement. Peut-être n'en a-t-il même pas le souvenir. N'était-il pas absorbé par la conduite de son engin au point de n'avoir fait attention qu'à cela ? N'était-il pas dérangé par les phares des autos que nous croisions au point de n'avoir vu que cela ?

Pour moi, je le tenais bien fort, mes bras autour de son torse, mon visage à l'abri de son dos, tourné vers la mer : une immensité sombre dont les vagues venaient se briser tout près de la route, dans la nuit. Entre nos jambes la moto pétaradait et vibrait. Sur notre gauche, la ville d'Alger, parée des rubis et des perles de son électricité, dressait l'amphithéâtre de ses architectures blanches. Je connaissais ce décor dans ses moindres détails et je l'aimais. Il avait toujours été le terme magnifique de mes journées de vacances, de mes jeux, de mes nages, de mes dimanches et de mes jeudis, de mes plongeons. Je savais que, dans la voie lactée de ses lumières, scintillait celle de ma maison, là, par là...

Mes doigts, passés entre deux boutons de la chemise de Jean-François, auraient-ils caressé aussi doucement sa peau en un autre lieu ? Son corps, entre mes bras, aurait-il été aussi important ailleurs ? Je rentrais chez moi avec cet homme et j'en étais heureuse et fière.

Nous avions pique-niqué, nagé, ri, parlé, dormi sur une plage. Mais, dans le fond, avions-nous fait autre chose que d'épier nos corps et nos rythmes ? Nous nous étions croisés quelques jours auparavant et nous avions eu envie (plus qu'envie : besoin) de nous arrêter ensemble un instant. Un instant.

J'avais surtout vu ses yeux dans la beauté desquels je me perdais, ses yeux bleus et dorés au centre. Bleu clair, pâles, comme l'honnêteté, comme la cape de la Sainte Vierge, comme le ciel de l'Enfant Jésus ou de la France. Et dorés comme le soleil, comme la richesse, comme le champagne, comme le cœur des fleurs. Moi, j'avais les yeux noirs de l'Espagne ou de l'Arabie, ombreux comme les grottes sous-marines tapissées de

16

mousses douces et d'algues languissantes. J'imaginais qu'il était la clarté et que j'étais l'obscurité.

J'avais vu aussi, au-delà des cibles d'azur et de brocart qui ouvraient son visage, son regard sage, fort, intègre, attirant mon respect et mon obéissance, imposant la gravité à ce simple jeu de garçon et de fille que je comptais jouer avec lui.

Et lui, qu'avait-il vu de moi? Mon dos, mes ongles, mes gros seins, mes longues jambes? Mon besoin d'aimer? Ma peur et ma hâte de vivre? Chacun n'avait rien dit de l'autre. Nous nous étions déshabillés pudiquement sur la plage et nous avions plongé tout de suite pour effacer la gêne, pour éviter de montrer cette curiosité que nous avions de nous.

Il nageait mal, je nageais bien. C'était normal, j'étais née dans un pays chaud, au bord de la mer. Je ne me souviens pas d'avoir appris à nager, j'ai toujours su nager. Nager, pour moi, c'est comme respirer, c'est comme battre des paupières, ça se fait tout seul. Tandis que nager, pour lui qui était né dans la suie du nord de la France, c'était un sport difficile qu'on lui avait enseigné dans une piscine couverte qui résonnait et sentait la Javel. Il appliquait des leçons : « Allongez! Regroupez! Les bras et les jambes en même temps! Allongez! Regroupez! Ne vous raidissez pas, tirez sur le corps! Attention : un... deux... trois... quatre... et on recommence! » Pour moi nager c'était : « Viens dans mes bras, l'eau! Viens dans mes jambes, la belle! Glisse-toi sur mes reins, emplis ma bouche! Jouons! Tu me rends légère et souple, tu me portes, je te brasse, je te baratte, je te bois et je te crache, tu es l'océan et moi la source, je m'enfonce en toi, tu me plais! » La mer et moi nous ne faisions qu'une, nous étions unies. Il n'y avait rien d'aquatique en Jean-François. Tout dans son corps indiquait le pas, le saut, la foulée, les poumons aérés. Y avait-il en lui le désir du fluide, de la vague, de l'ondulation, de la suffocation?

C'est ainsi que nous nous sommes trouvés dans la situation sage d'élève et de maître : je lui apprenais à nager ou plutôt à profiter de la mer. Je crois que nous prenions un plaisir d'autant plus grand à cela que c'était moi, la fille, qui étais la plus forte, le professeur. L'humilité dont il faisait preuve avivait ma tendresse. Cela me rendait hardie. Du coup, je me permettais de toucher son ventre (si dur ! et ce duvet qui lui partait du nombril comme un éventail...) pour lui indiquer qu'il devait moins se cambrer. Je conduisais ses bras et ses jambes et aussi sa tête : il avait tout à apprendre ! Pour faire ses battements de pieds il s'agrippait à mes hanches larges, juste en haut des os saillants du bassin, là où la chair des très jeunes femmes est douce et encore enfantine, là où un petit nichera un jour, peut-être...

Après, cela avait été facile de se trouver dans les bras l'un de l'autre et de s'embrasser, debout, les pieds dans la légère écume ajourée que font les vaguelettes de l'été. Baiser salé. Salive et Méditerranée. Impossible de déceler quel était le goût de l'autre et quel était le goût de la mer. Huître.

Au soir, nous étions une paire, un couple. Nous n'avions fait que cela toute la journée : nous apprendre, nous surprendre, nous comprendre. Le temps avait passé vite de cette manière, la nuit était venue, il fallait rentrer. Nous avions enfourché la moto, lui devant, moi derrière, collée contre son dos que je savais maintenant large et bronzé, serrant mes cuisses contre lui que j'avais deviné doux et secret.

C'est au premier feu rouge que ça s'est passé. Juste avant d'entrer dans les entrailles de la ville, dans ce quartier du bas qui sert de couloir à toutes les circulations. Là où la route croise des rues, qui coupent des rails, qui passent sous des ponts, qui enjambent des carrefours. Au-delà du feu, les maisons grimpaient déjà à l'assaut de la falaise avec leurs lumières, en files plus ou moins régulières selon qu'elles bordaient des ruelles ou des avenues, avec leurs odeurs de dîners à l'ail, avec leurs petits remue-ménage familiers que nous entendions parce que c'était l'été et que les fenêtres restaient ouvertes.

Le feu était long, il tenait lieu de passage à niveau. Nous avions posé nos pieds sur l'asphalte pour maintenir la moto debout entre nos jambes. Instant semblable à un gros soupir, à une sieste, après la folie du vent, du bruit et des secousses. Je pouvais desserrer mes bras, ne plus tenir Jean-François contre moi. Je ne l'ai pas fait et ma parole est venue sans que je la dirige de ma tête à ma bouche. Je me suis entendue dire :

« Et si on se mariait ? »

Il a répondu :

« Ce serait bien. »

A vrai dire je ne sais plus si ce sont réellement ces mots que nous avons prononcés. Je sais seulement que c'est là que nous avons décidé de nous marier et que c'est moi qui en ai parlé la première. Là, avant de pénétrer dans ma ville natale polie par mes souvenirs, surchargée de mon enfance et de mon adolescence, de mon école, des tempêtes qui secouaient ma famille, de mon premier amour, de ma chambre, de mon père mort, de la tuerie qui couvait en elle. Alger est une ville verticale, elle surplombe ceux qui y ont vécu, comme un tribunal.

Ainsi, lorsque nous sommes repartis nous étions fiancés. Je détestais ce mot, surtout prononcé par les Méditerranéens qui en détachent le i, ajoutant à la mièvrerie de la situation.

C'est à partir de cet instant que nous sommes entrés dans le mariage. J'ai habillé Jean-François de pied en cap, au goût de mes parents, pour qu'il puisse faire sa demande. Je pense qu'il n'a pas aimé ces achats, ces courses dans les magasins, mais il ne l'a pas dit. Il s'est soumis aux règles d'un luxe qu'il ne connaissait pas, sa famille appartenant à la sévère bourgeoisie provinciale française toute de gris vêtue. Je crois qu'il trouvait inutile le mal que je prenais à assortir un tweed et une flanelle, une cravate et des chaussettes, tout cet argent pris sur son salaire de jeune professeur. Moi, je mettais en pratique les principes d'un goût, d'une esthétique qu'on m'avait inculqués depuis ma naissance, j'y étais à mon aise comme un poisson dans l'eau. J'avais enfin un homme à moi à habiller, pour remplacer mes poupées. Quant à l'argent... Tant pis, il faut ce qu'il faut, on ne se marie pas deux fois !

Puis nos familles sont entrées en contact, elles ont correspondu. Mon futur beau-père a écrit au curé de notre paroisse pour demander des renseignements. Le curé est arrivé dare-dare à la maison avec la lettre en main. Ils en ont fait des gorges chaudes ma mère et lui : des renseignements ! Sur nous ! Comme si « on » ne nous connaissait pas ! Comme si on ne savait pas que nos prie-Dieu étaient au premier rang du chœur, avec de discrètes plaques de cuivre incrustant notre nom dans le bois, stigmatisant ces sièges, faisant qu'ils restaient vides aux offices auxquels nous n'assistions pas ! Enfin, c'était plutôt bon signe tout de même : ces gens s'inquiétaient de la religion avant de s'inquiéter du portefeuille...

Ensuite ça a été le trousseau, les draps, les nappes, le linge de maison, tout cela marqué aux initiales des familles qui s'alliaient. Longtemps, avec ma mère, nous avons cherché un dessin qui emmêlerait ces lettres d'une façon moderne tout en restant classique. Une sorte d'angoisse me serrait le cœur à voir ce linge tout neuf, protégé par du papier de soie, qui s'empilait dans l'armoire à côté de celui de ma mère, de ma grand-mère, de mon arrière-grand-mère... Pour l'accueillir on avait dû déplacer les reliques familiales pieusement entretenues : des jetés de table en dentelle, des robes de baptême, des draps de relevailles, si anciens, si fragiles, qu'on ne pouvait plus que les regarder dans leurs cartons jaunis. Témoins, comptables des générations de femmes qui, goutte à goutte, avaient élaboré mon sang et auxquelles j'allais donner la main afin de continuer la chaîne.

Je prenais le relais. C'était grave et je sentais peser cette responsabilité tout en courant de boutique en boutique. Listes de mariage à composer et à déposer chez les joailliers et les antiquaires de la ville dignes de ce nom, pour que l'argenterie, les cendriers, les vases, les pendules, les assiettes, les verres... qu'on m'offrirait, aient un style bien précis. Quel casse-tête! Nous définissions les lignes de mon foyer avant même qu'il existe. Ainsi, où que j'aille, où que j'habite, où que je vive dans l'avenir, les miens auraient-ils la certitude que j'avais de quoi constituer une « maison » digne d'eux.

Jean-François ne se mêlait pas de ça, il laissait faire.

En me mariant je savais que j'entrait volontairement dans une image d'Epinal ou un chromo. Une mariée avec sa robe blanche, sa couronne de fleurs d'oranger, son voile, son bouquet rond, plus petite que son mari vêtu lui aussi d'un costume de cérémonie, et avec des moustaches.

Posant pour l'artiste, le couple un peu guindé, grave et souriant, est entouré des deux familles qui s'unissent par lui. Des aïeux au regard bienveillant et sage, sur des chaises, leurs mains veineuses croisées sur leurs genoux. A leurs pieds, assis en tailleur, les petits : des blonds, des bruns, des roux, des garçons et des filles, des bébés et des nourrissons, pêle-mêle. Debout, encadrant les mariés, protégeant les vieux et les enfants : les adultes dans la force de l'âge; des militaires, des fermiers, des employés, des clercs de notaire, et des femmes, des épouses, des mères, des vieilles filles, des grosses, des maigres, des belles, des laides, des demoiselles. Sourire. L'éternité. La mort, déjà visible sur les traits de certains, s'enchaînant à la naissance, encore visible sur les traits de certains autres. Au milieu l'homme et la femme qui se marient, espoirs d'une vie encore plus longue, galets blancs sur le noble chemin interminable de la famille. Belle image de sécurité, d'avenir, fleurant bon le pot-au-feu et la transpiration, la pâtisserie et l'eau de Cologne. Beau portrait de l'honnêteté, de la vie aux couleurs simples : le blanc de la vertu, le rouge du sang, le noir du deuil, le rose des nouveau-nés. Belle peinture du bonheur poignant des humains qui se nourrit de la brave peine, de la discrète douleur et du petit bonheur.

Les années avaient passé, tant d'années ! Mais toujours restait dans ma tête cette image d'Epinal touchante, de plus en plus inaccessible et d'autant plus attirante. Je désirais la simplicité, la discrétion, la concorde, la paix de ce couple et cependant je ne faisais que m'en éloigner. Notre ménage était baroque, incertain, instable, difficile à contrôler, toujours au bord de la faillite. J'étais tombée dans toutes les embûches, tous les guets-apens de l'épouse : la jalousie, la tromperie, le laisser-aller, l'usure. En même temps, j'avais acquis toutes les vertus de la mère : le sacrifice, l'oubli de soi, la permanente attention aux besoins de la maison. Je m'agrippais à cette famille que nous avions fondée comme une naufragée s'agrippe à une bouée. Plusieurs fois j'avais failli couler et puis, non, j'avais surnagé. Il me semblait que, maintenant que nous vieillissions, les choses allaient s'arranger, notre vie allait s'apaiser, rien n'était perdu.

Dans l'image d'Epinal nous n'étions plus les jeunes mariés, mais peut-être pourrions-nous être de solides adultes, ces piliers, ces parents productifs, qui rassurent le monde.

Quel acharnement à vouloir ça !

Et Jean-François là-dedans ? Il semblait se désintéresser de la question mais il n'avait jamais rien fait pour contrarier ma volonté.

L'arrivée à Corvagh fut heureuse. Je me sentais en pleine forme et il était visible que, dès le premier coup d'œil, l'endroit avait plu à Jean-François.

J'essaie de me rappeler maintenant ce qui, le lendemain, aurait pu être un signe, une amorce, un présage de ce qui allait devenir un moment capital dans notre vie. Rien. Rien, sinon que le premier matin était beau, que le soleil était gai, que tout verdoyait, que les brebis à tête noire appelaient leurs petits et que la marée était haute et étale

Nous avions loué un cottage à notre ami Hans — un écrivain allemand émigré en Irlande —, une jolie maison de trois pièces, toute neuve. Le soir de notre arrivée l'eau n'était même pas encore branchée, elle n'est venue qu'au matin avec de formidables spasmes et des crachotements ferrugineux. Dans la pièce principale une grande baie vitrée ouvrait sur l'océan qui arrivait jusqu'au pied de la maison.

Mais l'océan, à cet endroit, ressemblait plutôt à un lac. Il pénétrait dans les terres par un goulet lointain, étroit et caché, puis envahissait un cirque qui s'arrondissait au milieu de collines vertes où paissaient des vaches et des moutons. Des vaguelettes se formaient autour de petites îles plates et herbeuses. Sur la droite, deux ou trois maisons de pêcheurs sortaient à peine d'une berge où une barque et des nasses étaient échouées. La vue était vaste, les collines qui constituaient le fond du lac s'estompaient à l'horizon.

Devant la baie vitrée, une table et des sièges invitaient au banquet du paysage qui allait servir de décor aux sept lentes semaines de nos vacances, imbibées de vie, de mouvements secrets, d'interrogations essentielles.

Trouver une maison c'était, inconsciemment, pour moi, retrouver mon existence. Ces airs de nabab que je prenais en étendant mes jambes au soleil, en laissant aller mes épaules et ma nuque sur les coussins, en m'étirant longuement! Alors que, quelque part dans mon être, le fait d'avoir de nouveau un foyer faisait renaître l'habitude de penser : « Tu vas être en retard, ne perds pas ton temps, dépêche-toi... »

J'ai toujours eu plus de mal que Jean-François à entrer dans le repos. Pourquoi? Peut-être est-ce plus difficile pour moi que pour lui de me laisser aller, parce que je suis plus occupée, parce que mon temps est mangé par mille besognes, parce que j'ai perdu l'habitude, depuis que j'ai un mari, des enfants, une maison, un travail, de m'octroyer des instants à moi toute seule.

En tout cas, ce matin-là, une fois faite la vaisselle du petit déjeuner, j'ai voulu vider les valises, ranger le linge et les vêtements. Il fallait que je me débarrasse de ces tâches pour profiter du reste. Et puis je voulais laisser à Jean-François le plaisir de la découverte, ne pas lui imposer « mon » Corvagh.

« Va te balader pendant que je range les affaires. Tu trouveras bien la plage tout seul, on entend l'océan de partout. Je te rejoindrai dès que j'aurai fini. »

Je savais qu'il serait content de partir seul. Je l'ai regardé s'éloigner sur le sentier caillouteux bordé d'herbes en fleurs, égayé de soleil. Je l'ai regardé jusqu'à ce qu'il disparaisse dans les arbres. J'ai détaillé son corps musclé, sans un gramme de graisse, vêtu seulement d'un petit slip de bain rouge. Plus de vingt ans que nous nous connaissions! J'ai vu avec tendresse le pli presque imperceptible qui se creusait à la base de chacune de ses fesses, signe qu'il vieillissait. Et aussi ses cheveux gris et bouclés en grosse masse sur sa tête. J'ai ri en le voyant bravement fouler de ses pieds nus le sol rugueux; je savais, à voir certains légers tressautements de ses muscles, que cela lui faisait mal. Si j'avais été avec lui il m'aurait dit : « Dans trois jours je ne sentirai plus rien. Il faut y aller carrément. » Toujours son stoïcisme, ce côté de son caractère que j'avais longtemps appelé avec agacement « ton côté scout ». J'ai envié, une fois de plus, sa peau qui allait devenir, en quelques heures, brune comme du pain d'épice.

C'était bon de le sentir quelque part dans la nature, en accord avec elle et avec moi, pendant que je faisais mes rangements de femelle, mes installations de nid. Instinct ou éducation? Peu m'importait. J'étais bien là à m'occuper de cette manière. Cela m'était tout à fait égal de savoir si c'était la nature, ou ma mère, ou l'homme qui m'avait imposé cette satisfaction.

J'ai pris l'habitude de réfléchir tout en faisant ces travaux. Je me demande même si j'arriverais maintenant à penser sans avoir un aspirateur au bout des bras, ou une lessive, ou une vaisselle, ou une couture. Plus je m'applique à faire bien l'ouvrage et plus mon esprit travaille, inspecte, explore, s'enfonce dans le magma du raisonnement, se glisse dans l'invention, dans le rêve, dans la liberté. J'ai mis longtemps pour parvenir à cette performance. Dans ma jeunesse, je pleurais en faisant les travaux ménagers, ils m'empêchaient de me livrer à ce que j'aimais le plus au monde : la lecture, les études, le travail intellectuel. Me priver de cela équivalait à me condamner à mort. Me révolter ne m'était pas venu à l'esprit, j'étais tout à fait soumise. Alors il m'a fallu chercher un truc. Je l'ai trouvé : je me donnais un problème à résoudre, des comptes à faire, au commencement. Ça a marché. Jamais je ne suis plus éloignée de ma famille, plus loin de ma maison, qu'en faisant le ménage. Et je suis certaine qu'il en est de même pour beaucoup de femmes. Ma grand-mère disait souvent : « Ah! si les tricots parlaient...! » Les années passant je fais maintenant le ménage comme on conduit une voiture : sans m'en rendre compte. Sait-on vraiment qu'on change les vitesses, qu'on débraie, qu'on embraie, qu'on freine? Des réflexes.

Une fois seule, j'ai donc rangé nos affaires dans ces pièces neuves, jamais habitées, qui sentaient encore la peinture et les copeaux frais. Tout commençait : j'habitais ma première maison, j'étais pour la première fois la femme de Jean-François et j'étais jeune, si jeune. J'ai fait des bouquets avec les fleurs qui poussaient à profusion autour de la maison et avec des herbes fluides, précises, aiguës. Et puis du thé pour que sa bonne odeur se répande partout, qu'elle baptise les murs et les meubles, le grand lit.

Après quoi j'ai eu envie de rejoindre Jean-François.

Jamais je n'ai vu Corvagh aussi lumineux. Aucun nuage dans le ciel, aucun vent, du soleil partout, tachetant de spots brillants le sous-bois que je dois traverser avant de parvenir au portail de la propriété. Mon chemin baguenaude autour de grands érables, de hauts marronniers, de larges hêtres, il s'incurve pour rejoindre un coude de la rivière qui coule vite, car la marée descend maintenant. Un « floc » me fait m'arrêter et rester aux aguets : une truite ? un saumon ? Un poisson, en tout cas, qui a sauté et laissé, en retombant, une multitude de remous ronds se diffusant rapidement jusqu'aux berges. La bête est déjà loin, glissant dans l'eau vive et glauque, portée par le courant. Ah ! si j'avais ma canne ! Une excitation secrète naît en moi à imaginer la pêche de ce soir. Le sifflement provoqué par le mouvement de mon poignet sur la ligne, le bruit obstiné du moulinet se dévidant et, au loin, du côté de la rive opposée, l'impact minuscule de la mouche qui atteint l'eau. Puis, après un silence liquide, la petite crécelle régulière du moulinet actionné pour ramener la mouche vers moi, accompagnant mon attention, mon désir de prendre un poisson, désir aussi pointu, courbe et perfide que l'hameçon. Rien ? Alors je recommence encore et encore jusqu'à ce que je sente un choc, une communication brutale et frémissante entre la proie et moi ! Le temps éclate dans le silence !

26

Iris jaunes, rhododendrons rose criard, les derniers de l'année. Des moutons têtus me regardent venir en bêlant, figés, jusqu'à ce que j'approche d'eux; ils fuient alors avec des mouvements grotesques de leur arrière-train, suivis de leurs petits aux pattes fragiles. Dans le bois proche du portail nichent des hérons gris, invisibles, mais dont on entend les becs qui claquent des sons secs et répétés. Personne.

Le chemin s'enfonce enfin en ligne droite sous une voûte de verdure épaisse pour parvenir à un pont de pierre et au portail. De l'autre côté c'est la route, c'est dehors, ce n'est plus Corvagh.

En même temps que moi arrive à la haute barrière blanche une voiture irlandaise conduite par deux vieilles dames frisées, coquettes, correctes et très britanniques, qui s'arrête pile et de laquelle jaillit Jean-François. Jean-François presque nu, vêtu de son slip rouge, à peine un cache-sexe. Cette vision m'irrite un peu : quel besoin a-t-il de s'exhiber comme ça ! C'est probablement à cause des vieilles dames si aimables et si décentes que me vient cet agacement. C'est peut-être aussi parce qu'il ne me regarde pas d'abord, puis que ses yeux, vivement tournés de mon côté, glissent sur moi comme si je n'existais pas. Pourquoi ? Qu'est-ce que j'ai fait ?

Jean-François se rue sur le lourd portail dont il tire le verrou à grands coups de reins qui font saillir ses muscles dans le dos. Il a déjà bronzé et pourtant il y a à peine deux heures qu'il est au soleil. Jean-François qui, avec de longs gestes pressés, fait signe aux dames d'entrer. Jean-François que je sens exalté, profondément exalté. J'ai remarqué cette exaltation tout de suite, dès qu'il est sorti de l'auto. J'ai senti son agitation intérieure, à cause, justement, de l'extrême retenue de son regard vers moi. Il voulait garder pour lui tout seul un plaisir profond, un intérêt, une occupation, un secret, quelque chose qui l'excitait et le captivait. Jean-François fait partie de ces êtres calmes, peu démonstratifs, au visage uni, chez lesquels un changement d'expression, aussi minuscule soit-il, paraît être une explosion.

« Qu'est-ce qui se passe ? »

En courant pour rattraper la voiture il a juste le temps de me lancer :

« J'ai trouvé un cadavre ! »

Et puis il s'engouffre dans l'auto qui démarre en direction de la maison de Hans et disparaît bientôt derrière la colline aux hérons.

Un cadavre !

Le portail était resté ouvert. Je l'ai fermé, j'ai poussé le gros verrou dans le trou du mur qui le bloque.

Le regard de Jean-François : une absence !

Il ne voulait pas partager, il ne voulait pas se livrer. Livrer quoi ? Partager quoi ? Il venait de glisser hors de mon intimité avec la même rapidité, la même subtilité que le poisson qui, tout à l'heure, sautait dans la rivière. Comment les liens que j'essaie de tisser si minutieusement, depuis tant de temps, entre Jean-François et moi, peuvent-ils disparaître comme ça, en une seconde, à cause d'un regard, sans que je sache pourquoi ? Je ne veux pas qu'on y touche, je ne le supporte pas.

Un cadavre ! Mais un cadavre de quoi ? Mais le cadavre de qui ? Il a seulement dit : « J'ai trouvé un cadavre », rien d'autre.

Je refusais le désarroi qu'avait créé en moi le regard de Jean-François. Alors j'occupais mon esprit à accomplir minutieusement des actes précis : je marchais en faisant attention à l'endroit où je posais mes pieds, en scrutant le sol du chemin. Je ne voulais pas choisir entre les idées et les images qui jaillissaient dans ma tête, en vrac, en vitesse, mêlées : l'abandon, la solitude, le corps de Jean-François nu, lui arrêté dans « notre » journée par un corps inanimé, une charogne en putréfaction, la tromperie, la fuite, l'incommunicabilité, la mort. Et l'amour... l'amour... Peut-on se passer du désir qu'on a de lui ? Existe-t-il en dehors de l'instant ?

L'amour, le grand amour, le bel amour! Il me tient au corps comme une ventrée de bonheur. Il me tient à la tête comme un délire de fête. J'ai envie de lui, envie depuis toujours. Une envie aussi vieille que mes souvenirs, et même plus vieille que mes souvenirs, une envie aussi ancienne que ma mémoire, que mon oubli.

Le meilleur ami de mon frère s'appelait Alain. Il était petit, chétif même, avec des membres maigres comme ceux des sauterelles, et, comme ces insectes, il sautillait parfois en marchant, signe, pour lui, d'allégresse.

Ce qui m'attirait en lui ce n'était pas son aspect, ni ses yeux, ni son nez, ni rien en particulier dans son corps ou dans son apparence. Ce qui m'attirait c'était lui, quelque chose qui venait de lui. J'aimais le regarder s'amuser sur la plage, j'aimais l'entendre parler, j'aimais aussi quand il se taisait en écoutant les autres, j'aimais quand il jouait de la guitare.

Il y avait longtemps que je l'aimais. Je l'aimais déjà quand j'étais une toute petite fille et je l'aimais toujours quand je suis devenue adolescente.

Je désirais le rencontrer. Pour y arriver j'acceptais les humiliations que m'infligeait mon frère, car c'était par son intermédiaire que je pouvais approcher Alain qui était de quatre ans mon aîné et n'avait aucune raison d'être lié à une enfant de mon âge.

Par une chance extraordinaire mon frère avait inventé un jeu d'hiver qui ne pouvait se jouer que sur le tapis de ma chambre, une sorte de damier de laine à carreaux bruns et blancs. Ce passe-temps mêlait les règles des échecs, des dames et de la bataille navale. Il se jouait à deux avec des soldats de plomb et des billes. Les jours de pluie c'était leur grande occupation à Alain et à lui. Mais voilà, ce tapis était dans « ma » chambre et je refusais catégoriquement d'en sortir. Alors mon frère avait décidé une fois pour toutes que, puisque c'était comme ça, je n'avais qu'à me mettre sur mon lit où il accumulait les meubles afin de libérer le tapis. Si bien que je me trouvais emprisonnée dans une cage dont les barreaux étaient les pieds de la table et des trois chaises de ma chambre. Cela m'était égal, je me débrouillais pour m'installer le plus confortablement possible et je restais tout l'après-midi, sans broncher, à regarder Alain. Le soir, en partant, après m'avoir délivrée, il me serrait la main pour dire au revoir. Ensuite, dans mon bain, je gardais un bras en l'air, celui au bout duquel il y avait la main qu'Alain avait touchée. Ma mère s'étonnait :

« Mais qu'est-ce que c'est que cette manière de prendre son bain ? »

Je répondais :

« C'est un périscope. »

Comme elle avait beaucoup de principes elle me faisait remarquer que ce n'était pas un jeu de fille de s'amuser au sous-marin, que je ferais mieux de tricoter des vêtements pour mes poupées :

« Maintenant que tu sais faire les augmentations et les diminutions, c'est le moment de t'en servir. »

Je n'osais pas lui répondre que je détestais mes poupées et que le tricot m'ennuyait à mourir...

Ce que je voulais, c'était aller le plus vite possible au lit et mettre ma main contre ma joue, l'embrasser, m'endormir avec elle. J'étais transportée chez Alain, dans son lit, ma main était son visage, tout près du mien, nous nous serrions l'un contre l'autre. Nos baisers rêvés étaient chauds et secs.

L'année de mes dix ans ma mère avait décidé de ne plus m'accompagner à l'école. Ce serait mon frère qui me servirait de chaperon.

La bonne aubaine : mon frère et Alain étaient dans la même classe et tous les jours leurs trajets se rencontraient à un certain endroit à partir duquel ils faisaient route ensemble vers le lycée. Je verrais donc Alain tous les jours.

Le seul ennui était que mon frère ne voulait pas que je marche à ses côtés, il fallait que je reste dix pas derrière lui et, tout le long du chemin, il se comportait comme s'il ne me connaissait pas, comme si je n'existais pas. Il m'avait expliqué que c'était dégradant pour un garçon de son âge de traîner une « pisseuse » de mon genre.

Je comprenais très bien son raisonnement et il ne me serait pas venu à l'idée de lui désobéir. Il était beaucoup plus grand que moi et me brutalisait pour un oui ou pour un non. Il me flanquait des coups, il s'amusait à me terroriser. Chez nous, il y avait un certain passage sombre du couloir, un coude, masqué par d'épais rideaux de velours rouge, qui séparait le « service » de la « réception » et où quotidiennement je devais passer avec le cœur serré comme une pierre. Mon frère était immanquablement caché par là et me mijotait des cauchemars. Soit il se jetait sur moi et me tordait les bras et le nez, soit il se déguisait en fantôme ou en bandit, soit, tout simplement, il poussait des cris affolants. J'avais beau prévenir à l'avance : « Je sais que tu es là, tu ne me fais pas peur, etc. », il se débrouillait tout de même pour me paralyser de terreur. Il était très haut, très maigre, très brun, avec des lunettes rondes cerclées de métal. Il se dressait devant moi, des rictus plein sa figure, plein ses bras et ses jambes osseuses : « Je suis la mort ! La mort ! Je vais te torturer avant de t'emmener avec moi pour toujours, en Enfer ! » Il m'entraînait alors dans ma propre chambre et me prévenait : « Ne crie pas ! Si tu me fais punir, ce sera pire après. » Je le croyais car je l'avais fait punir une fois et sa vengeance avait été terrible.

En général, je me débrouillais pour me précipiter dans un coin de la pièce où je l'attendais, mes jambes repliées devant moi, prêtes à se déployer comme des catapultes. Mais il était un garçon, il avait appris à se battre avec ses copains dans la cour de son lycée. Quand j'essayais de griffer ou de mordre il triomphait : « Tu sais pas te battre, tu te bats comme une fille, les filles ça sait pas se battre ! Eh, ouh, la fille ! » Je perdais toujours...

Ses supplices continuaient jusqu'à ce que j'aie mal et que je lui demande de s'arrêter. Il ricanait : « Maintenant tu vas t'excuser ! » Ça se terminait toujours par une scène où je devais prendre une posture honteuse : à genoux devant lui, le front par terre, il fallait que je lui demande pardon. Il prenait alors la position du vainqueur, un pied sur mon dos ou bien il me flanquait un bon coup dans le derrière, ce qui me faisait m'étaler à plat ventre. Il sortait ensuite raide, digne, comme si de rien n'était.

Mon frère était ainsi arrivé à exercer sur moi une autorité absolue et quand, dans la rue, il me demandait de marcher dix pas derrière lui, je marchais dix pas derrière lui. Cela me paraissait normal : un garçon doit commander une fille. Je ne pensais même pas à discuter ou à prendre un autre chemin.

Il n'était pas question de vengeance. D'ailleurs tout cela m'était égal puisque je savais qu'à un endroit précis de notre route nous retrouvions Alain. Le premier des garçons arrivé attendait l'autre. Généralement c'était mon frère et je ne tardais pas à voir venir Alain de son pas sautillant que je connaissais bien. A cette heure de la journée il avait l'air tout propret, ses cheveux rebelles étaient collés sur son crâne. Il devait sentir la lavande. Quelquefois il me faisait un bonjour de loin, pas toujours.

Ainsi, chaque matin, je vivais un moment de satisfaction totale, captivée par les faits et gestes de mon bien-aimé, attentive, touchée par les moindres de ses mouvements et de ses expressions. Parfois, au milieu du tinta-

32

marre de la rue matinale, du ferraillement des tramways, des moteurs de voitures, un éclat de ses paroles parvenait jusqu'à moi, un rire, un mot crié. Il venait de muer et sa voix naissante d'homme était sourde, les mots se cassaient un peu en sortant de ses lèvres, ils ondulaient, il y avait comme un rythme feutré dans le flot de ses paroles. Sa voix me plaisait, elle caressait mes oreilles.

Je me suis souvent demandé quelle différence il pouvait y avoir entre l'amour que je ressentais pour Alain lorsque j'avais une dizaine d'années, et l'amour que j'ai ressenti plus tard, étant adulte, pour les hommes que j'ai le plus aimés. Je n'en ai trouvé aucune. A part que je ne connaissais pas le vocabulaire qui aurait pu traduire la jubilation intérieure que j'éprouvais dès que j'étais en présence d'Alain. Je ne savais pas par quel mot exprimer le goût que j'avais d'être constamment emplie par lui, par sa pensée, son odeur, son mouvement, son sommeil, son rythme, je ne savais pas comment dire l'anxiété et l'ennui qui s'emparaient de moi quand j'étais longuement séparée de lui. Je ne savais pas que tout cela s'appelait l'amour, je croyais que l'amour était réservé aux grandes personnes, que les enfants ne pouvaient pas éprouver cette sorte de sentiment-là.

Dans le fond c'était mieux ainsi, car si j'avais su que ce que j'éprouvais s'appelait l'amour, peut-être n'aurais-je pas supporté ces longues années d'enfance, ce long cheminement du temps alourdi par ma secrète passion, mon besoin, bouillant, inexprimé et inexprimable. Comme je croyais que mon enfance elle-même me préservait de la passion puisqu'elle était l'apanage des adultes, je vivais avec elle simplement, sans qu'elle me fasse souffrir. Elle était mêlée inextricablement à la table de multiplication, au catéchisme, aux déclinaisons latines, aux vacances, à la marelle, aux gâteaux, à l'eau, à l'air, aux rêves, au travail de mon corps qui grandissait, grandissait, se gonflait par endroits, se creusait à d'autres.

Tout a changé un jour, j'avais treize ans.

Ma mère tenait encore à ce que je parte en classe avec mon frère : « Je n'aime pas que les jeunes filles traînent seules dans les rues. » Elle ignorait les dix pas de distance qui nous séparaient mon frère et moi... Il était presque devenu un homme et j'étais devenue une adolescente, sans le savoir. Il a suffi d'un regard de garçon, un matin, pour que je le constate.

Ce jour-là, comme tous les jours de classe, mon frère avait rencontré Alain. C'était l'année de leur bachot, l'année prochaine ils seraient étudiants. Ils marchaient à longues enjambées tout en parlant et moi, derrière, je révisais mes leçons sans cesser de surveiller mon bien-aimé qui, ce matin, ne m'avait accordé aucune attention. L'été venait, il faisait déjà chaud dans le soleil, je portais mon uniforme léger : jupe bleue, blouse blanche et panama à ruban noir.

J'ai vu un grand garçon les aborder et se joindre à eux. Il avait l'allure sportive, il était large d'épaules, ses cheveux châtains bouclaient au ras de son front et de sa nuque. Il promenait un air de santé. On sentait que son physique avait dû lui rapporter pas mal de lauriers sur les stades et dans les surprises-parties. Malgré son extrême jeunesse il était déjà un homme, cela se voyait à sa manière de se camper sur ses jambes, les mains dans les poches de son pantalon, les épaules libres sous sa chemise, indifférent à l'effet qu'il produisait tant il semblait certain que cet effet était bon.

Ils s'étaient arrêtés pour discuter tous les trois. Moi, j'avais posé mon cartable par terre entre mes pieds et, appuyée contre un des ficus qui ombrageaient la rue Michelet, je repassais ma grammaire latine, la bête noire de mes études. Je sentais d'ailleurs, en l'apprenant, que je ne la saurais jamais. Mon esprit glissait sur les mots des règles comme sur de la toile cirée, il ne les pénétrait pas, il n'en comprenait aucun, même pas les « un » ou les « donc » ou les « ainsi »; quant à ceux qui se disaient « gérondif » ou « génitif »... ils étaient d'infranchissables falaises. J'étais bonne en tout, pourquoi n'étais-je pas bonne en latin ? Mystère.

Me voilà donc là, sous mon arbre, à penser au latin en attendant que les garçons se remettent en route. Ils étaient des grands, ils n'avaient pas de cartables, eux, simplement quelques livres et quelques classeurs liés par une sangle, ce qui signifiait aussi pour les passants qu'ils allaient passer leur bachot. Le soleil en glissant à travers les jours du feuillage me chauffait par petites taches tandis que l'ombre était encore fraîche ce matin-là, vers huit heures.

Dans le vacarme de la rue j'ai entendu mon frère qui m'appelait : « Simone ! Eh, Simone ! » et il faisait de grands signes du bras. Qu'est-ce qui lui prenait ? Les trois garçons me regardaient : mon frère et Alain avec une sorte de curiosité et l'autre avec une incroyable invite galante, oui, je ne me trompais pas, avec galanterie. Je n'y comprenais rien.

« Amène-toi, criait mon frère, grouille ! »

Pour la première fois de ma vie je me suis sentie double. J'étais moi et j'étais une autre : une fille. Comment marcher dans ces conditions ? Comment porter mon cartable ? Quelle attitude prendre ? Celle que ma mère m'avait inculquée depuis ma naissance : pas effrontée, polie, silencieuse : « Il ne faut pas dévisager les gens, ne te retourne jamais dans la rue. Je n'aime pas les filles évaporées, mal élevées, qui parlent pour ne rien dire » ? Ou bien l'attitude des « grandes » de mon école qui se mettaient de la pommade Rosa pour rougir leurs lèvres à peine hors de la vue des surveillantes, dès le tournant du boulevard Victor-Hugo ? Alors leur démarche changeait, elles balançaient le cul de façon pas croyable. Plus leur derrière était effronté plus leurs regards étaient soumis. Je n'aimais pas ça, elles me choquaient. Non seulement à cause des principes de ma mère que, d'ailleurs, j'approuvais entièrement, mais surtout parce que je trouvais leur attitude avilissante; en faisant cela il me semblait qu'elles se transformaient en marionnettes. L'orgueil était mon grand péché. Je n'accepterais jamais de me soumettre à la comédie des garçons stupides pour lesquels les grandes ondulaient du croupion à la sortie de quatre heures et demie.

J'avance donc vers mon frère, Alain et leur copain, empêtrée de moi-même comme je ne l'ai jamais été. Je ne suis plus une petite fille, je ne suis pas encore une femme, je ne veux pas être une fille. Alors quoi? Rien. Une godiche maladroite.

« Viens que je te présente à Goetzinger, « Gueule-de-singe » pour les copains. »

Et les trois garçons de rire.

Puis nous avons continué le chemin ensemble. Moi, le premier moment de gêne passé, j'étais heureuse d'être avec eux. Ils avaient repris leur conversation. Je les trouvais hardis, libres, drôles, j'avais envie d'entrer dans leur univers.

Je n'ai su que le soir la raison de mon adoption. Mon frère m'a dit en riant : « Dis donc, toi, tu grandis. Ce matin, quand Gueule-de-singe nous a déclaré : « J'ai « repéré depuis quelques jours une drôle de belle fille, « elle est justement derrière nous » et que j'ai vu qu'il parlait de toi, je t'assure qu'Alain et moi on a bien rigolé. Comme belle fille y'a mieux. Il est pas difficile Goetzinger! Enfin, c'est vrai que tu vieillis et que t'es plutôt moins moche qu'avant. »

Désormais je faisais la route avec eux. Alain ne me regardait plus du tout de la même manière. Il y avait maintenant une douceur dans son regard qui me rendait heureuse.

Les vacances sont enfin venues. Je devais les com-

mencer par un camp des Guides de France dans une
ferme située sur la côte près de Douaouda, ensuite je
passerais tout le reste de l'été à Sidi-Ferruch où Alain
aussi passait ses vacances.

Le camp des guides était installé dans un bois de pins
maritimes jouxtant les bâtiments d'une cave.

Nous étions venues à bicyclette. J'étais partie joyeuse,
pédalant comme une diablesse. Au bout d'une heure
j'étais fourbue : mon sac à dos tirait mes épaules en
arrière, la part de matériel que je transportais faisait
un énorme paquet sur mon porte-bagages, empiétant
sur ma selle. A l'arrivée, ma fatigue était telle que tout
mon corps me faisait mal et que j'avais l'impression de
n'y voir plus clair. Les cheftaines avaient claironné :
« Allez les guides, dépêchons-nous, il faut monter les
tentes avant la nuit ! » Et en avant l'embrouillamini des
piquets et des tendeurs, des paillasses à remplir, des
feux de cuisine qui brûlaient tout et ne cuisaient rien !
Le feu de camp. La prière du soir. Et, enfin, la belle
chanson : « Encore un jour de passé Seigneur Jésus,
bonté suprê-ê-me... c'est la nuit, plus de bruit, par les
monts, les collines et les plaines, c'est la nuit, tout se
tait, Jésus vei-ei-ille. » Et puis les guides s'enfermaient
sous les tentes, équipe par équipe. Les filles s'endor-
maient, moi je pensais à Alain. Nous étions si serrées
les unes contre les autres que nous ne pouvions dormir
que sur le dos, raides comme des passe-lacets. Dans
l'ombre noire montaient de fines senteurs provenant
des pieds et des aisselles, puis, favorisés par notre position, des ronflotements s'élevaient à leur tour, des
hoquets, des bruits de succion. Le vaisseau de notre
tente s'éloignait dans l'obscurité, chargé de l'épais sommeil des jeunes filles de bonne famille livrées pour
quelques jours à la vie saine et rude de la nature et de
la rusticité.

Dès que j'ouvrais les yeux, le matin, Alain s'installait
dans ma tête et la joie de le voir bientôt, la perspective

de passer le reste de mes vacances près de lui, me portait tout au long de la journée. Pourtant rien ne me plaisait dans la vie d'une guide de France. Les filles, pour la plupart, n'étaient que des fillasses, des cafteuses, des vicieuses, des hypocrites. Elles s'amusaient à être garçonnières et je ne les comprenais pas. Nous n'étions pas des garçons, pourquoi les imiter ? Cela me déplaisait d'autant plus que j'étais grande et douée d'une force physique telle qu'imiter les garçons me semblait un but facile à atteindre et dérisoire. Les journées se passaient à porter de lourdes charges, à faire des marches harassantes, à organiser des jeux brutaux, à manger de la mauvaise cuisine et à écouter les sermons quotidiens de notre aumônier qui étaient exactement semblables à ceux que j'entendais à longueur d'année dans mon école.

Les guides avaient le privilège de lui servir sa messe, mais pas tout à fait : il y avait des linges et des vases sacrés qu'elles ne pouvaient pas toucher, des livres saints qu'elles ne pouvaient pas approcher, des services qu'elles ne pouvaient pas rendre, auxquels les filles n'ont pas droit. A cause de ces interdits divins, celles d'entre nous qui étaient désignées pour sonner la clochette ou transporter les burettes avaient l'impression d'être presque admises dans le camp des élus et en tiraient une grande fierté. C'était à qui accomplirait le plus d'exploits méritoires dans la journée pour entendre la cheftaine dire le soir à la veillée : « Tu serviras le père demain matin. » Et quand j'entendais ma voix répondre seule, dans le petit matin brûlant, à la voix de l'homme-prêtre qui venait de psalmodier : « *Introibo ad altare dei*... », quand je m'entendais dire : « *ad deum qui laetificat juventutem meam* », j'étais inondée de bonheur... Je monterais à l'autel de Dieu, du dieu qui réjouit ma jeunesse !... Mon dieu c'était Alain, mon petit bonhomme maigrichon et merveilleux. La messe se célébrait toujours de bonne heure, à l'ombre du plus

38

haut pin maritime et, au fur et à mesure que les instants passaient, le soleil se faisait plus ardent, les cigales se mettaient à activer leurs petites scies, toutes ensemble, dans l'air qui devenait épais et tremblotant autour de nous. Nous vivions le recueillement silencieux qui précède la communion dans le vacarme estival des insectes africains. Seule, la voix du prêtre montait par instants pour retomber immédiatement dans des marmonnements. *Orate fratres... Hic... Est... Corpus... Ecce agnus dei. Ecce qui tollit peccata mundi* ... La chaleur exhalait des odeurs de résine, de poussière et d'herbes sèches. « *Orate fratres* », le soleil animait les papillons, les cigales, les grillons, les petits lézards verts, les mouches, les fourmis, les abeilles, les guêpes, tous furetaient, bourdonnaient, grattaient. « *Orate fratres* », Priez, mes frères. Toutes les sœurs de la compagnie, nous priions...

Je n'aimais pas cette vie, je la trouvais hypocrite. Soit elle était la vraie vie et, dans ce cas, nos existences familiales étaient entièrement fausses, soit nos familles nous élevaient dans la vérité et alors qu'est-ce que c'était que cette mascarade? Elle se voulait saine et franche et elle ne l'était pas.

Mais j'étais une fille obéissante et si on m'avait inscrite aux guides, c'est qu'il devait y avoir une bonne raison à cela. Aussi je me forçais à faire des choses qui me répugnaient, histoire d'exercer ma volonté, de me contraindre stoïquement. C'est ainsi qu'un jour la cheftaine a déclaré : « M. Sanchez (le fermier chez lequel nous campions) a la gentillesse de nous offrir des poules. Il nous faut une guide par équipe pour tuer les bestioles. Les volontaires, désignez-vous. » Nous étions là bien rangées par équipe, à la queue leu leu derrière nos chefs qui tenaient les fanions. Silence. Puis j'ai fait un pas de côté : c'est moi qui tuerai la poule de l'équipe ! Je m'en sentais pourtant absolument incapable. « C'est bien, les guides, il y en a de courageuses parmi vous.

Celles qui se sont désignées vous servirez l'abbé Delvault demain matin. En attendant, allez au poulailler, M. Sanchez a préparé tout ce qu'il faut. » C'est ainsi que je me suis trouvée, avec trois autres filles, dans la grande basse-cour du père Sanchez, une hachette à la main, à courir derrière des volailles que je ne voulais pas voir, à attraper une poule que je ne voulais pas choisir. Puis j'ai fait comme les autres, j'ai posé ma bête sur un billot, d'un pied j'ai immobilisé son corps, j'ai tiré sa tête de la main gauche et d'un grand geste du bras droit, j'ai sectionné le cou d'un seul coup de hachette affûtée, les yeux fermés. Les autres guides nous regardaient à travers le grillage, elles riaient, elles avaient un peu peur. La poule, la tête séparée du corps, faisait encore des mouvements convulsifs avec ses pattes qui raclaient la poussière. J'ai été me cacher pour vomir et je n'ai pas mangé un gramme de cette viande qui d'ailleurs, après vingt-quatre heures de cuisson, était encore dure comme du bois.

Le dernier matin du camp je me suis réveillée très tôt, avant tout le monde. Il faisait une fraîcheur délicieuse, d'autant plus délicieuse que tous les signes annonciateurs d'une journée torride se montraient : quelques grillons chantaient déjà, il n'y avait pas la moindre brise, et l'air, dans la plaine, entre les rangs de vigne, commençait à trembler. Alors est né en moi, puis s'est précisé, puis s'est enflé, le goût du bain que j'allais prendre tout à l'heure avec Alain. J'ai senti mes pieds entrer dans la mer, mes jambes courir en se levant de plus en plus haut au fur et à mesure que la plage s'enfonçait sous la surface de l'eau, jusqu'à ce que la mer me plaque aux cuisses et me fasse basculer sur le ventre m'enfouissant en elle. Alain allait courir un mètre de plus et tomber dans les bulles et la mousse, riant comme moi du plaisir que procurerait l'eau fraîche à son corps chauffé par le soleil. Ouah !

Il fallait que je parte. Je ne pouvais pas supporter une

heure de plus ces filles entassées sous les tentes, cet entrain de commande, cette camaraderie forcée, toute cette tartuferie quoi !

Je n'ai eu besoin que de quelques instants pour entasser mes affaires dans mon sac à dos, rouler mon sac de couchage et enfourcher mon vélo. Je fous le camp ! Un petit mot abandonné à ma place pour prévenir les guides ! Salut la compagnie. Ça va me valoir de fameux reproches. Tant pis, on verra bien.

J'ai d'abord pédalé comme une folle pour mettre de la distance entre les guides et moi et puis j'ai lâché le guidon, j'ai posé mes mains sur mes cuisses et je les ai aidées à imprimer aux pédales de longs mouvements réguliers de bielles. J'étais dressée dans la beauté de ce matin-là, heureuse à en pleurer. A mon épaule droite la vitesse faisait frétiller les flots de ma compagnie et ceux des badges que j'avais conquis : secourisme et nœuds... Tu parles. En tout cas c'était joli à voir : des rubans jaunes, rouges, gris et blancs. Je n'avais qu'une idée : me débarrasser de mon uniforme, de mon chapeau breton en feutre bleu marine et de mes godillots, prendre une douche tiède pendant au moins une demi-heure, passer mon costume de bain, petit slip et soutien-gorge, et filer sur la plage.

Comme cet été a été beau !

Le regard de Goetzinger avait produit son effet, il avait changé le regard des autres et changé mon propre regard sur mon corps. Alain ne me traitait plus en petite fille. Il venait s'asseoir près de moi sur la plage. Il me demandait des précisions sur mon emploi du temps (car j'avais des devoirs de vacances à faire et rarement l'autorisation de sortir le soir) et réglait le sien en fonction de mes heures de liberté. Enfin quoi, il n'y avait pas de doute, il me faisait la cour.

J'étais au comble du bonheur. Ma vie, jusqu'à ma

mort, ne serait que bonheur. Car j'allais me marier avec Alain, lui donner des enfants, le rendre heureux, lui faire une belle maison. Je ne me rassasierais jamais de mon amour pour lui. Tout concordait : ce que je voulais et ce que voulaient mes parents. C'était une certitude absolue qui me rendait douce et gaie et belle. Mon corps se transformait de jour en jour. Je me regardais dans la glace de la salle de bain, souvent. C'était incroyable ces seins ronds et charnus comme des pommes qui m'étaient poussés, et cette taille qui s'incurvait sous mon torse, apportant une touche de fragilité, attendrissant ma santé bronzée, mettant en valeur le tambour bien tendu de mon bassin à peine renflé sous le nombril, et ces jambes longues, longues, et ces poils blonds et bouclés qui foisonnaient en bas de mon ventre et sous mes bras... J'étais devenue une femme. C'était grave, sérieux et heureux.

Je savais que j'étais belle et cela me plaisait, car cette beauté appartenait entièrement à Alain. J'aimais les yeux des hommes et des garçons tournés vers moi quand j'étais sur la plage, ils étaient autant d'hommages à mon bien-aimé, à son goût, au choix qu'il avait su faire. Dans notre bande, on nous accouplait maintenant, c'était décidé, nous allions ensemble : « Toi et Alain, Alain et toi... »

Tout se passait parfaitement, simplement. L'après-midi nous allions dans la forêt qui s'étendait derrière les villas. Nous nous y étions octroyé une clairière, très loin, perdue. Sur l'étroit sentier sablonneux, qui serpentait longtemps parmi les lentisques, les immortelles et les lauriers-roses, Alain prenait ma main. Soudain ce geste nous isolait. Les autres disparaissaient devant ou derrière nous, par couple eux aussi, silencieux comme nous.

Je me rappelle le ciel blanc de chaleur, les arbres que les tempêtes d'hiver et d'automne avaient courbés, au-delà des dunes de la plage, et dont les branchages enlacés les uns aux autres, comme serrés pour lutter, formaient une autre dune, verte celle-là. Je me rappelle les chèvrefeuilles et les églantiers qui embaumaient le sous-bois d'un parfum subtil, mielleux, et d'autres odeurs fortes venant de la résine des pins, des herbes, des plantes et des buissons des pays chauds. Je me rappelle les minces lézards de bronze et d'or qui traversaient vivement les espaces libres. Je me rappelle la sueur qui faisait glisser nos doigts emmêlés. Je me rappelle, quand Alain avait enfin choisi un endroit convenable, le spasme qui pinçait ce fruit mûr que j'avais entre les jambes, cette figue juteuse, ce brugnon satiné, cette nèfle prête à se fendre. Il me faisait m'allonger près de lui. Le cœur me battait. Le fruit mûrissait encore plus et me faisait serrer les cuisses. Alain avançait son visage vers le mien, j'aimais son odeur de garçon de bonne famille, sa sueur à la lavande. Il approchait encore plus et je sentais maintenant le relent masculin des Bastos qu'il fumait.

« Non, je ne peux pas t'embrasser. »

Le danger était grand, le danger était affolant.

« Mais pourquoi ?

— Parce que c'est un péché.

— Tout le monde le fait.

— Pas moi. Je t'en supplie, pas moi. Alain, je t'aime depuis que je suis toute petite. Je veux me marier avec toi mais je ne peux pas t'embrasser. »

A chaque fois ma déclaration avait l'air de le surprendre. Il n'insistait pas, il s'éloignait de moi. Nous jouions avec le sable. Je lui étais reconnaissante de me respecter, de ne pas insister et pourtant l'envie innommable que j'avais de lui me torturait.

A la fin des vacances nous sommes retournés à la ville où nous ne pouvions plus nous voir chaque jour. J'avais retrouvé ma vie de jeune fille qui va en classe, seule cette fois. Alain et mon frère étaient devenus des étudiants. J'avais de nouveau endossé l'uniforme de mon collège. On avait dû le renouveler complètement. Mon corps avait tellement changé pendant l'été! Pas question cette année-là d'ouvrir une pince, de donner de l'ourlet ou de pousser les boutons des vêtements de l'an dernier. Non, plus rien n'allait, plus aucune pièce, j'étais différente.

Mon frère servait de messager à Alain. Je crois qu'il avait vu d'un bon œil ce qui s'était passé entre son ami et moi cet été. Il me semblait qu'il avait plus de considération pour moi.

Nous n'étions pas rentrés de vacances depuis une semaine qu'un soir mon frère me chuchote :

« Alain veut aller au cinéma avec toi demain. C'est jeudi. Je dirai que je t'emmène au stade. On se retrouvera le soir pour rentrer. »

Quelle histoire! Cela voulait dire qu'il fallait que je manque les guides, que j'invente des mensonges à droite et à gauche. Tant pis! Tout ce que je voulais c'était revoir Alain, le sentir près de moi, qu'il prenne ma main. Je lui appartenais, j'étais sa femme, c'était lui qui décidait.

Il m'a paru drôle le lendemain avec son pantalon de flanelle, sa chemise, sa cravate, sa veste de tweed : un homme. J'avais rendez-vous avec un homme! Moi! Il aurait fallu que j'aie des bas, un sac avec un poudrier dedans, et aussi des chaussures à talons. Mais je ne possédais rien de tout ça, ce n'était pas le genre des jeunes filles de mon âge et de ma condition. Si bien que je me sentais un peu tarte avec mes mocassins, ma jupe écossaise et mon twin-set bleu marine. Sans compter le ruban qui tenait mes cheveux et qui faisait très gamine.

Nous étions l'un en face de l'autre, devant l'entrée du cinéma, dans nos vêtements qui sentaient l'automne, étrangers l'un à l'autre. Comme si, il y a quelques jours à peine, nous n'avions pas couru nus, ou presque, nous tenant par la main, dans les vagues. Là-bas, je n'avais rien à craindre de lui. Ici, tout à coup, il me faisait peur. Il était un homme et moi une femme. Avant, nous étions deux enfants amoureux.

Encore un pas à franchir. Comment devient-on une femme ? Comment commence-t-on à être une femme ? Une chose me paraissait certaine : je n'étais pas encore une femme cet été, allongée sur le sable près de lui. Alors je ne savais plus ce que j'étais.

Alain sentait-il ma gêne ? Il aurait pu me mettre à l'aise, il ne le faisait pas. Il avait un air décidé que je ne lui connaissais pas.

C'était jeudi, il y avait plein de garçons et de filles semblables à nous qui allaient entrer dans la salle. Ils paraissaient être à leur affaire, ils bavardaient, ils riaient. Alain fumait une Bastos avec désinvolture. Nous n'avions rien à nous dire. Et pourtant j'avais la tête pleine de la joie de le retrouver, du plaisir d'être avec lui. Je n'en avais pas dormi la nuit précédente et jamais, depuis que j'étais au monde, un matin n'avait été aussi long que ce matin-là tant j'étais impatiente de le voir.

Nous étions là à piétiner dans la file qui avançait lentement devant la boîte vitrée de la caissière. Alain ne m'avait même pas demandé si j'avais de quoi payer ma place. Il devait bien se douter que je n'avais pas un sou. Il savait très bien que, dans notre milieu, les jeunes filles n'ont pas d'argent de poche. Qu'en auraient-elles fait ?

« Deux orchestres. »

Ça aussi, ça me faisait peur : son assurance, cette facilité avec laquelle il faisait les gestes nécessaires, il prononçait les mots qu'il fallait dire. Je voyais qu'il avait l'habitude de ce genre de situation et moi je me sentais gourde comme ce n'est pas permis de l'être. Il paie, empoche la monnaie et nous entrons.

La séance va commencer, la salle s'éteint peu à peu

faisant entrer dans l'ombre les roses de plâtre dorées et les guirlandes de laurier qui ornaient le balcon et aussi les satyres et les muses qui batifolaient avec leurs lyres et leurs flûtes de Pan sur le fronton, au-dessus de l'écran. C'était un beau cinéma moderne.

L'ouvreuse nous indique des places au centre. Alain refuse, lui donne son pourboire et m'entraîne vers le fond, tout à fait vers le fond, dans un endroit où il fait complètement noir, au dernier rang. Derrière nous il y a un mur et au-dessus de nous, tout proche de nos têtes, c'est le plancher du balcon. Je sens mon cœur qui bat, j'ai l'impression d'être tombée dans un traquenard. Je n'y vois rien. Je me laisse tirer, pousser, par Alain qui enjambe les genoux de ceux qui sont déjà assis, jusqu'à ce que nous parvenions à deux places libres. Je m'habitue à l'obscurité. Autour de nous ce sont tous les jeunes que nous avions vus dehors, à l'entrée, qui se sont regroupés là, deux par deux. Ils se sont mis à leur aise, ils ont enlevé leurs vestes et leurs manteaux, ils chuchotent, ils rient, ils mangent des bonbons, les garçons ont posé leurs bras sur le dossier des filles, ils ne se soucient pas plus de nous que d'une guigne. Tout leur paraît normal, moi je n'y comprends rien. Alors c'est comme ça que ça se passe entre les garçons et les filles, dans les cinémas ?

La séance commence par les actualités, par le générique des actualités précisément. On voit des gymnastes qui sautent prestement d'un pied sur l'autre dans un ensemble parfait, la multitude de leurs jambes forme des éventails qui s'ouvrent et se referment. Un biplan passe en rase-mottes dessinant un feston dans un ciel splendide. Un hors-bord fend la mer, faisant jaillir un feu d'artifice de gouttelettes. Un alpiniste arrive au sommet d'une montagne, on voit le ciel entier. Tout cela sur un rythme endiablé soutenu par une musique entraînante. J'adorais le générique des actualités Gaumont. Je n'allais que très rarement au cinéma car ma mère prétendait qu'il n'y avait rien d'intéressant à y voir pour une fille de mon âge; quant à mon père, lui, il assurait que c'était le meilleur endroit pour attraper tous les microbes du monde. Pourtant, à chaque fois que j'y étais allée j'avais trouvé cela merveilleux. Ben Hur, Marco Polo, King Kong et Blanche-Neige m'avaient laissée rêveuse et frémissante.

Alain prend ma main, sa paume glisse contre ma paume, ses doigts se tressent avec les miens et il serre. Cela s'est fait en une seconde. Je ne peux plus regarder l'écran tant cette pression m'émeut. Sa main lâche ma main et la confie à son autre main puis un bras passe derrière ma nuque, doucement, me fait entrer au creux du coude et de l'épaule d'Alain. Je le regarde, il est assis de biais sur son siège, son visage est tout proche du mien. Ce visage bien-aimé, ce visage caressé tant de fois dans mes rêves. Caressé comment? Quelles caresses ai-je imaginées, inventées? Qu'est-ce qu'une caresse? Mon esprit s'agite, s'embrouille, rejette toute précision à ce sujet, toute réponse à ces questions. Ce n'est pas possible, ce n'est pas possible! Je ne dois même pas y penser. Je ne sais que murmurer : « Alain, je t'aime, je t'aime mais je ne dois pas, je ne peux pas. » Ici, ce n'est pas comme à Sidi-Ferruch, mes paroles ne l'arrêtent pas, il me serre encore plus fort contre lui et il essaie de m'embrasser. Je tourne ma tête à droite et à gauche pour échapper à ses lèvres humides et tièdes qui cherchent les miennes. Il me semble que mon visage est vernissé par sa petite salive douce. Je vois, par flashes, les jeunes de tout à l'heure qui se sont accouplés et s'embrassent longuement, loin du film qui se déroule et les éclaire, par moments, d'une lumière blanche et changeante, hachurant leur immobilité ou les lents mouvements qu'ils font pour se prendre mieux. Je vois les bras qui les lient, les cheveux emmêlés, les yeux sans regards, les lèvres entrouvertes qui se séparent pour mieux se retrouver. Dans mon ventre le fruit mûrit, la figue est grosse, mes cuisses se serrent à me faire mal. Un traquenard ! Alain, cet homme en pantalon de flanelle, m'a conduite sciemment, volontairement, dans un traquenard !

Je me débats jusqu'à ce qu'il lâche prise et que, buté, furieux, il s'enfonce dans son fauteuil pour regarder de mauvais gré le film dont je ne verrai rien.

Après la séance, dans la rue, dans la lumière retrouvée, dans la foule des gens, dans la blondeur de la journée d'automne finissante, Alain, les lèvres soudain crispées, le regard fuyant, hache des mots secs avec les petites lames blanches de ses dents :

« Tu comprends que ça ne peut plus durer... C'est fini entre nous, j'en ai marre de cette comédie... C'est cassé. »

Les vieilles dames rebroussent chemin. Leur auto me croise dans l'allée et ses occupantes me font un signe aimable de la main, un de ces « hello » des Britanniques qui veut dire quelque chose, qui est réellement un contact, qui n'a rien à voir avec nos « bonjour » et nos « au revoir ».

Sur le perron de la maison j'aperçois de loin Hans, Heidrun, et Jean-François assemblés. Jean-François a déjà eu le temps d'aller au cottage et d'en revenir : il est habillé d'un pantalon de toile et d'une chemise. Pourquoi cette hâte ?

Voilà ma journée bouleversée. Plus de bain, plus de promenade sur la plage déserte, plus de bavardage sur le sable !

Au moment où je les rejoins, Hans a sorti son auto du garage. Heidrun est assise sur la rampe de pierre, Jean-François lui parle, il me tourne le dos. Ils forment un groupe calme. Elle est large, longue, avec un visage enfantin, lui paraît tout menu auprès d'elle. Il ne se retourne pas en m'entendant venir. C'est Heidrun qui s'adresse à moi avec des yeux pleins d'intérêt :

« Quelle histoire ! »

Il se retourne alors vers moi, il a toujours le même regard lisse qui ne livre rien, il hoche la tête. Moi qui le connais bien je sais qu'il a pris son attitude de défi avant la bagarre, son comportement quand il croit que je veux lui prendre quelque chose, quand il pense que sa liberté est en danger. Pourquoi nous battre ? Est-ce le cadavre qu'il veut garder pour lui tout seul ? l'émotion que lui procure ce cadavre ? Et moi je ne sais que demander :

« C'est le cadavre d'un homme ou d'une femme ?

— Impossible à dire. J'ai vu surtout deux mains très belles et de grands cheveux noirs. Ici presque tous les hommes ont les cheveux longs. »

Et en disant cela il dresse au-dessus de lui ses bras au bout desquels il laisse pendre ses mains inertes. Puis avec ses doigts, comme s'ils étaient les dents d'un peigne, il coiffe dans le vide une longue chevelure, en éventail.

Hans l'appelle de la voiture.

« Dépêche-toi, faut aller au bureau de police avant qu'il ferme. »

Jean-François descend les escaliers quatre à quatre et, pendant qu'il s'assied dans l'auto, Hans me crie en riant :

« Le dernier témoin est le premier suspect !... »

Puis ils disparaissent du côté de la colline aux hérons.

Nous restons seules, les deux femmes, à attendre. Attendre. Je sais que Heidrun ne vit pas cet instant de la même manière que moi. Elle a l'habitude d'attendre, elle aime attendre, elle a accepté d'attendre. Moi, je déteste ce creux. Alors qu'elle vivra harmonieusement pendant que son mari fera ses affaires d'homme, moi je vivrai dans le désordre.

« Viens, on va se faire un bon thé et on le prendra au jardin à l'ombre du marronnier. Il fait si chaud aujourd'hui qu'on n'a pas envie de manger. Tu ne trouves pas ?

– Si. »

Je ne veux pas apprendre par elle ce que Jean-François a raconté et dont elle a évidemment hâte de me parler. Je trouve injuste qu'il ait livré à d'autres des détails dont il m'a privée, je ne sais pas pourquoi. Alors je fais celle qui n'est pas intéressée et j'oriente la conversation sur l'eau de Corvagh « qui est si bonne pour le thé », sur la vie de Heidrun, sur sa petite fille et puis, sous prétexte de rangements, je vais au cottage.

Là, une fois la porte bien fermée derrière moi, je m'attable devant la fenêtre. La marée a baissé et maintenant s'étale devant moi une plaine sableuse dans laquelle serpente la rivière de Corvagh qui embrasse des pédoncules herbeux : les îles de tout à l'heure. L'océan en se retirant a laissé dans le sable des ondulations serrées et des flaques qui luisent au soleil. Tout le paysage est humide, gorgé d'eau comme une éponge, une eau partout drainée, attirée par le courant rapide de la rivière qui est devenue l'épine dorsale de cette nature. Les hérons, en lents vols gris, sont venus se poser à gauche de la maison. Pendant un long moment ils se sont immobilisés au bord du cours d'eau, tels des volatiles empaillés. Ensuite ils ont progressé au ralenti, par d'immenses pas anguleux et précautionneux. Ils pêchent : leur interminable cou se déploie, enfonce le bec effilé dans les algues de la berge, puis dresse la tête dans le ciel et déglutit, par saccades, le poisson attrapé.

Ce que je vois par la fenêtre c'est du pays, de la terre, du solide, des collines vertes entourant une plaine blonde traversée par une rivière bouclée où des vaches viennent boire, où des canards barbotent. Ce matin, au contraire, ce que je voyais c'était une mer, un lac, du liquide, du fluide, le royaume des poissons invisibles et argentés, le sol n'y était que langues et îlets. Le changement est total, troublant.

Plus le même pays, plus le même homme.

D'où vient que les changements de mon humeur se font parfois si vite que j'en reste désemparée? Ce qui paraissait stable se transforme en une fraction de seconde et, tout à coup, plus rien n'a le même sens, plus rien n'a la même forme. Mon esprit emballé essaie de s'adapter, d'assurer ses prises là où il les trouve habituellement, mais elles ont disparu. C'est la panique, l'anxiété, le chaos.

Ne plus pouvoir aller vers le connu, ne plus savoir aller vers le nouveau. Essayer de rester entre les deux sur une crête glissante, visqueuse, vertigineuse, impraticable. Faire des efforts éreintants pour me maintenir là, à tout prix, tout en sachant cette position terriblement périlleuse. Essayer de progresser le moins possible: le moindre mouvement, le moindre éclat risque de me faire perdre l'équilibre, de faire tout basculer.

Qui est Jean-François? Où est Corvagh?

Nos vacances, tout à l'heure lumineuses, maintenant obscures, pourquoi les ai-je tant voulues?

Le froid du corps, de l'esprit, le vide et, heureusement, le gentil chagrin. Les pleurs montent en picotant la gorge et les yeux, emplissent le globe oculaire, le baignent. Une tiède marée qui me vient de la petitesse, de la tendresse, de l'enfance, emprunte le microscopique canal lacrymal pour monter à ma surface, envahit l'espace exigu entre les paupières, pousse une larme, la gonfle de force pour l'aider à sauter l'encorbellement des cils et puis la laisse glisser comme une fée bénéfique, sur la joue, jusqu'au coin des lèvres. Suivie d'autres larmes pressées qui folâtrent, que la liberté fait courir. Elles nappent, elles lustrent, elles lubrifient la peine qui a enfin le droit de sortir à son tour avec de gros sanglots, avec des marmonnements mouillés, avec une salive douce et une morve sucrée... Etre un bébé, téter ce lait et m'endormir repue, sans plus penser à rien, satisfaite.

Mais je ne suis pas un bébé, je suis une grande femme mûre taraudée par l'incertitude et la crainte. J'ai misé gros sur ces vacances, j'ai misé mon bonheur. Si ça ne marche pas cette fois, c'est que ça ne marchera jamais.

Il me semble qu'il y a, comme ça, dans la vie, des limites, des points de non-retour, des frontières impassables, des réserves. Moi, je pense que ces vacances à Corvagh contiennent tout ce qu'il faut pour que Jean-François et moi nous nous soudions définitivement à ce moment où notre vie va changer de rythme parce que les enfants sont devenus des adultes, presque autonomes, presque parents eux-mêmes.

Nous ne voudrions ni l'un ni l'autre prendre notre retraite à quarante-cinq ans, cesser d'avoir un avenir. Alors, comment nous y prendre ? Comment vivre maintenant ensemble ? Il y a tellement d'erreurs entre nous, tant d'errances. Pourtant un fil tient toujours puisque nous sommes ici, nous deux, seuls. Quel fil ? Où est-il ?

Tout peut se nouer, oui, mais tout peut se dénouer. Il y a dans notre vie commune assez d'acide pour dissoudre notre passé, assez d'agressivité contenue pour projeter nos personnes loin l'une de l'autre. Deux fusées s'arrachant lentement de leurs amarres, suspendues un instant, comme immobilisées dans cet arrachement, et qui se séparent, après, à toute vitesse, chacune sur sa trajectoire dans le bleu marine de la galaxie.

Cette projection me fait souffrir, mes tripes se tordent, mes cuisses se serrent, mon cœur est compact comme une roche, mes mains sont des boules d'osselets.

52

Devant moi la plaine est maintenant tout à fait sèche. Trois pêcheurs ont mis un bateau dans la rivière et s'occupent à tendre un filet d'une berge à l'autre. L'un d'eux est resté à bord et rame à contre-courant pour maintenir la barque au milieu du lit. De la coque, le filet s'écoule avec ses flotteurs de liège, tiré par les deux hommes restés à terre. Ils travaillent dur tous les trois, ils sont trop loin pour que je les entende, mais je sens qu'ils s'accordent bien.

Tout près de la maison, Arnaud, le chien de Hans, court comme un dératé après une canne affolée qui craint pour ses petits. Elle tente de les protéger en attirant le chien loin de l'endroit où nageote sa nichée. Lui, abusé par la proie apparemment facile de la mère — parce qu'elle bat des ailes et fait du sur place à un mètre du sol, dans un grand désordre de plumes et de couacs — se précipite sur elle et claque sa mâchoire dans le vide car, à la dernière seconde, d'un vol vif et aisé, la canne est passée de l'autre côté. Alors Arnaud avide, infatigable, aveuglé par le désir, traverse la rivière à la nage — je vois sa tête qui sort à la surface — et tous les deux recommencent leur manège. Pendant ce temps les petits s'amusent. Ils plongent, disparaissent dans l'eau vive pour quelques instants et réapparaissent ailleurs. Ils me surprennent à chaque fois en surgissant dans un coin où je ne les prévoyais pas. Porté par le courant, le groupe avance, mais le chemin est long avant la large embouchure de la rivière, au fond de la plaine, là où Arnaud ne sera plus à craindre. La canne va-t-elle pouvoir tenir le coup si longtemps ?

N'y a-t-il que la mort pour ordonner nos vies ? Existe-t-il un répit en dehors d'elle ?

Vision dans une gare, un jour : sur le quai d'en face, un wagon vide, à l'arrêt, détaché d'un convoi et un couple de jeunes, dedans, sur une banquette de moleskine, heureux. Ils s'embrassent à petits coups de becs et rient. La fille embrasse le gars une fois, deux fois, dix fois, cent fois; ils rient. Celui qui embrasse pousse le visage de l'autre qui rend les baisers à son tour en renversant le mouvement. Ils se balancent dans leur rire, dans leur plaisir, ils se bercent dans leur bonheur, dodo ninette, à la violette...

Qu'est-ce qu'ils vont faire après quand le train roulera? Est-ce que l'un va ramer comme le pêcheur de Corvagh, à se péter les poumons, à se claquer les muscles pour garder sa barque à contre-courant? Et l'autre, est-ce qu'elle va s'agiter comme une folle, interminablement, pour préserver ses petits?

Ah! le BONHEUR! Le Bonheur si fragile, si grand, si petit, si splendide! Si PARFAIT!

Qui ne l'a connu, ne serait-ce qu'un instant? Qui ne le désire? Qui ne le veut longtemps, un peu plus longtemps, encore?

Je ne pleure plus, la pince luisante du regard de Jean-François me tenaille, me torture, me fait de nouveau trop mal pour le chagrin. Quelle histoire pour un regard! Oui, mais quel message dans ce regard! C'est la souffrance et la peur qui me nouent, me sèchent, me tannent. Vieilles compagnes que je croyais disparues pour quelques jours, que je venais supprimer ici, justement. Hantise de la désaffection de Jean-François, de sa disparition, de son oubli.

Et qu'est-ce que je ferai, moi, s'il part? Qu'est-ce que je ferai seule, maintenant? Passé toute ma vie d'adulte à m'occuper de lui et de ses enfants et de sa maison. Jamais eu le temps de m'occuper de moi, de me faire une vie. C'était eux ma vie. C'est lui ma vie, maintenant que les enfants sont partis ou vont partir, lui tout seul. En face de moi toute seule. Comme au commencement.

Quel commencement aujourd'hui? Quel commencement! Avec ses yeux!

Je les connais si bien quand leur doré s'efface, qu'il ne reste que du bleu froid infranchissable, du bleu-

blanc barrant, coupant, meurtrissant, mat. La Méditerranée me remonte à la gorge, j'ai envie de laisser sortir de
moi de stridents « aïe, aïe, aïe! », j'ai envie de balancer
le torse, de dresser les bras et de me griffer la figure.

Je ne dois surtout pas faire ça : Jean-François en a
horreur. Et puis ces manifestations n'iraient pas avec ce
qui m'entoure, il leur faut du soleil, du patchouli, de la
chaleur. Il leur faut de la poussière pulvérulente, douce,
pour enfoncer les pieds nus dans cette assise molle et
libérer alors le corps par des plaintes viscérales.

Ici, il n'y a rien de tout ça. Ici, c'est ailleurs, c'est dans
ma vie d'adulte, c'est dans cette vie qui commence par
le commencement et qui va, inexorablement, jusqu'à la
fin, cette vie où tout a un sens, où je dois être forte, où
je dois tenir bien en main mes chevaux. Savoir les diriger, les faire galoper quand il le faut, les mettre au
repos quand il le faut et, normalement, les mener à leur
train régulier, comme il faut. Mes chevaux ne sont pas
obéissants, ils se cabrent, s'emballent ou se mettent à
brouter quand il ne le faut pas. On dirait qu'il y a en
moi quelqu'un d'autre qui les dirige. Une autre moi qui
se moque pas mal de moi. Et, par-dessus le marché, ils
font du crottin partout. Je suis embarrassée par toutes
sortes de saletés qui me gênent, dont j'ai honte, que je
ne sais où cacher. Au fond, je vis dans la confusion. Je
veux quelque chose de toutes mes forces et je ne sais
même pas pourquoi je le veux si fort.

— Est-ce que j'aime Jean-François?
— Oui, je l'aime, puisque j'ai peur de le perdre.

C'est facile, maintenant que je suis devant mon
cahier, d'écrire l'histoire, de faire donner par la femme
cette sotte réponse : « Je l'aime parce que j'ai peur de le
perdre. » C'est facile, quand on connaît la suite de l'histoire, de s'amuser de l'ignorance de celle qui cherche. Il
y a dans notre vocabulaire une quantité de phrases toutes faites qui entraînent une pensée toute faite, dictée
par les usages, et qui servent à répondre aux questions

embarrassantes. Ce sont des pirouettes. Mais, au moment où on les utilise, on ne sait pas qu'on est en train d'éviter l'obstacle, on croit qu'on donne une véritable réponse. Au fait, c'est vrai que c'est une réponse; mais une réponse pour la forme. Une réponse qui bouche la fissure, qui colmate la fuite, qui arrête momentanément l'hémorragie. C'est une réponse qui muselle le gros tourment d'où est montée la question, mais qui n'empêche pas le tourment de gronder dedans comme un forcené, comme un prisonnier. Est-ce que j'aime Jean-François? Est-ce que j'aime Jean-François? Est-ce que j'aime Jean-François?

Qu'est-ce que c'est aimer?

J'étais là, attablée devant l'Irlande, avec mon amour en instance, mes larmes séchées qui avaient laissé sur mon visage des traces d'escargot, et le gros paquet que le regard de Jean-François m'avait fait reprendre en charge : le grimoire énorme où étaient inscrits, dans leurs moindres détails, ses tromperies, ses hypocrisies, ses dérobades, ses mensonges, et aussi mes vengeances, mes guérillas, mes ripostes. Car c'est lui qui avait commencé. S'il n'avait pas commencé, je n'aurais jamais rien fait...

Femmes dangereuses qui me le prennent, qui l'attirent. Cambrures des femmes : les reins, les cous. Enflures tièdes des seins des femmes, hauts, bas, en pomme, en poire, serrés, écartés, lourds, gros, petits, mauves, noirs, roses, rouges, bruns. Ventres-baignoires des femmes, ventres-berceaux, ventres-bénitiers, ventres-brioches, ventres-vasques, ventres-coquillages. Cheveux des femmes, crinières, boucles, bouclettes, crans, casques, noirs, blonds, roux, luisants, fins. Lèvres des femmes, craquelées, tendues, fendillées, pulpeuses, humides, brillantes, incarnates, pâles, minces, sensibles, qui s'arrondissent pour une cerise, pour un abricot, pour une prune violette et qu'un petit bout de langue nacrée vient nettoyer, prestement.

Et les membres des femmes, leurs bras, leurs jambes, leurs pieds, leurs mains, leurs doigts, leurs coudes, leurs genoux. En rondes autour de lui, en farandoles, en ritournelles, en serpentins, en faisceaux. Leurs mouvements lents, leurs mouvements vifs; pour enlever les vêtements, pour entrer dans le lit, pour soulever le bassin, pour tendre les seins. Bielles, moulins à vent, norias, éventails, ciseaux. Femmes marécages, Femmes dunes, Femmes sables mouvants, Femmes déserts, Femmes plages, Femmes montagnes, Femmes vallées, Femmes plaines. Géographies infinies. Infinis paysages.

Et moi dans cette pavane de la séduction? Moi avec mon ventre à enfants, mes seins à bébés, mes reins à vaisselle, mes bras à parquets, mes cuisses à lessive. Moi, belle de toutes ces besognes, ravissante de toutes les nuits blanches, délicieuse de tout mon lait, de tout mon sang, de toute ma sueur. Quelle dérision! Quel leurre!

Où est le bonheur là-dedans? Où est le bonheur tant qu'il y aura toutes ces femmes partout, sur les murs, au cinéma, dans les journaux, à la télé, à la radio, en photos, en affiches, en posters, en disques? Des femmes intactes, fraîches, jeunes, allègres, gaies, disponibles, riches. Qu'est-ce que je peux faire, moi, face à elles? Elles sans vergogne, sans pudeur, sans décence, sans scrupules. Et moi tellement banale! tellement médiocre. Moi qui suis fatiguée le soir, qui me dépêche le matin. Moi qui n'ai pas le temps de me regarder dans une glace. Pas le temps et pas l'argent.

Même mortes elles l'attirent. Le cadavre d'une belle femme sur la plage et c'en est fait de mes vacances. Mais qu'est-ce qu'elle a donc cette Ophélie aux grandes mains et aux cheveux longs, que je n'ai pas! Elle vaut quand même moins que moi puisqu'elle est morte.

Moi je suis vivante; et on en a tant fait, tant vu, ensemble, lui et moi. Pas rien que du fatigant, ou du plat, ou du laid. Du beau aussi, du bouleversant, de l'heureux, du gai. Au commencement, bien sûr, la

découverte. Mais après, il y a eu des instants, des pério-
des, où être ensemble, nous deux, était une bonne
chose, une belle chose. Quand nos enfants sont nés,
quel bonheur! D'autres fois, des temps fluides, fugitifs,
une complicité, une connivence, une communion. La
mort de sa mère : lui redevenu petit garçon sanglotant
auprès de la longue vieille dame blanche et froide. La
mort de ma mère, cette déflagration dans mon corps.
Lui étant mon refuge, moi étant le sien. Certaines réus-
sites professionnelles où nous avions l'impression que,
le succès, nous l'avions gagné ensemble, même si ce
n'était qu'à lui qu'il revenait officiellement. Et puis
aussi un ciel en Espagne, une pluie en Algérie. Le geste,
la parole d'un de nos enfants; les ressemblances, les
attractions, les goûts qui se sont installés entre nous
cinq. Des repas de fête improvisés. Un champagne pro-
videntiel. Un film, une musique, un livre, une forme, un
signe, reçus avec une égale intensité. Eclats accumulés,
points empilés, fragments amassés, soupirs entassés,
échos amoncelés, formant un tout plus solide que du
béton, enfonçant leurs racines plus profond que les
arbres.

Le couple, ce sont deux personnes, un homme et une
femme, qui n'en font qu'une. C'est bien ça qu'on m'a
appris, c'est bien ça qu'on m'a dit, c'est bien ça que je
veux? Est-ce que c'est vraiment ça? N'existe-t-il pas de
couple en dehors de ça?

Il y avait peu de temps que je dormais quand une
drôle de sensation m'a tirée du sommeil : une présence

58

invisible, l'enfant pesant, enfermé dans mon ventre, voulait sortir. Je le connaissais bien, il y avait des centaines de jours qu'il était mon convive. Mais cette nuit-là son comportement avait changé, je n'étais plus sa cachette, son reposoir, sa complice, j'étais sa prison. Rien de brutal ne se passait pourtant, rien de douloureux, un poids seulement, une tension lourde et lente, par instants, presque imperceptible, mais étrangère à mon corps.

J'ai su que mon enfant allait naître mais ce n'était plus « mon » enfant, c'était l'enfant, lui, celui qui existe en moi depuis neuf mois, non pas celui que je protège mais celui qui se nourrit de moi, un inconnu total. Un homme? Une femme? Je ne le savais pas. Je ne savais rien de lui. Je m'étais trompée jusqu'à cet instant, je l'avais confondu avec moi, confondu avec son père, confondu avec nous. Mais il était autre.

J'étais là, étendue dans mon lit, éveillée, attentive à mon organisme qui avait senti le premier le besoin de me quitter de l'enfant. C'était la nuit, l'ombre de la terre, le silence de la ville. Jean-François dormait, allongé sur le côté, tourné vers moi. Qui étions-nous tous les deux? Quels liens nous unissaient l'un à l'autre? Menottes, chaînes, cadenas, rubans? Dans cet instant il me semblait que notre couple existait plus qu'il n'avait jamais existé, à cause de l'enfant invisible venu de nous, et cependant différent de nous, qui allait naître. Et pourtant, en même temps que je ressentais cette unité, pendant que je regardais dormir mon mari, la bouche un peu entrouverte, une goutte de salive au coin des lèvres, je prenais conscience, avec force, de deux choses. D'une part que nous ne pouvions pas nous confondre tous les deux avec le troisième qui allait naître, parce que je le savais, à la manière qu'il avait de s'annoncer, qu'il était distinct, étranger. D'autre part que, dans l'instant, j'étais seule, absolument seule à vivre physiquement la mise au monde de notre enfant, cet arrachement que je pressentais et qui nous délivrerait l'un de l'autre l'enfant et moi.

J'ai laissé l'homme dormir, je me suis enfoncée, seule, dans le sous-marin de la nature, dans ce véhicule lisse et bombé qui ressemble à un grain de blé, à une goutte de pluie ou de sang, à un œuf, et je suis partie avec lui dans le voyage secret, rapide, interminable, illogique et cependant nécessaire au cours duquel les atomes s'entrechoquent brutalement. Là où les planètes planent vertigineusement, où les ondes ondulent les liquides, où les rayons rayent les espaces, où les particules partagent et pétrifient la matière. Je participais à l'élaboration de la vie. Je vivais l'instant où la cellule se divise en deux étant à la fois elle-même et une autre.

Il dormait et même si je l'avais éveillé il n'aurait pas pu prendre part, il n'aurait pu qu'essayer d'imaginer ce que je vivais. Avec son corps d'homme qui ne comporte pas de nid, pas de creux, son corps fait de reliefs saillants.

UN, l'enfant et sa mère. DEUX, l'enfant et sa mère.

J'étais un laboratoire ambulant, à la fois cobaye et expérience en train de se faire. Je ne regardais pas par l'œilleton du microscope, j'étais la préparation étalée sur la plaque à examiner.

Les spasmes venaient sans me faire souffrir, à intervalles de moins en moins espacés. Je ne pouvais ni les prévoir ni les commander. Le petit ne bougeait plus du tout, il était tapi, aux aguets, en bloc au fond de mon bassin, une masse pesante qui me faisait écarter les jambes pour mieux la supporter. Quand venaient les contractions, que mon ventre, de lui-même, se crispait, durcissait, semblait devenir le toit d'un chapiteau, je pensais aux voiles des méduses, aux tentacules des poulpes, quand ils se déploient puis se replient afin d'activer, par ces mouvements exécutés instinctivement, leur progression dans l'eau. Ainsi, j'avançais, immobile, dans la nuit de mon premier enfantement, à grands

60

coups lents de nageoires, comme un poisson japonais dans un aquarium.

Jusqu'à ce que l'aube s'annonce avec ses grisés et ses petits bruits, ceux du port puis ceux de la rue, échos de besognes frileuses, scrupuleuses, recommencées dans la solitude matinale, jour après jour : sirènes des premiers bateaux, ferraillements des premiers tramways, au loin. Le jour prenait son départ. Mon enfant allait naître avec le soleil, en même temps qu'arriveraient sur le marché les charretées de légumes et de fruits, les agneaux dépecés et les fleurs coupées.

L'univers était plein de pulsions semblables à celles qui s'étaient emparées de moi. J'étais identique au monde : gazeuse, végétale, minérale, animale.

J'errais dans les arcanes de la vie, dans les profondeurs, les sommets et les vastités de l'existence, croyant avoir tout embrassé, le commencement, la fin, la mort, l'éternel, croyant avoir placé mon unité dans l'innombrable, dans le multiple, et je ne m'étais même pas rendu compte que, pendant ce temps, cette unité avait changé.

Maintenant les spasmes venaient régulièrement, souvent. Ils saccadaient ma durée, mon temps. Dès l'instant où j'en ai pris conscience, ils sont devenus ce qu'il y avait de plus important dans cette chambre où logeaient un dormeur et une parturiente. J'étais cadence, ordre, mécanisme. J'étais autre, attentive uniquement au petit dans sa caverne noire, dans son eau chaude, cette eau, cette caverne qui étaient une partie de ma personne et que mon esprit ne pouvait cependant pas contrôler, même pas connaître, seulement deviner. Qu'est-ce que c'était que moi ?

L'humilité m'a prise, imposée par l'énormité du mystère. Aussi j'ai senti un danger, celui de fuir cet instant et de me dire : « C'est comme ça, c'est comme ça, tu n'y peux rien, rendors-toi si tu le peux, oublie. » Comme si l'oubli était une façon de faire disparaître les sensations et les événements! L'oubli est comme la caverne du fœtus, il est moi aussi.

Il n'était plus question de rêvasser : les appels de mon ventre étaient trop nombreux. Et cet enfant qui ne bougeait pas! S'il souffrait? S'il était malheureux? Mon enfant, en moi, à l'intérieur de moi est peut-être dans la peine. Comment peut-on être aussi unis et aussi séparés?

Il fallait me lever, agir, rejoindre les spécialistes, le médecin, la sage-femme, les infirmières.

Du coup Jean-François s'est réveillé et il s'est mis à agir lui aussi, comme un oiseau pris au piège, voletant par-ci, voletant par-là : « Tu es sûre? », « C'est bien ça? » Voulant à la fois s'habiller et partir : « N'oublie pas la valise. » Malheureux, n'osant pas me regarder ou essayant d'ajuster son regard à cette situation incompréhensible pour lui, pour laquelle il ne possédait pas de mots, pas d'expressions, ne laissant paraître dans ses yeux que l'impuissance, la gêne. Maladroit : « Le petit, il bouge comme un fou, il te fait mal? — Il ne bouge pas du tout. » Il a compris que ce qui se passait entre l'enfant et moi c'était plus que les relations habituelles entre êtres humains, c'était quelque chose de plus grave, de plus profond, de plus hermétique, comme si le couple que nous formions, l'enfant et moi, participait de l'universel, de l'éternel, de l'infini, de la perfection. Lui, Jean-François, il était en dehors de tout ça. Il était à l'extérieur de la vie même. Il ne pouvait pas savoir.

Quand nous sommes sortis c'était encore la nuit, mais une nuit usée avec des noirceurs estompées au bout des enfilades des rues, avec un écho de clarté à l'est. D'où venait que nous savions que cette nuit noire n'était plus la nuit? Etions-nous des loups sortis du bois pour aller boire l'eau de l'aurore? D'où venait que nous sentions les dormeurs amorcer leur éveil dans les immeubles obscurs? Etions-nous des poissons montant du fond de la rivière pour aller à la surface happer les moucherons de l'aube? D'où venait que nous savions que notre enfant allait naître bientôt? Qui avait planifié tout cela? L'Harmonie est si grande!

Dans une clinique d'accouchement, voir arriver une femme, comme ça, de la nuit, avec son mari et sa valise, c'est ce qu'il y a de plus banal. Cela n'intéresse personne. Il y a des formalités à remplir, de la paperasse. Station à côté de la standardiste qui feuillette un magazine féminin sans même lever la tête pour voir les nouveaux arrivants. Pour quoi faire? Ils sont tous pareils : la femme a des yeux de couveuse et l'homme a sa barbe de la nuit et son air de coupable. Lumière *a giorno,* alors qu'on a envie de pénombre, qu'on désire aller au bout de la gestation formidable par des chemins de brumes et de vapeurs. Salle d'attente où on s'assied, comme chez le dentiste, dans des fauteuils trop profonds, où on prend des attitudes correctes, contrôlées, civilisées, devant une table débordant de revues vieilles de plusieurs mois, gonflées par l'usage, cornées, déchirées. L'actualité ancienne, le meurtre, le kidnapping, la reine, la guerre, les vedettes. Des histoires déjà mortes, dont on connaît le dénouement, que le passé a rongées. Tandis que mon ventre est plein de l'avenir, qu'il est gros et dur comme un ballon gonfflé à bloc, que je sens mon sexe fleurir comme un dahlia, que des fulgurances grandioses irradient mon bassin, s'emparent de mes os, de mes tripes, de ma peau et de mon bébé... et de mon bébé, ce nouvel humain qui se débat tout seul dans son univers bouleversé, effrayant, en mutation.

L'infirmière arrive, nette, experte, rassurante. Elle tâche de me faire croire qu'accoucher c'est vraiment comme de prendre l'avion : on attache sa ceinture de sécurité et on se laisse faire. Il n'y a rien à craindre. On vous rase. Le sexe chauve devient ainsi indécent, redevient sexe alors qu'il ne l'était plus, qu'il était passage, berceau, nacelle. S'y introduisent des doigts de caoutchouc, blancs, décolorés, des doigts de noyé. Ça va. On met en marche le halètement. Petite locomotive haut le pied de l'accouchement moderne. Une grande pince luisante pénètre dans l'endroit caché, fragile, soudain découvert, béant, allumé, qui ne doit pas être, tout à coup, plus inconvenant qu'un œil. On perce la poche des eaux qui s'écoulent, qui sourdent. Il y a dans leur tiédeur un écho de l'essentiel, une résonance de commencement, de la température nécessaire à la propagation de la vie. Juste ce qu'il faut, un peu plus chaud que froid; c'est l'embellie de la fermentation, celle qui met en mouvement l'inerte, celle qui fait palpiter l'immobile.

Et puis, ensuite, les gens et les choses ont disparu. Je geste, je suis la gestation même, mon corps et moi-même accomplissons l'exploit. Lui n'a aucun mal à trouver le chemin archaïque, moi je le suis éperdue, affolée, par moments il va trop vite, il ne me laisse pas souffler. Et pourtant je veux en finir, je n'en peux plus. Impression que mon bassin craque, que l'enfant obstiné me torture, que mon petit souffre. Combien de temps allons-nous rester dans cet affrontement? Quand viendra le moment propice, exact, précis?

Certitude que mon corps et moi nous ne devrions faire qu'un et trouver ensemble la cadence adéquate. Mais ma tête reste en arrière, pleine de préjugés, pleine de civilités, pleine d'étonnements et de réticences à se voir aussi intimement liée à cet orifice interdit, honteux, qui s'élargit, s'élargit sans cesse et participe malgré moi à la noblesse de la naissance. Je résiste mais je sens que, par cette résistance, la rondeur de mon puits va se fissurer, se fendre, éclater comme la peau d'une grenade mûre. Mon refus confus va me faire souffrir et pourtant l'enfant passera quand même. La mise au monde s'accomplira, que je le veuille ou pas.

Par flashes je relie ces instants au sexe de l'homme, long, satiné, trapu, dur, qui s'est introduit par là il y a neuf mois, pénétrant jusqu'au fond de la maison des désirs, jusqu'à la haute chambre de la jouissance, pour y découvrir le trésor. Cambrioleur! Monte-en-l'air! Jean-François et moi partagions-nous l'enfant dans ces instants qui étaient nôtres plus que tous autres? Non.

Enfin sont venus les spasmes de la délivrance, ceux que j'avais entendu nommer « expulsion ». Trois immenses vagues, trois séismes stupéfiants. Quelque chose d'inimaginable, de colossal, trois secousses qui s'emparent de mon ventre comme d'une pâte à pétrir, le soulevant puis le précipitant vers le bas. Navire dans l'ouragan qui craque de partout, dont on a entièrement réduit la toile, et qui tient tête seul, avec les os de ses mâts dressés dans le noir, à l'infiniment plus fort et plus grand que lui.

Idée dans ce cauchemar que la fin est proche, que l'enfant tant désiré va enfin exister.

Refus de l'enfant tant désiré qui fait trop mal, qui y va trop fort. Lutte contre l'étranger adoré.

Poussez! Oui, je te pousse, je t'expulse, je te rejette mon bien-aimé. Fous le camp!

Poussez! La tête est passée. Je veux te voir, te connaître malfaiteur, toi que j'aime.

Poussez! Tu nais! Mauve, recroquevillé, mouillé. Ah! ma beauté si laide, je veux te protéger. N'aie pas peur!

Il crie! Quelle est cette voix? Je ne la connais pas. Entendez-vous comme moi la voix de mon enfant? Non, je suis seule à l'entendre. Vous entendez le cri d'un nouveau-né, moi j'entends la voix, la parole, la confidence, la plainte de l'inconnu qui vit dans mon ventre depuis si longtemps.

Je suis là, je suis là. Donnez-le-moi. Mettez-le sur moi, allongé sur moi, je le protégerai de mes bras et de mes yeux aux aguets, puisque je suis trop faible pour me lever et partir avec lui, loin. Laissez-nous ensemble. Cessez ce propre, ce blanc, ce chromé, ce parfumé, ce désinfecté, cet hygiénique. Abandonnez-nous au terreau de l'amour, à la sauce des baisers, au glissant du toucher, à la fumure des regards et des odeurs. Laissez-nous nous palper, nous renifler. Nous n'avons besoin de personne. De personne! Nous ne faisons qu'un!

La voiture de Hans a croqué les gravillons devant la maison. Une portière a claqué. Puis j'ai entendu un pas, un seul, venir vers le cottage.

Prise en flagrant délit de rêverie, de désarroi et d'in-action je me lève et je vais dans la cuisine où je mets de l'eau à chauffer pour le thé.

Jean-François est entré, il a poussé son petit « ouh ouh » qui veut dire qu'il est de bonne humeur, qu'il est content d'être de retour et qu'il m'espère là. Juste avant de répondre je laisse la bouffée de tendresse, provoquée par cet appel, envahir mes épaules et ma nuque, monter jusqu'à mon visage où elle tend un sourire dans mes yeux et sur ma bouche, un tulle de soie pailletée que je retire vite pour reprendre un air grave, presque indiffé-rent. Je n'ai pas à céder, il a été méchant, il le sait, il sait que je le sais, je n'ai pas à passer l'éponge...

« Je suis là, dans la cuisine, je prépare du thé.

— Je me suis marré! Viens que je te raconte. Arrête de trafiquer dans la cuisine.

— Tout à l'heure tu n'étais pas si pressé de me parler.

— Quand?

— Quand tu es arrivé avec les Anglaises.

— Quelles Anglaises?

— Enfin, tu sais bien ce que je veux dire, les Irlandai-ses, les vieilles dames dans la bagnole.

— Qu'est-ce que j'ai fait?

— Tu m'as évitée.

— Qu'est-ce que tu vas chercher ? Tu es vraiment la reine de la complication. »

Avec lui il faut toujours atermoyer, biaiser, prendre par le côté. Il est du Nord, moi du Sud. Il s'y retrouve dans le brouillard, moi, j'ai l'habitude de passer du noir de l'ombre au blanc du soleil... Enfin, nous étions déjà comme ça quand nous nous sommes connus. Il faut croire que quelque chose me plaît dans le brouillard et que quelque chose lui plaît dans les outrances de la lumière... Pourtant ça m'agace toujours d'avoir à mettre de l'eau dans mon vin. D'ailleurs, je le fais sentir, il est visible, dans ces occasions, que j'effectue un effort considérable pour m'adapter calmement à la situation. Combien de chicanes interminables ont-elles commencé par ma fausse soumission ?... et par l'immuabilité de Jean-François qui ne change jamais d'attitude, qui ne modifie jamais son comportement, qui ne sort jamais de ses gonds, qui s'enfonce, au fur et à mesure que mon humeur tourne à l'orage, dans un mutisme aussi solide qu'un bloc de granit.

J'ai déposé sur la table le plateau avec la théière fumante, les deux tasses blanches. Je suis reconnaissante à cette infusion, à ces objets, de la respiration qu'ils me permettent de prendre, et aussi à l'odeur du thé bouillant qui s'élève dans l'air, sortant comme une crinière flottante des jets dorés qui emplissent la porcelaine. Combien de fois ai-je puisé mon équilibre dans cette sorte de menus événements ? Une quantité de fois.

« J'ai vu ton regard, tu sais. Je ne m'y suis pas trompée.

— Quel regard ?

— Celui que tu m'as jeté au portail, quand tu es revenu de la plage avec les vieilles dames.

— Et qu'est-ce qu'il disait ce regard ?

— Il disait que j'étais en trop.

— Comme tu inventes ! Alors, celle-là, c'est la meilleure!... J'ai été bouleversé par ce cadavre. C'est tout.

— C'est compréhensible.

— Apparemment tu n'as pas compris pourtant.

— Ce que je ne comprends pas, c'est que tu n'aies pas voulu me parler, même pas me regarder.

— C'est vrai. Je n'en ai pas éprouvé la nécessité. »

Il a une manière d'assener ses évidences, parfois, qui me coupe le souffle. Il fait cela avec une brutalité d'autant plus grande qu'elle est exprimée dans le calme, presque dans un murmure, comme s'il disait quelque chose de banal, de léger. Le ton qu'il emploie est, en lui-même, une insulte et une moquerie. Il a dit : « Je n'ai pas éprouvé la nécessité de partager avec toi », comme s'il avait dit : « Je ne mets pas de sucre dans mon thé. » Il n'y a rien à ajouter à ça.

Et là, de nouveau, pour ne pas perdre mon sang-froid, il faut que je m'occupe. Le thé est beaucoup trop chaud à boire. Alors je vais dans la cuisine où je n'ai rien à faire et où je m'empare machinalement d'une éponge. Comme je l'ai fait des millions de fois, sans y penser et cependant avec précaution, j'essuie l'évier en inox qui a reçu des gouttes d'eau tout à l'heure. L'inox, c'est plus salissant que n'importe quoi, tout marque là-dessus. Ça a dû être inventé par les fabricants de poudre à récurer.

Il ne faut pas que je laisse se creuser le silence entre lui et moi car je ne le supporte pas. Alors que lui évolue dans l'orage qui couve comme un poisson dans l'eau, moi, j'éclate, je dépasse les bornes, ma situation devient excessive, insoutenable, indéfendable, tandis que la sienne s'embellit de la solidité du calme.

Heureusement, je me rappelle que nous n'avons pas déjeuné.

« Tu n'as pas déjeuné. Veux-tu que je te prépare quelque chose ?

— Non merci, on a mangé un sandwich avec Hans. Je n'ai pas faim.

— Même pas un œuf à la coque avec une biscotte ?

— Non, tu es gentille, ça va. Ou alors un fruit, s'il y en a un. »

Me voilà de retour avec trois oranges et deux bananes installées dans une assiette à soupe.

« C'est tout ce que j'ai trouvé pour mettre les fruits. Dis donc, il faudra que nous allions faire des courses au village. Nous vivons sur ce que Hans et Heidrun nous ont passé hier soir.

— Bien sûr, et on achètera une bouteille ou deux pour fêter tous ensemble notre arrivée.

— Ou trois, ou quatre, ou cinq. Vous aimez bien picoler. Je crois qu'un bon rouge fera plus plaisir que du champagne ou du whisky.

— C'est sûr. Hans n'est pas un type à faire des manières. Du bon rouge, c'est ce qu'il lui faut... Tu ne peux pas savoir ce qu'on a pu se marrer tous les deux.

— Raconte. »

C'est toujours comme ça : j'en passe par là où il veut que je passe.

J'écoute Jean-François raconter son histoire de gendarmes irlandais. Histoire à rebondissements qui finit d'ailleurs par me faire rire.

Au poste de police qui est loin de Corvagh et auquel ils sont parvenus après avoir suivi tout un réseau de petites routes encaissées entre des haies vives et des pâturages, il y avait un gendarme très digne, paraît-il, moustachu, décoré et armé d'un fusil, qui était assis devant une porte et avait ordre de ne pas bouger de là. Car derrière cette porte il y avait des explosifs.

Il n'est pas rare que des bandes venues de l'Irlande du Nord, toute proche, attaquent les postes de police d'Irlande du Sud et s'emparent des munitions qui s'y trouvent. La connivence de la population fait de ces hold-up des faits divers dont il n'est même pas question dans les journaux tant ils sont fréquents. Mais, pour le principe, pour la forme, pour l'honneur et pour la diplomatie, il y a toujours un gendarme pour garder les stocks.

Ce gendarme-là était donc agrippé à son fusil, il n'était pas question qu'il inscrive la déposition de Jean-François et de Hans, encore moins qu'il sorte avec eux. Du reste il n'était pas le chef. Le chef était ailleurs. Il leur donne l'adresse où ils pourront trouver le chef. Les voilà repartis par les petites routes campagnardes jusqu'à l'endroit indiqué mais où le chef n'est plus. En revanche, ils y rencontrent une bande de compères. Ils se trouvent attablée avec des hommes intéressés par la découverte du cadavre, dans un pub de fermiers et de pêcheurs où ils boivent de la bière comme de vrais Irlandais.

L'événement est considérable. Les plus anciens déclarent qu'il y a au moins vingt ans qu'il n'y a pas eu une noyade ou un décès anormal dans le Comté. Ils ne tiennent pas compte, évidemment, des escarmouches de frontière entre catholiques et protestants qui font des cadavres quotidiennement ou presque. Ça, c'est une autre chose, une chose qui est à la fois un peu choquante et un peu sacrée, dont on ne parle pas. Ce n'est pas la vie du Comté, c'est l'Histoire de l'Irlande. Ça ne se raconte pas, ça reste dans l'âme, c'est un secret qui se transmet de génération en génération depuis des siècles, qui se dit en gaélique, et qui ne regarde pas les étrangers.

Mais un corps noyé sur une plage, ça, ça délie les langues et ça fait couler la bière, ça fait trinquer et ça fait interpeller le nouvel arrivant : « Hey Patrick ! » avec une autre tournée et la même histoire qui grossit. Tu parles d'une affaire !

Où est le chef ? Chez lui probablement. Voilà Hans et Jean-François qui embarquent dans leur voiture, un peu éméchés, en direction de la maison du chef. Encore des vaches, des vallonnements serrés, des masures à toit de chaume et enfin le cottage du chef avec des roses trémières... « des claires, tu sais, un peu nacrées, comme tu les aimes »... et un buisson de rhododendrons qui finit de passer.

Pas de chef mais la femme du chef qui, à la stupéfaction — paraît-il visible — de Hans, est l'ancienne fille de joie du Comté. Il explique en français à Jean-François qu'il l'a connue dans le temps... Alors il commence à prendre les attitudes de la galanterie paysanne : petite claque sur la croupe, tout en s'excusant et en marquant son respect pour la femme du chef qu'elle est devenue. Elle, bonne fille, ne prend pas ça mal, sort une bouteille et de quoi manger un peu en attendant son mari. Jean-François raconte une fois de plus l'histoire de sa découverte et, la bière aidant, il prétend qu'il maniait son anglo-irlandais comme si c'était du français. Pendant ce temps Hans tripote la femme du chef, mais gentiment, toujours dans les limites de la correction. Il fait aussi des remarques sur le temps qui passe et qui change tout. Par exemple, il explique à la cantonade que les formes de la femme du chef étaient loin d'être aussi imposantes qu'elles le sont aujourd'hui.

« Si tu voyais la paire de nichons qu'elle se paie ! Deux potirons ! Et sa croupe ! Formidable. Mais tout ça bien sanglé, tu sais, alerte, gai. Un phénomène cette femme-là. Et puis boire ne lui fait pas peur. Hop ! elle s'envoie les verres derrière la cravate comme une grande... Hans faisait le con ! Je ne l'avais jamais vu dans une forme pareille. Ça lui va bien d'être chez lui, tu ne trouves pas ?

— Oui, c'est là qu'il est le mieux. C'est ici qu'il faut le voir... Et pour finir ?

— Pour finir on n'a pas vu le chef. On n'a toujours pas fait de déposition. On en est au même point qu'en partant. Mais ils ont tous dit qu'ils le préviendraient. Il va venir... Et toi, qu'est-ce que tu as fait ?

— Ben moi, j'ai rien fait. Je suis restée ici... J'ai pensé à toi... A nous. J'ai regardé par la fenêtre.

« — C'est fou, hein ?

— Quoi ?

— Comme ça a changé depuis ce matin.

— Oui, c'est fou. C'est beau tu ne trouves pas ?

— Si. »

C'est le ciel qui a changé maintenant. Il s'est encombré de menus nuages floconneux, boules de coton effiloché qui n'empêchent pas le soleil de passer mais qui le diffusent, qui le rendent subtil. Il va plus loin dans les détails, il révèle des traits tout à l'heure cachés. Je peux voir, très loin, sur la pente d'une colline, un tout petit cottage à l'abri d'un gros arbre, comme niché sous ses branches, que je n'avais pas vu jusqu'alors. Les montagnes de l'horizon ont des contours nets et dessinent, dans le fond, des lignes de mamelons se chevauchant.

« Le ciel s'est couvert, c'est signe que la marée va remonter.

— Tu crois ? »

J'ai dit ça pour dire quelque chose car, en fait, je n'y connais pas grand-chose aux marées. Elles sont imperceptibles en Méditerranée, mais il y a quand même là-bas des mouvements du ciel et de l'eau, à certains moments de la journée, qui correspondent à des grands rythmes de l'univers et il me semble reconnaître quelque chose comme ça dans ces petits nuages... Il y a aussi le vent qui s'est levé. Ce sont des signes de changement.

L'eau de la rivière, dans la plaine, a perdu son luisant plat de serpent, elle a pris un aspect de tôle ondulée qui donne à penser qu'elle peut être mauvaise, qu'elle n'est pas si coulante qu'on le croit. Les feuilles des trembles qui encadrent la maison remuent toutes ensemble, comme si elles avaient appris une bonne nouvelle.

« Faudra-t-il que jamais nous n'arrivions à vivre harmonieusement, toi et moi ?

— Qu'est-ce que tu veux dire ?

— Tu laisses n'importe qui nous séparer, à tout bout

72

de champ! J'ai l'impression que je n'ai aucune importance pour toi, que tu prends la vie avec moi comme un pis-aller, une sorte de fatalité.

— Il me semble que ma présence ici, vingt et quelques années après notre mariage, prouve le contraire.

— Tu avales ça comme un mal nécessaire.

— Je refuse de continuer cette discussion. Je ne suis pas un saint et si je suis ici c'est que ça me plaît.

— Tu ne pouvais pas me refuser ces vacances que j'ai tant réclamées.

— Je pouvais les éviter. Je ne me sens pas de devoir à ton égard, tu n'es pas une enfant... Mais pourquoi cette scène aujourd'hui, le premier jour! »

Ça s'est retourné contre moi! Me voilà faisant une scène, noircissant le tableau, me plaignant, gâchant la journée! Alors que c'est lui qui a provoqué le gâchis.

« Cette noyée t'a bouleversé pour des raisons que j'ignore et que tu n'as pas voulu me dire. Tu as voulu la garder pour toi. Tu as agi comme tu le fais d'habitude quand une femme te touche. Tu ne sais pas résister à la tentation... Tu t'éloignes de moi.

— Mais enfin, pourquoi tu parles de « cette noyée »? Pourquoi décides-tu que c'est une femme alors que je ne le sais même pas, moi qui ai vu le corps? Tu t'emportes tellement vite que tu ne fais pas attention à ce que je raconte. Pourtant je te l'ai dit, devant la maison de Hans, que je ne savais pas si c'était un homme ou une femme. Je me souviens même t'avoir fait remarquer que tous les hommes ici ont les cheveux longs...

« Ecoute, laisse tomber tout ça, prends du bon temps, profite. Tu ne crois pas que ce serait plus agréable de faire la sieste que de nous disputer? »

Il rit. Il se lève. Il me prend gentiment par le bras :

« Allez, viens, ma belle cavale, ma grande ourse, viens dormir. »

Je me laisse entraîner. Nous sommes sur le lit. Le temps bascule.

Le corps d'un homme avec lequel une femme fait souvent et depuis longtemps l'amour, lui devient familier au point qu'elle croit capter à travers lui le langage, l'esprit, l'ensemble des signes qui sont, pour elle, le propre de cet homme, permettant une communication plus vraie, plus complète que la parole. En dehors de l'intensité du plaisir que peut prendre le corps de Jean-François, je crois savoir aussi ses doutes, ses espoirs, ses lassitudes. Je le sens plus entier dans ces instants qu'à n'importe quel autre moment de la vie. Mais ce qu'il y a de poignant c'est que, parfois, je doute de cette connaissance, je la perds. Ça me fait peur. Il est là, il me fait l'amour et il est ailleurs, évanoui dans une méditation capitale, incommunicable, qui me dépasse et où il se maintient, obstiné, par le rythme qu'il a trouvé, berceur de son inconscient. La solitude est alors grande dans cette intimité, rien ne passe de l'un à l'autre, que du sperme.

D'autres fois, au contraire, les yeux s'ouvrent grands pour regarder l'autre. Pas seulement le corps de l'autre, le vivre de l'autre, mais l'être de l'autre, le tout de l'autre. Et si les rythmes explorateurs se rencontrent dès le début du voyage, si les muscles, les sueurs, les os, les bruits du mouillé, rencontrent d'emblée les pulsions, les imaginations, les libertés, ce que le couple découvre alors c'est la perfection, c'est la pure sauvagerie de l'essentiel.

Le sexe de l'homme dans mon ventre est comme le bébé dans mon ventre, il n'est pas moi, il m'est étranger. Il arrive que nous nous confondions, que, pour un instant, nous ayons la sensation de n'être qu'un, pour un instant seulement...

Un instant c'est quelques secondes, cela peut être plus : quelques minutes. Même quelques heures, quelques jours. Cela n'est pas toujours. Et c'est derrière ce toujours-là que je cours. Ce toujours qu'on appelle l'amour.

Qu'est-ce que l'amour ?

Après tout, n'est-ce pas simplement l'union, parce que j'ai moins peur à deux que toute seule ? N'est-ce qu'un refuge, l'amour ?

Est-ce que je suis jalouse quand je pense que quelqu'un a envahi mon refuge, qu'il n'y a pas de place pour moi ? Est-ce que je suis jalouse parce que j'ai peur d'être seule ?

Est-ce que dans « amour » il n'y a pas autre chose... il n'y avait pas autre chose ? Quoi ?

« Amour » est ancien, usé par la routine du quotidien, enfoui sous mes habitudes. « Amour » est un oubli : je n'ai pas eu le temps d'y penser. Le temps a coulé si vite et si épaissement. Effrayante cette lave subtile et étouffante du temps !

Surtout pour moi, une femme. Impossible de ne pas savoir que le temps passe, le gong de son rythme véloce résonne et vibre dans mon corps sans cesse, sans répit. Mon sang coule ou ne coule pas et dit mieux le temps qu'une horloge. Le temps est dans mes veines, la marée dans mon ventre. Maintenant le temps est aussi dans les veines de mes filles, la marée dans leur ventre. Il scande nos vies : l'enfant, l'adolescente, la femme, l'épouse, la mère, la vieille, la morte. Et ça passe vite de l'une à l'autre. On n'a pas le temps de penser, on n'a que le temps de mettre au monde, que le temps de nourrir, que le temps de soigner, de laver, de coudre. Que le temps... d'« aimer » ?

Où est-ce que j'en suis ? J'en suis à la mère... presque à la vieille. Non, pas encore, je n'ai pas pu vivre, je n'ai pas répondu aux questions.

Qu'est-ce que l'amour ?

Je ne sais pas.

Qui est Jean-François ?

Je ne sais pas.

Qui est moi ?

Je ne sais pas.

Précipice. Vertige. Laissez-moi m'agripper.

Cet isolement de Corvagh, cette solitude, c'est le gouffre. Quelle imbécile je fais! C'est moi qui l'ai voulu ce face à face.

Nous avions fait l'amour et nous nous taisions.

Les jours d'été sont longs en Irlande. Le temps s'immobilise ici à la belle saison.

« Quelle heure est-il?
— Je ne sais pas. Quatre heures, peut-être.
— Il faut aller aux commissions.
— On a le temps. »

Il y a beaucoup de bruits dans le silence : les branches qui gratouillent le toit, les corneilles qui croassent leur vol, du plus loin au plus loin en passant par le tout proche, le chien qui aboie, les brebis qui bêlent. Pastorale inquiétante. Rien ne s'arrête. Mon sang tourne comme un soleil et toque, à travers mon oreille, contre le coussin.

Comment un homme peut-il émouvoir Jean-François? Ce n'est pas un hasard si je ne me suis pas arrêtée à ses paroles. Je n'ai pas voulu tenir compte de ses mots parce que je ne les admettais pas. Je ne les admets toujours pas. Il n'y a qu'une femme qui puisse l'éloigner de moi. Cette sélection me rassure, limite mon champ de bataille. Et pourtant je me souviens qu'il a dit : « Je ne sais pas si c'est le cadavre d'un homme ou d'une femme. »

Pensée dérangeante. Obstacle trop gros; je ne suis pas capable de le sauter. Je me tourne vers Jean-François.

« Qu'est-ce qu'on va acheter au village?
— Eh ben, on verra.
— De quoi tu as envie?
— Oh! tu sais, on ne va pas se casser la tête. Y'a qu'à acheter du riz, des nouilles, des œufs, du fromage, et

76

puis de quoi aller à la pêche. On va se nourrir surtout de notre pêche. Non ?

— Si. »

Je me cale contre lui, ma peau contre sa peau, mes genoux dans le creux de ses genoux, ses fesses dans le creux de mon ventre, mes seins contre son dos, ma joue contre son épaule. Dormons. Vaguons dans les images, bien serrés l'un contre l'autre, sans mot dire, les yeux fermés.

Ports ouverts aux reflets, aux mots, aux songes. Caravelles des fluides, des courants, des ondes. Tempêtes des idées et des fantasmes. Voiles des algues et des tentacules. Falaises des fragrances.

Liberté de la méditation, danger de la réflexion. Serpentins, confettis, perles, paillettes de l'esprit, par milliards, qui glissent, qui s'insinuent, qui brillent, mais qui envahissent aussi, qui saccagent, qui étouffent facilement. Il faut faire attention quand on leur ouvre la porte, ce sont des hôtes indiscrets. Les souvenirs et les pensées peuvent être des visites amicales ou des maraudeurs; ils peuvent aussi être des massacreurs. Il faut avoir la force de les chasser quand on le veut. Ou bien il ne faut pas penser, ou, au contraire, il faut désirer l'aventure, l'explosion formidable de la sécurité. Péril, jouissance ?

Un homme, deux hommes.

Une femme, deux femmes.

Brûlure du souvenir gênant à affronter. Affolement de la conscience. Refus du film rangé dans la mémoire, prêt à se dérouler.

Dans le sexe, n'y a-t-il que du sexe ?

Un jour, Jean-François est parti, mettant ainsi fin à la mésentente profonde établie entre nous depuis plusieurs années. Au début, il y avait eu mes scènes, mes colères, mes cris, mes pleurs, qui répondaient à ses fuites, à ce que j'appelais ses « désertions ». Il n'agissait jamais d'une façon prévisible. Quand il en avait par-dessus la tête il partait. Rien ne me laissait prévoir que la mesure était plus comble ce jour-là qu'un autre. A mon avis il ne s'était rien passé de particulièrement insupportable, de plus violent que la veille. Il disait : « Je sors pour acheter des cigarettes » ou encore : « Je vais mettre l'auto au garage » et il ne rentrait pas de la nuit. Il lui arrivait même de disparaître plusieurs jours de suite. Je savais, par ailleurs, qu'il faisait ses cours normalement, que, pour les autres, rien ne semblait avoir changé dans sa vie. Simplement il n'était plus à la maison mais personne ne s'en doutait, cela n'altérait en rien son comportement. Je savais aussi qu'il y avait une fille là-dessous. Toujours le même genre de fille : libre, gaie, aimant boire et faire l'amour. Une gourgandine, aurait dit ma grand-mère.

C'est tout ce que je voyais dans l'histoire : la fille. Je la maudissais. Je maudissais Jean-François. Il ne comprenait pas que j'avais eu trois enfants en quatre ans et que je ne pouvais plus être libre et gaie, boire et faire l'amour. Alors j'étais prise par le typhon des principes qui brassait furieusement en moi la Vengeance, la Justice, la Vertu, l'Amour Maternel, l'Economie. Enfin quoi, toutes les grandes qualités familiales que je véhiculais admirablement.

Quand il rentrait je me dressais devant lui telle la statue du Commandeur. Une statue engrossée, laiteuse, pleine d'odeurs de bébés, pleine de cicatrices ménagères, la belle statue de la mère-épouse dont la beauté me déplaisait mais que j'animais fièrement quand même puisqu'elle était à ma disposition. Puisque c'était le hochet qu'on m'avait donné pour endurer la vie, qu'au moins je l'agite faute de liberté, faute de rire, faute de repos, faute d'insouciance!

Aujourd'hui, forte de mon âge, plus vieille de vingt ans, c'est avec cynisme, presque avec une pointe de mépris que je considère cette jeune femme que j'étais. Pourtant je l'aime, elle me touche. Je m'étais aventurée bravement dans la vie, portant les lourdes valises des principes, vêtue des légers vêtements de la naïveté et de la confiance enfantines. J'aurai une famille heureuse, mon mari sera heureux, mes enfants seront heureux et donc je serai heureuse. Je n'ai pas cheminé longtemps. Vite sont accourus la fatigue et le froid. Or, sur ce chemin-là, rares sont les passages abrités où l'on peut se reposer.

Il rentrait un peu penaud, le regard plat, son comportement niant son absence. Il rentrait comme d'habitude quoi. Je ne le supportais pas. Je réclamais mon dû d'épouse zélée, de femme économe, de mère dévouée. Nous avions vingt-huit ans.

Il ne disait rien. Il restait en face de moi, foudroyé par la crise. Je sentais qu'il y avait des mots qui grouillaient derrière son front, derrière ses yeux, derrière sa bouche, mais aucun ne sortait. Il était comme paralysé. J'aurais pourtant voulu savoir, voulu qu'il m'explique, voulu qu'il me rassure. En même temps j'avais peur du verdict qu'il pouvait prononcer : Tu n'as plus de jeunesse, plus de beauté, plus d'esprit. Je savais que c'était vrai et je savais aussi que c'était faux. Il y avait toujours en moi la danse, le rire, le bonheur, l'amour et le goût méditerranéen du jeu dialectique. Tout cela était intact. Mais le moyen de tenir un ménage, d'assurer un métier, d'élever trois bébés et d'être en même temps « une ravissante et séduisante jeune femme » ? Il n'y a pas de moyen pour ça. La vie, en quatre ans, m'avait domptée, cassée, éreintée. Un puissant ferronnier avait battu mon métal à grands coups de marteau pour me faire prendre la forme de la madame idéale, de la maman chérie. Je me sentais déformée, contrefaite, je trouvais cela injuste mais je ne voyais pas le moyen de m'en sortir, à part, peut-être, l'argent.

Jean-François savait tout cela lui aussi, mais il ne lui venait pas à l'esprit de contester cette fatalité; c'était comme ça, c'était dans la nature de la femme. Il était un « bon mari », un « bon père », mais il était toujours un homme et il ne voyait pas la nécessité d'amputer sa nature parce que moi, par la force des choses, j'avais été amputée de ma vie propre.

Formidable méprise. Nous nous respections trop pour faire semblant de ne pas voir les gros fils qui nous actionnaient comme des marionnettes. Alors lui restait muet et moi j'éclatais en tempêtes de jalousie. Nous ne sortions pas de la tradition.

Dans mes éclats je ne disais pas que ce dont j'étais jalouse, ce qui me manquait, ce que je lui enviais, c'était la nage, le soleil, le livre ou le disque discuté jusqu'à l'aube dans un bar enfumé, la découverte du corps d'un autre, le sommeil, le silence, le temps à envahir. J'avais honte de dire ça parce que j'avais les premiers pas de mes enfants, leurs bras autour de mon cou, leurs petits corps qui grandissaient, leurs yeux attentifs, la grâce de leurs mouvements, la moiteur de leurs fièvres, leurs caractères qui s'exprimaient de mille façons. Quand on n'est pas comblée par tout ça, c'est qu'on est un monstre.

Coupable!

Culpabilité!

Coulpe!

Pris par le mutisme et la honte notre couple a trouvé peu à peu sa place dans l'incommuniqué. Moins d'orages, moins de froids. Notre bonne éducation avait pris le dessus, un langage s'était installé chez nous pour remplir le silence. Mots d'enfants. Discours d'usage. Sermons du curé. Allocutions officielles. Eloges funéraires. Laïus de mariage et de baptême. Tous les brouillages sonores de la grande solitude. Masques du désespoir. Caquets. Borborygmes de l'invivable.

Digne résignation qui faisait probablement dire aux autres que nous étions un « bon petit couple ».

Comme ça, pendant des années, deux étrangers vivant sous le même toit, faisant l'amour, élevant leurs enfants, n'échangeant rien. Fermés l'un à l'autre. Unis par quoi ? Pour quoi ?

Jusqu'au jour où Jean-François est rentré en déclarant qu'il avait accepté un poste à l'étranger pour trois ans. Il irait seul pour commencer et il nous ferait venir peut-être, par la suite, les enfants et moi. Son traitement étant augmenté il pourrait m'envoyer chaque mois à peu près la même somme que celle dont nous disposions habituellement.

Il est monté dans un car d'Air France, il s'est assis près d'une fenêtre et nous avons échangé un long regard par lequel nous nous en sommes plus dit qu'en sept ans. Les reflets des arbres sur la vitre qui nous séparait faisaient bouger malgré lui son visage immobile, son regard droit. Moi j'étais sur la plage avec lui, le premier jour, debout dans ses bras, au bord de l'eau, j'apprenais son odeur, ses lèvres, sa salive, j'étais amoureuse de sa sagesse et de son corps. Lui, je ne sais pas où il était mais je suis certaine qu'il était avec moi, ailleurs, loin, longtemps avant.

UN. Nous n'étions qu'un, pour quelques secondes éclatées en étoiles filantes qui n'en finissaient pas de rayer le ciel noir de notre vie ratée avec leurs traînes splendides.

Puis le car est parti.

C'est dur d'élever seule trois petits enfants. Très vite l'argent a manqué, Jean-François avait prévu que la vie là-bas serait meilleur marché qu'elle l'était en réalité. Il ne pouvait pas m'envoyer tout l'argent dont j'avais besoin. J'ai cherché du travail supplémentaire, j'en ai trouvé : petits boulots faits à la maison auxquels je me suis attachée même s'ils me mangeaient plusieurs heures de sommeil par jour et rendaient ainsi ma vie exténuante. Les sommes qu'ils me rapportaient me donnaient une impression de force et de liberté que je n'avais jamais eue. C'est sur cet argent que j'économisais pour les fêtes et les extras. Je ne savais pas pourquoi il y avait comme un relent de chance et de gaieté dans ces billets-là.

Malgré cela un manque s'est creusé, un manque terrible : l'autre. Pourtant les enfants prenaient toute la place avec leurs jeux, leurs genoux écorchés, leurs bons ou leurs mauvais points à l'école, leurs varicelles, leurs angines, leurs inquiétudes, leurs questions et, bientôt, leurs adolescences qui travaillaient en eux comme la sève dans une plante.

Jean-François venait aux vacances. Nous n'avions pas grand-chose à nous dire. Il n'était plus qu'un père et c'était déjà ça de pris : les enfants l'aimaient.

J'ai fini par me laisser aller dans le lit d'un homme avec une formidable impression de culpabilité. J'ai considéré que c'était le fond du ruisseau, l'assouvissement de mes instincts les plus bas. Ce serait la honte pour mes enfants et pour moi si on venait à l'apprendre.

L'homme me donnait du travail à faire et quand je livrais le travail terminé je passais à la casserole. La première fois j'y ai plongé en fermant les yeux et les oreilles. J'étais triste en me rhabillant. Et, après, dans la rue ensoleillée et active de l'après-midi, je me suis sentie gluante et croûteuse et glaireuse et dégoûtante. Je n'avais qu'une hâte : rentrer chez moi avant le retour des enfants, me laver, m'étriller, mettre mes vêtements au sale. Je ne comprenais pas comment ça avait pu se passer, comment j'avais pu me trouver nue sous cet homme nu qui transpirait et qui respirait fort. Je ne me souvenais de rien, je n'avais senti que du visqueux, aucune trace de l'acte, aucune marque de l'homme, alors qu'il m'avait tachée des pieds à la tête. Une passe. Un coup.

Pourtant j'ai recommencé et comme l'homme me donnait plus souvent du travail, je le voyais plus souvent.

Maintenant que tout ça est loin de moi, quand j'essaie de comprendre ce qui me poussait à agir ainsi, il me semble que la seule explication est de dire que j'étais privée d'intimité — une mère n'est jamais l'intime de ses enfants, surtout quand ils sont petits. L'homme, lui, s'était mis à parler avec moi après l'amour. C'était cela que je recherchais, ces bavardages, cette vérité de la libre nudité, cette camaraderie qu'il y a entre deux êtres qui ont fait l'amour sans s'aimer. Nous n'avions en commun que le travail que nous faisions ensemble et nous n'avions pas le désir de partager plus.

Je savais qu'il aimait les femmes et qu'il en consommait beaucoup. Il n'en parlait pas mais elles laissaient des traces chez lui : parfums en effluves, bouts de cotons à maquillage dans la corbeille à papiers, bague ou collier oublié sur un coin de table. Certaines passaient la nuit là, je le décelais en entrant, à une sorte de désordre, à un ménage particulier. Je ne venais que l'après-midi. Le téléphone sonnait souvent pendant que j'étais là. Des femmes la plupart du temps. Certaines avec des voix de petites filles qui mignardaient, qui débitaient des mots gracieux, comme si elles suçotaient des bonbons acidulés. J'avoue que j'étais troublée, je prenais des airs discrets, je faisais semblant de ne pas entendre mais leurs voix résonnaient dans la pièce calfeutrée et silencieuse et je ne perdais rien de ce qu'elles disaient. Je découvrais le libertinage. D'autres télépho-

naient simplement pour prendre rendez-vous ou confir-
mer une rencontre, sans commentaires, brièvement.
Une autre appelait impérativement et donnait des
ordres. Elle devait être sa maîtresse en chef ou sa
femme. Elle avait l'air de bien le connaître et de lui
trouver des défauts : ses retards, ses oublis, sa maladresse, son manque d'organisation et de soins. C'est par
cette voix que j'ai commencé à avoir de la sympathie
pour cet homme. Il lui répondait comme un petit
garçon : « Je ne recommencerai plus », « Je ferai
attention », « Je n'oublierai pas », « Je m'excuse », « Ce
n'est pas de ma faute », « Je ne l'ai pas fait exprès. » J'ai
découvert qu'il était gentil, ce que son apparence ne
laissait pas prévoir. Car il était grand et lourd avec un
visage fermé, une parole bourrue et un regard difficile à
capter qui avait été, en grande partie, cause du dégoût
que j'éprouvais pour lui au début. Je le croyais lâche et
j'ai découvert qu'il était surtout timide.

Finalement, les mois passant, j'aimais bien venir là.
Et lui aussi aimait bien que je vienne. J'avais pris une
place importante dans son travail. Il me donnait à faire
de la documentation.

Or pour bien comprendre ce qu'il attendait de moi il
fallait que je sache exactement quel était le sens de sa
recherche et je m'y appliquais. Ainsi, au bout de deux
ans, je connaissais son travail aussi bien que lui-même,
j'étais incorporée à son travail. J'étais devenue un être
à part dans sa vie, un être humain qui participait de son
œuvre, un peu comme un dictionnaire vivant, une
bibliothèque avec des cicatrices, un stylo à pattes, du
papier à cheveux, un classeur avec une cervelle, une
lampe de bureau avec un cœur. Un jour j'ai compris
que je lui étais indispensable mais lui ne l'avait pas
compris. Je faisais partie de sa création au même titre
que les dossiers qu'il noircissait. Il pensait qu'il pouvait
me manipuler comme il manipulait son matériel de
bureau. Il ne se rendait pas compte qu'en dehors de

l'amitié que j'éprouvais pour lui maintenant, il était aussi mon gagne-pain et que mon idéal n'était pas de faire ce travail jusqu'à la fin de mes jours. Mon idéal c'était de repartir du bon pied avec Jean-François et les enfants, tous les cinq ensemble pour toujours...

Le fait que je gagnais ma vie, le fait que je n'avais plus à reprocher ses frasques à Jean-François puisque j'en faisais moi-même, me donnait un équilibre. J'étais moins intolérante, moins vertueuse, moins rigoureuse quand nous prenions nos vacances ensemble. Il connaissait l'existence de l'homme. Il savait exactement ce qu'il en était de mes rapports avec lui. Il n'avait rien à dire à cela puisque lui-même n'était pas capable de reprendre une vie commune avec nous. Mais il n'aimait pas cet homme.

L'homme m'avait donné la clef de son bureau. Nous ne parlions jamais de sa vie privée ou de ma vie privée. Il était clair simplement que l'après-midi était consacré au travail et que, entre une heure et sept heures, je pouvais venir quand je le voulais. J'étais passionnée par ce que je l'aidais à construire. Il m'arrivait d'être si exaltée par les trouvailles que je faisais que je ne pouvais plus rester sagement assise jusqu'à la fermeture de la bibliothèque ou de la librairie spécialisée où je travaillais. J'éprouvais le besoin de lui communiquer ma découverte sur-le-champ. J'étais impatiente de partager mon butin avec lui. Je trouvais que le métro s'arrêtait trop souvent, que le bus allait trop doucement.

Je bondissais dans son bureau. Il était devant sa table de travail, embué de fumée, les oreilles rouges, tellement absorbé par ce qu'il faisait que c'est à peine s'il m'entendait entrer. Je déballais mes notes, je les commentais. Il posait des questions, il voulait en savoir plus, que j'aille plus loin sur le chemin que je venais de trouver, il lui fallait des références exactes, une bibliographie complète. Il s'exaltait à son tour, à sa manière, en fermant les yeux, en fumant plus encore. L'évolution de son ouvrage se dessinait dans nos silences. Certains points vagues se précisaient riches de leurs possibilités, comme une note est entraînée par le synthétiseur qui la déploie, la déchire ou, au contraire, la réduit, l'efface. J'imaginais comment il allait utiliser la nouveauté apportée aujourd'hui, je le disais. Il refusait ma vision, il m'expliquait la sienne. Je découvrais les chemins de son imagination, il sentait que je les suivais avec lui. Jamais je n'avais connu une plus grande intimité. Il y avait entre nous, alors, une confiance et une compréhension totales. Nous ne faisions qu'un.

Un jour que je rentrais au bureau plus tôt que de coutume, avec une aubaine en poche, alors que je cherchais la clef dans le fond de mon sac, j'ai cru entendre un gémissement venant de chez lui. J'ai pensé que je me trompais, que ça venait d'ailleurs, que ce n'était pas un gémissement.

La pièce où il travaillait donnait sur une petite entrée dont la porte n'était jamais fermée; ainsi avait-on l'impression de pénétrer directement du palier dans le bureau. Ce jour-là la porte était fermée et j'ai cru un instant m'être trompée de lieu car le vestibule était devenu un petit cube noir que je ne reconnaissais pas. J'ai mis quelques secondes à découvrir le commutateur habituellement inutile. Une fois l'électricité allumée, j'ai constaté que je me tenais dans un espace étroit limité par cinq portes, toutes closes. J'étais surprise. Je suis restée un moment à écouter. Aucun bruit et pourtant la sensation de quelque chose en marche. J'ai pensé au réfrigérateur, mais, non, ce n'était pas un moteur. Le rythme que je sentais était moins mécanique. M'est venue l'idée d'une personne en train de faire de la gymnastique, mais, non, il n'y avait rien de sportif dans ce que j'éprouvais. Et puis, l'homme en train de faire des mouvements rythmiques, ce n'était pas pensable. Malgré sa taille et son volume le corps de cet homme n'existait pas, son esprit avait envahi son être... Rien donc.

J'ouvre une porte. L'homme est là, sur le grand lit bas qu'il y a dans le bureau. Il est en train de faire l'amour à une très jeune femme. Avant de les apercevoir j'ai dû faire un pas à l'intérieur de la pièce, ma main est restée sur la poignée de la porte. Je suis stupéfaite et je perds contenance car ils me regardent en souriant et tout en continuant ce qu'ils ont commencé. Leurs torses sont séparés mais leurs bassins sont soudés. Leurs jambes sont emmêlées et, par un très lent mouvement des reins, le bas de leurs corps va et vient. Je ne peux détacher mon regard de leur groupe malgré l'évidence scandaleuse : ils ont préparé leur coup, ils m'attendaient. Ils sourient toujours. Des chiens !

Roide, caparaçonnée de vertu, je reste comme un piquet, foudroyée, incapable de parler. J'aurais dû faire demi-tour immédiatement, dans la seconde même où j'ai vu le spectacle de cette fornication. Pourquoi ne l'ai-je pas fait ? Qu'est-ce qui me cloue sur place maintenant ? Ma volonté tout entière est tendue par le désir ridicule de marquer ma réprobation d'une part et d'indiquer d'autre part que je ne suis pas choquée. J'ai l'air d'exprimer du mépris devant cette situation vulgaire et insultante à mon égard. Comme si j'en avais vu d'autres ; alors que je suis subjuguée, bouleversée : je n'avais jamais vu des gens en train de faire l'amour.

Ayant raté ma sortie, ne sachant plus que faire, je suis dressée pudiquement dans l'encadrement de la porte. La grosse navette du sexe de l'homme — que je connais — continue sa besogne obstinée. Il me semble qu'elle est en moi, qu'elle me fait l'amour debout, qu'elle me viole. J'y résiste.

Pornographie. Saloperie. Cochonnerie. Honte !

Les allers et retours de l'homme diminuent, se calment. Alors le bassin de la fille se soulève doucement, comme pour se séparer, mais, au contraire, d'un grand coup têtu, elle s'enfonce dans l'homme en poussant une plainte menue, un très joli petit cri.

C'en est trop, je ne le supporterai pas plus longtemps. L'homme a vu je ne sais quel éclat dans mes yeux. Quelque chose de violent qu'il a pris pour de la colère, de la fureur, peut-être de la peur. Alors il saisit le drap et d'un large geste en éventail il couvre leurs corps. Sortent deux têtes, sur des épaules, qui prennent des airs urbains.

L'homme se dresse sur un coude si bien que la fille a l'air de disparaître dans son aisselle, d'être blottie contre lui. D'ailleurs elle ferme les yeux. Comme si elle ne voulait pas être concernée par la scène qui va suivre, comme si elle voulait rester dans le cocon que leurs sexes tissaient.

Dans mon enfance je restais des heures à regarder les chenilles se couvrir de leur soie avec entêtement. Je ne pouvais détacher mes regards des courts allers et retours opiniâtres allant de leur abdomen à leur bouche, butés, insistants à certains endroits, par lesquels elles dévidaient le fil mouillé qui sortait d'elles. Calfeutrant soigneusement une éventuelle fissure, se recueillant dans l'opacité de plus en plus grande produite par leur propre suc.

L'homme dit en souriant :

« Nous ne faisons rien de mal. Ça te choque ?

— Pas du tout. Mais je n'ai pas de temps à perdre, je suis venue pour travailler... Apparemment, tu n'es pas en état.

— Détrompe-toi. Je t'écoute. Est-ce que la présence d'Angèle te dérange ? »

J'étais de ces femmes auxquelles on avait appris à respecter le pouvoir des hommes, à prendre au sérieux leurs désordres ou leurs caprices. Même si dans le fond de moi je me révoltais et n'acceptais pas les fantaisies par lesquelles ils me maîtrisaient, je n'exprimais pas cette révolte et même quelque part dans ma réflexion, flottait cette règle instruite : ils sont plus forts que moi, ils en savent plus, ils comprennent mieux, je dois leur obéir.

Ainsi je restais sans paroles, incapable de commettre cet acte autoritaire : m'en aller. Pour accepter cette soumission je me disais hypocritement qu'il fallait que j'en passe par là pour continuer à gagner ma vie. Je me faisais doublement victime. Mais aussi, depuis quelques instants, j'étais habitée par la même curiosité moite qui me faisait regarder les vers à soie quand j'étais petite. Curiosité dont je me refusais d'analyser l'ambiguïté, n'acceptant que le côté entomologique de mon intérêt, rejetant le reste, n'admettant même pas qu'il y ait autre chose.

L'homme passe sur mon silence.

« A propos, je te présente, Angèle. »

Angèle, les yeux fermés, prononce un « bonjour » docile avant de se blottir mieux, de s'éloigner plus de nos présences. Je réponds par un « bonjour » poli, comme si de rien n'était.

« Tu as trouvé quelque chose ?

— Oui. »

C'est cela, enchaînons, ne nous arrêtons pas aux détails, soyons sérieux. Je m'assieds sur ma chaise, à ma place, devant la table de travail. Tout en parlant je sors mon carnet de notes, je fouille dans la paperasse. Je parle pour effacer ma confusion, pour gommer ma gêne, qui résistent malgré cela et qui, en deçà des mots, crispent ma gorge et rendent mon discours saccadé, sec, confus, sans intérêt.

Je regarde devant moi parce que là, tout est connu : la machine à écrire, l'espèce de pot en bois dans lequel se dressent les crayons et les stylos, le plateau de laque rouge où s'amoncellent les gommes, les agrafes, les trombones, les taille-crayons. Ma parole s'agrippe à toutes ces bouées pour y trouver non seulement un peu d'assurance mais aussi la simplicité, le naturel qui lui font défaut depuis que j'ai commencé à parler. Mon esprit ne parvient pas à se fixer sur le contenu des mots que je prononce, mais voltige de côté et d'autre, de façon déroutante.

... Angèle, quel nom ancien pour une si jeune femme !

... Que veulent-ils de moi ?

... Se peut-il que j'attende quelque chose ?

... Quoi !

L'homme me laisse parler alors que, d'habitude, il m'interrompt souvent et demande des précisions. Est-ce qu'il m'écoute ?

Je tourne la tête vers la gauche, dans leur direction. Oui, il m'écoute, mais ils ont recommencé à faire l'amour. C'est-à-dire qu'il écoute deux choses : ma voix et son corps. Le bruit que font mes mots et ce que son corps sent du corps d'Angèle, le plaisir qu'il y cherche. Il a un regard trouble. Dans son attention à ma parole je sens vibrer son autre attention et ça me gêne, ça me fait presque peur. Pourquoi est-ce que je ne m'en vais pas ?

Me voilà au bord des larmes, ne supportant pas l'affront, ne comprenant pas mon impuissance, ne voulant pas admettre mon attirance envers ce couple. Je suis prise au piège des adultes qui savent tout, qui ont réponse à tout, qui ont tout prévu, qui ont un code résolvant toutes les énigmes et qui s'indignent devant l'inconnu, l'inexprimable, l'inexplicable en disant que c'est de la sauvagerie, de l'incorrect, de l'inadmissible... alors qu'ils sont simplement confrontés avec leurs ignorances et leurs limites.

Je me lève pour partir et en faisant cela je me sens lâche. Alors, pour me braver moi-même, j'ose regarder une dernière fois.

Jamais je n'ai vu un spectacle si beau que le corps d'Angèle. Elle fait l'amour, elle fabrique l'amour, elle construit l'amour, elle structure l'amour, elle édifie l'amour, la Belle Angèle !

Belle partout !

Son corps est un pays à la terre grasse et ferme, blonde. Des vallées, des volcans, des vallons. Plaines lisses, immenses, pour des labourages étourdissants, pour des récoltes bouleversantes, où perle la nourrissante fumure de la sueur. Ruisseaux, ruisselets, rus. D'eux montent jusqu'à moi les fulgurants effluves des fleuves qui fusent du caché, du dedans, de la taupe, de la renarde, de l'ourse, de la loutre, de la serpente, qui vivent sous cette terre.

Plante animale.

Pierre végétale.

Corps déployé de l'humaine dont les membres forts et souples ressemblent aux traînes divagueuses des nébuleuses qui, de leurs volutes, fouettent en moi, tisonnent, le cœur de la chair, l'âme des viscères et des humeurs, les œufs du rêve.

Ouvrir ma bouche et que du nombril, centre du corps, étoile de la mère, vienne jusqu'à mes lèvres un interminable et ondulant « Ah! ». Pas plainte, pas gémissement. Non : Chant, Hymne, Cantate, Joie d'Etre, Joie de Faire l'Amour.

Le corps d'Angèle est vibratile. Il n'y a aucune de ses parcelles qui, dans son repos, ne soit animée, ne s'ouvre, ne se ferme, pour une progression stable qui, parfois, s'enfle, comme s'enfle la houle, comme se déploie un reptile repu.

D'où vient ce mouvement archaïque, cette reptation de protozoaire, cette fixité grouillante?

Tout ce que l'on m'a dit du corps, tout ce que je sais du corps se délite, se pulvérise, à la vision du corps d'Angèle ouvert, en partance pour l'unité, la totalité, le simple, la fin. J'ignorais que le corps était cette architecture splendide faite de peaux et de chairs, d'ongles et de poils, de sueurs et de foutres, que le désir pavane, que le besoin valse, que l'esprit danse.

Et la trouée, ce passage non dit, non vu, non osé, qui entonne les roses et les rosés, les pâleurs vives, les luisances de lèvres, les conforts ombreux... Jamais regardée, jamais comprise. Elle captive, par sa ronde et profonde interrogation, l'autre corps armé mais subjugué. Jamais contemplé cette nacre confiante, cette palourde naïve, cette praire offerte, dilatée par le plaisir qu'elle ressent, que le désir précise et souligne en un dessin inattendu, étonnant, qui palpite. Dangereuse corolle, bouche gourmande, avide cupule! Qui osera pénétrer la volcane?

Oscille, oscille, remue à peine, berce le poisson de satin, belle serpente. Endors-le, séduis-le afin qu'il ne te blesse pas.

Le corps d'Angèle est un séisme, un sol où cloque la lave épaisse. Le corps de l'homme veut entrer là-dedans, se glisser dans le chaud, s'engloutir dans l'humide. De son bâton d'aveugle il fait pour commencer une gentille visite, à tâtons, circulaire, douce, à peine. Poisson aveugle il cherche la voie des grandes profondeurs, celle qui lui va bien et au bout de laquelle il se reproduira.

Les jambes d'Angèle sont écartées et fléchies, comme deux Himalayas reliés entre eux par la ravine moirée et mousseuse de la fente. L'homme y entre enfin. Grosse tige charnue qui écarte les rideaux, emplit la maison.

Va te cacher là-dedans renard, castor, lynx, animal doux et vivant! Glisse, glisse, comme une cuillerée de crème dans la gorge de l'enfant. Nourris le beau corps d'Angèle, comble-le jusqu'à ce qu'il soit une immense terre fertile alanguie sous la lune.

Je n'avais jamais vu le pouvoir de la femme. Je n'avais jamais vu l'homme s'y enfoncer en gémissant avec ses yeux glauques comme une eau stagnante pendant l'orage. Je n'avais jamais vu la puissance du creux, le vertigineux abîme où conduit la sentinelle têtue du clitoris, ce guide efficace. Je n'imaginais pas ma fente si belle. Je croyais le profond désarmé et son importance au-delà de lui. Je n'avais pas pensé à la profondeur gardée par tout le corps, par les seins hérissés, par les cheveux épars, par les membres déliés, par la voix qui racle, grogne, fuse, par le bassin-berceau qui balance, balance l'essentiel autour de l'axe du nombril.

Envie de prendre Angèle dans mes bras, de l'abreuver du champagne le plus doré, de la fleurir des pois de senteur les plus roses, d'apaiser sa bouche, et sa poitrine, et sa nuine, par mes baisers frais, par ma bouche de femme...

On toque à la porte. Un bruit précis, répété, qui sauve Simone de son souvenir bouleversant. Elle se détache de Jean-François avec l'impression effrayante de se délivrer d'elle-même.

La chambre où ils ont décidé de dormir est une loggia qui donne sur la pièce principale. Ainsi, de leur lit, quand ils s'y tiennent assis, peuvent-ils regarder encore le paysage qu'encadre la baie vitrée du salon.

Simone se relève, elle tâche de voir qui vient et, après s'être glissée jusqu'au pied du lit, elle découvre, derrière la porte vitrée de l'entrée, un homme en uniforme. Cela la fait sursauter, comme si elle était prise en flagrant délit. Elle se recule vivement et remonte le drap jusqu'à son cou. Elle attrape Jean-François par l'épaule et le secoue. Le contact de cette peau douce dont elle connaît le grain par cœur l'émeut. Elle ne veut pas admettre ce que sa mémoire lui a imposé; elle chasse cette gêne.

« Jean-François, réveille-toi, y'a un type en uniforme qui frappe à la porte. »

Jean-François se redresse. Il dormait profondément, ses cheveux sont tassés du côté où il était allongé. Il a toujours ce visage asymétrique quand il se réveille. C'est drôle et pas beau.

« Un type qui tape ? Qui c'est ?

— J'en sais rien. Un type en uniforme.

— Ça doit être le policier. J'y vais. »

Prestement il est debout, il enfile un pantalon, une chemise, et il descend l'escalier de bois en arrangeant sa chevelure.

Simone se recouche au plus sombre de l'alcôve. Délivrée. Le soulagement est si grand qu'elle ne peut le nier : le départ de Jean-François a chassé le malaise. Elle est bien seule, elle prend toute la place dans le lit, jambes écartées, bras en croix.

Le souvenir de tout à l'heure est là, partout dans son corps et hors de son corps. Le corps d'Angèle flotte dans l'air irlandais de cette maison inconnue. Il parcourt avec le regard de Simone la voûte du plafond qui épouse la forme pointue du toit. Angèle étendue nue, les jambes ouvertes sur le vertige, la palpitation.

Simone ferme les yeux. Elle ne veut pas admettre qu'elle a vécu cela. Elle ne veut pas accepter Angèle et l'homme et elle, Simone, les contemplant, adorant la femme écartelée, la fleurissant, l'abreuvant. L'image est dangereuse, elle ferait éclater sa vérité. Quelle femme serait-elle ? quelle mère ? quelle épouse ? Elle se convainc que ce n'était qu'un accident, un hasard, un guet-apens où son innocence l'avait entraînée. Cela ne fait pas partie de sa vie. D'ailleurs, dès le lendemain de la fête, elle avait nié le plaisir pris, et éprouvé du dégoût, seulement du dégoût, pour cet instant. Cela se rangeait dans les mauvais souvenirs, avec le jeune homme qui s'était jeté sous le métro, devant elle, avec une scène de guerre meurtrière sur un trottoir algérien, avec un ivrogne qui vomissait dans l'entrée de sa maison, avec le premier sperme séché sur les draps de son fils, avec son sang à elle qui avait débordé, un jour de fatigue, et taché brillamment la banquette d'un autobus; tandis qu'elle se frayait un chemin vers la sortie, la place était restée vide dans le car bondé et une sorte de silence l'entourait au milieu du brouhaha de la circulation.

Mais pratiquement, aucun de ces faits n'appartient à sa vie. Elle sait qu'on peut les raconter comme cela mais elle ne les a pas vécus de cette manière, elle refuse d'y être impliquée et encore moins d'en garder la trace en elle. C'était du hasard, du pur hasard.

Silence du mensonge. Neige de la retraite. Camouflage de la peur. Simone ne veut pas de sa personne entière, elle ne veut qu'une partie d'elle, le reste elle le tait, non seulement aux autres mais surtout à elle-même.

Désarroi, désordre, malaise. Le refus des mots et des gestes l'emprisonne, il faut qu'une action la délivre. Elle ouvre les yeux, elle cherche la besogne qui l'absorbera, la matière qui l'anéantira, mais tout est nouveau ici, elle ne peut se réfugier dans aucun bois, aucun métal, aucun textile, aucune fissure, aucune salissure, rien qui la captiverait dans une besogne menteuse. Tout est neuf. Si neuf qu'il faudrait même ne pas bouger, ne pas vivre pour que tout reste intact.

Est-ce que le commencement et la mort se ressemblent?

Les hommes, en bas, parlent. Simone comprend mal ce qu'ils disent. Le policier débite à toute vitesse un anglais chuinté, quant à Jean-François il se contente de lâcher des « yes » et des « no » et des « excuse me ». Simone se dit qu'il ne saura jamais parler l'anglais.

Revient Angèle. Elle a joui. L'alanguissement rend son corps pesant, on dirait qu'il s'enfonce dans le matelas, sa bouche reste entrouverte, son regard est fixe, calme, capturé, ailleurs, au-delà. Dans quelle digestion? Dans quelle fermentation? Dans quelle création?

Simone passe d'Angèle comblée au cadavre de Corvagh. Ils sont pareils. C'est cela que Jean-François a vu, c'est cette beauté-là, ce mystère-là ! Simone voit Angèle sur la côte, ses mains abandonnées à la brise, ses cheveux, mouillés de sueur, épandus sur la plage, ses pieds caressés par les vagues, loin l'un de l'autre, et, au centre, sa fente sablonneuse où sont échouées des algues et des coquilles d'huître.

Mais il a dit que c'était peut-être un homme !

Corps d'Angèle, corps de Jean-François, corps de l'Homme, corps noyés...

Et son corps à elle, Simone, cette construction faite de chairs, d'os et d'esprits, où le situe-t-elle ? Dans quel tiroir l'a-t-elle rangé ? Parviendra-t-elle à le trouver ? Veut-elle le trouver ? Et si elle le trouve, préférera-t-elle le laisser enfermé avec la pacotille des préjugés, avec les maquillages et les masques des principes, avec les uniformes codés et les déguisements admis ? Choisira-t-elle pour lui la mort de la sécurité plutôt que l'autre mort, la sienne ?

Quel tourment !

Elle choisit d'écouter les discours des hommes. Elle s'assied et aperçoit les deux têtes qui parlent et que les barreaux qui ferment la loggia lui cachent par instants. Le policier a gardé sa casquette.

Elle apprend que le cadavre a été dégagé de la plage. Il s'agit d'un corps de femme qui a peu séjourné dans l'eau. On ne sait pas qui c'est.

Elle apprend surtout la rencontre de Jean-François et du corps. Il la raconte avec les quelques mots d'anglais qu'il connaît et qu'il reprend sans cesse, pour tout dire, des mots comme beach, body, hair, hands, dead... Il essaie de faire un compte rendu le plus clair possible à usage de la police. Mais comme le vocabulaire lui fait défaut, il le remplace par des gestes, des expressions, des intonations, que le policier ne comprend probablement pas, mais que Simone, elle, comprend, et au travers desquels elle commence à découvrir le chemin de l'émotion éprouvée par Jean-François.

Il marche sur la plage, très loin du cottage, le soleil en pleine face. Il profite de la chaleur sur sa peau, de l'odeur du varech, du ressac des vagues, du cri des mouettes, du sable entre ses doigts de pied et de l'immensité du lieu : la plage interminable, vide, à l'abri d'une haute dune, le ciel et l'océan. Seul humain dans cette nature, livré à elle. Il n'éprouve pas le désir de détailler ce qui l'entoure, il se laisse aller à l'ensemble qui le soutient et le fait progresser. Il est en proie à une ivresse d'air, d'eau et de senteurs. Il ferme à demi les paupières. Peu lui importe où le mène sa marche, il n'a rien à décider, la vie se fait toute seule et elle lui est propice. Il avance à la frontière du sable humide, le long du feston où l'océan de la nuit a déposé des coquilles, des couteaux, des coques, des bigorneaux et de larges algues verdâtres ou bistres qui ressemblent à des lambeaux moirés de robes princières. C'est là, légèrement en contrebas de cette ligne de trésors, qu'il a vu, dans un éclat, les ongles de sirène, les doigts d'orfèvre, les mains d'ondine, comme si elles venaient de répandre les coquillages et les plantes océanes. Elles se reposent maintenant, vides. Leur beauté aquatique est en harmonie avec la longue plage qui s'assoupit après son bain.

Jean-François a dépassé les mains mais elles sont restées derrière ses paupières où elles deviennent une alarme. Il ne désire pas qu'elles le sortent de sa rêverie, il lutte durant quelques pas pour qu'elles ne tirent pas les fils de sa marionnette de vivant, pour qu'elles demeurent écailles, corail, sous-marines et qu'elles ne soient pas mort, crime, dernier soupir. Mais il ne sait pas résister à leur appel figé, à ce qui les rend semblables à lui, humaines. Il revient vers elles et il voit qu'elles appartiennent à un cadavre qu'une douce marée a déposé là après avoir étalé ses cheveux noirs sur la plage et aussi après l'avoir à demi couvert de sable. Un corps mince vêtu d'un blouson de cuir au-dessous duquel se devine un blue-jean. Alors la hâte l'a pris, le temps est revenu avec l'idée des autres, l'idée du secours.

« J'ai pensé qu'il fallait prévenir la police.

— Votre description correspond exactement aux vêtements et à la position du corps que nous avons recueilli tout à l'heure.

« Well, nous allons commencer l'enquête afin d'identifier cette personne. Nous aurons besoin de votre déposition. Vous êtes ici pour quelque temps ?

— Pour sept semaines.

— En vacances ?

— Oui.

— C'est bien. Si vous bougez de Corvagh avant il faudra nous prévenir.

— Vous pouvez compter sur moi. »

Les hommes se sont levés. Ils se lancent dans quelques considérations sur le temps qui est bon, sur le pays qui est beau, sur la bière qui est brune. Ils rient. Jean-François accompagne le policier jusqu'à l'entrée et ils se séparent sur un cordial « Cheerio ».

Simone sort du lit et s'habille vite. Elle entend la voiture du policier qui démarre lentement et tout de suite après la voix de Jean-François qui lui parle d'en bas :

« C'est une femme. Ils ne la connaissent pas... Tu viens te baigner ? Il fait une soirée admirable. Est-ce que tu te rends compte qu'il est déjà six heures du soir ! C'est incroyable la luminosité à cette heure, on se croirait en début d'après-midi.

— Il n'y a pour ainsi dire pas de nuit ici.

— Tu viens ?

— Et les courses ?

— C'est vrai. Allons-y vite avant la fermeture des magasins. »

Simone descend.

« Tu vois que c'est une femme. Je le savais bien. Je

ne voyais pas comment un homme aurait pu te troubler à ce point.

— Pourquoi? Tu n'es jamais sensible à une femme, toi?

— Pas à ce point. »

Elle a menti.

A-t-elle menti? Connaît-elle la femme qui a aimé Angèle un soir? Est-elle la femme qui a aimé Alain? Nomme-t-elle amour la passion exclusive qu'elle a eue pour son bébé? Qui est-elle? La solitude et l'inactivité font voleter dans sa tête des quantités de papillons de nuit.

L'océan remonte, il grossit la rivière qui déborde de ses berges à certains endroits et barbouille la plaine. Les mouettes et les hérons ont laissé dans le sable, près du cottage, leurs empreintes écarquillées. Séquences régulières, souvenirs d'un déplacement habile, gravures fines et profondes que le soleil, qui a amorcé sa courbe déclinante, fait luire. Car l'eau est toute proche du sol, elle suinte par chacun de ses pores, bientôt elle le noiera.

Simone a vu le changement. On dirait qu'il la libère et c'est gaiement qu'elle dit :

« La marée remonte.

— Tant mieux, comme ça on pourra se baigner devant la maison en rentrant du village. »

Le silence est bavard. Dans les jours qui suivirent, Simone et Jean-François parlèrent peu en général et pas du tout de la morte dont ils apprirent pourtant que le corps gisait à la morgue du Comté en attendant les conclusions de l'enquête policière. Ils n'avaient pas eu besoin de parler pour se dire qu'elle vivait avec eux. Ils le savaient.

Pour eux, elle était toujours sur la plage, à l'endroit précis que Jean-François avait montré à Simone dès le lendemain de sa découverte. Le sable, remué par les hommes qui l'avaient emportée, semblait indiquer qu'un viol, ou une guerre, s'était déroulé là. Jean-François avait mimé pour Simone sa promenade extasiée et l'intrusion des mains dans son bonheur.

« Mais ce n'était pas comme ça, la plage était lisse, l'océan était bas, c'était plus vaste.

— Comme tu étais allé loin ! Je pense que personne ne vient jamais jusqu'ici.

— C'était tellement beau ! »

C'est vrai que Corvagh est beau : cette terre et cette eau partout emmêlées, cette campagne océane, cet océan agreste. Comme si l'humain était enfin uni à l'inhumain dans l'harmonie, sans mystère, sans angoisse. L'humilité du fragile est protégée par le grandiose mais le génie du petit captive le grand. Beau, trouble, multiple, indicible, parce que le vert est bleu et que le bleu est vert, parce que le beige est gris et que le gris est beige, parce que la nuit, à cause du septentrion, est encore le jour et que le jour, quand passent les lourds nuages du nord, est un peu la nuit. Beauté insaisissable, vive et lente, parce que la vieille terre, érodée par les vents millénaires des tempêtes terribles, arrondit son dos de bosses rondes où pousse une jeune herbe fringante, parce que les falaises hiératiques qui s'effritent et se creusent à leur base accueillent courageusement les flots libres qui roulent leur puissante fougue d'un continent à l'autre. Parce que les barques affrontent les hauts rouleaux des vagues. Colère et tendresse. Paix et combats.

Simone et Jean-François ont organisé leurs journées autour du sommeil, de la lecture et de la nourriture. La nourriture étant liée à la nage, à la marche, aux exploits du corps. Car la côte foisonne de coquillages, de crabes, de crevettes et de poissons. Quand la marée est basse ils partent, munis de chaudrons et de cuvettes, et procèdent à de superbes récoltes de praires ou de moules. Quand la marée est haute ils pêchent des truites dans la rivière.

Le soir, près du cottage, sur la laisse d'herbages et de galets qui borde l'eau, Jean-François allume un grand feu qu'il nourrit de bois échoués, branches ou racines, récurés par le sel et le sable, blancs comme des ossements. Là-dessus ils font cuire ensemble des moules marinières, des riz aux crevettes, des fricassées de palourdes. Ou bien de petits saumons qu'ils ont commandés aux pêcheurs et dont ils ont surveillé la capture. Grillée sur la braise leur chair rose vif s'ouvre au citron et au beurre dans le fond de l'assiette. Festins où sont souvent conviés Hans et Heidrun. Ils se moquent des Français, qui se débrouillent toujours pour faire de la cuisine, mais ils s'empiffrent comme des loups. Bavardages pendant que le soleil descend lentement.

Souvent, quand il fait tout à fait noir, très tard, ils vont au pub des pêcheurs boire de la bière ou du whisky irlandais. Dans le pays tout le monde sait que Jean-François a découvert le cadavre, et c'est par les buveurs du coin qu'ils apprennent d'abord que la noyée est native du pays, qu'elle vient des collines couvertes de landes que, par temps clair, on devine vaguement par-delà la côte qui fait face au cottage, de l'autre côté de la plaine ou du lac, selon les marées. Ils apprennent aussi qu'elle s'appelle Mary MacLaughlin.

Elle naissait. Elle avait maintenant un sexe, un nom, une famille. Son frère était maquignon et Hans se souvenait de lui avoir acheté des brebis et loué un cheval, il était allé dans sa maison. Mais d'elle-même, personne n'avait un souvenir précis. Ils en déduisaient qu'elle était probablement sauvage, ou anormale.

Ma vie est jalonnée de femmes. A commencer par celles de ma famille, puis mes professeurs et d'autres ensuite. Redoutables pour la plupart. Personnages sans équivoque, correspondant aux modèles féminins courants. Certaines laissaient passer cependant, dans les moments les plus privés, les plus secrets — entre femmes — dans les replis les plus intimes de leurs agissements, des gestes, des mots, des voix imprévisibles. Elles se révélaient guerrières surprenantes, chasseuses inattendues, imposantes Minerves, ou perfides Dianes, dont la nature virile scintillait aux détours de leurs simples vie de femmes, à l'instant où l'affrontement entre elles et moi était devenu inévitable. J'avais rencontré d'autres femmes aussi, rares, abandonnées tout entières à la féminité, mais dont les fragilités et les ingénuités avaient été des armes périlleuses. Je trouvais les femmes plus fortes, plus violentes, mais plus hypocrites que les hommes. En gros, elles étaient la cause de tous mes maux.

Je m'étais toujours vue victime et là, à Corvagh, j'en avais rencontré une encore plus victime que moi puisqu'elle avait péri alors que j'étais toujours en vie. Comment avait-elle péri : crime ou suicide ? Quelle que soit la réponse, ce qui avait causé sa mort était terrible. Car une chose paraissait certaine aux enquêteurs : il ne s'agissait pas d'un accident.

Pour quelle raison donc est-ce que je ne la chérissais pas comme une sœur, comme mon égale, comme ma semblable ? Pourquoi morte, raide dans la morgue, était-elle encore une ennemie ? Où était son pouvoir ?

Jean-François et moi vivions des journées heureuses. Ce que l'on appelle « journées heureuses ». Mais la noyée était un précipice que nous côtoyions sans cesse bien que nous ne parlions pas d'elle. Notre bonheur était en dehors d'elle et pourtant nos silences à son propos, quand nous étions seuls, indiquaient qu'elle vivait en chacun de nous deux. Nous ne pouvions pas la partager, ni lui avec moi, ni moi avec lui. Pourquoi ?

Il a fallu que j'attende Corvagh pour commencer à comprendre que le couple que je désirais, depuis plus de vingt ans, que Jean-François fasse avec moi, n'était pas celui que moi-même je prétendais faire avec lui. Plus de vingt ans pour commencer à penser que le couple, celui qu'on m'avait donné pour modèle, n'était pas ce qu'on en disait.

Le chemin que cette réflexion ouvrait devant moi était si dangereux que je préférais ne pas le voir ou le nier et revenir à un comportement routinier bien codé, traditionnellement nourri de souffrance, engendrant un désarroi sécurisant : la jalousie.

Mais jalouse de quoi cette fois ? Elle n'était pas là, elle ne donnait pas de rendez-vous. Il ne pouvait pas la rencontrer. Elle ne pouvait pas lui écrire. Elle ne changeait pas de vêtement, de coiffure, pour l'attirer. Elle ne riait pas, ne pleurait pas. Il ne pouvait pas la toucher ni lui parler. Il n'y avait aucun espoir de réunion pour eux.

Jalouse de quoi en vérité ?

De toutes les jalousies j'ai choisi la plus humiliante, la plus avilissante, la plus torturante : jalouse de la beauté, de ce que, en ce moment, on appelle la Beauté de la Femme.

Usines. Tortures. Uniformes.

A la chaîne les rouges gras, les rouges secs, les rouges filtrants, les rouges hydratants, les rouges baisers !

Soleils. Sangs.

A la chaîne les ombres ! Pour les paupières, pour les pommettes, pour les narines, pour les mentons.

Lunes. Lymphes.

Soleils et nuits, ensemble, sur les visages de la beauté ! Faces de journées. Figures de vingt-quatre heures, avec, réunis, les subtils roses et les pâleurs de l'aurore, la fraîcheur bleue du matin, les dorés des midis, la langueur ocrée de l'après-midi, le vert de la soirée, et la nuit brune et noire pointée du blanc de la lune. Tout ça sur les figures des belles élaborées.

Arcs-en-ciel de la nature, peints, gommés, estompés, soulignés, brossés, tracés, ornant le visage parfait d'une fille splendide qui impose le silence. Sur son passage les bruits cessent, on dirait qu'ils s'engouffrent au cœur du désir qu'elle inspire et s'y tiennent muets dans la crainte de ne pas être choisis par elle ou seulement perçus.

Usines à fards, à onguents, à cosmétiques, à crèmes, à laits, à pâtes, à lotions, à parfums.

Millions d'êtres humains au travail du soir à l'aube pour qu'une beauté existe, rare, parfaite, espérée, rêvée, que les hommes aiment, que les femmes envient...

Néfertiti, la Crétoise, Tseu-Hi, la Belle Otéro, Garbo! Cruautés.

La taille, le poids. La peau tirée, tendue, cousue. Appareillages, prothèses. Les muscles étirés, allongés; les os craqués, comprimés. Epilation poil après poil. Talons hauts, pieds réduits, clitoris coupé. Massages. La chair triturée, ointe, malaxée, pétrie, ionisée, électrisée. Longs supplices, exercices serpentins, étirations félines. Bains de vapeur, de paraffine, de boue. Permanente. Cheveux frisés aux fers, défrisés à l'acide, teints, décolorés, laqués. Ongles limés, taillés.

Vêtements torturants. Estrapade des pantalons, écartèlement des soutiens-gorge, carcan des gaines, garrot des cols, lacets, cordons des bijoux, cangues, roues, chevalets... Sur le pal de leurs talons aiguilles les femmes ondulent dans l'architecture rigoureuse de la couture, trouvant leur équilibre dans les balancements compliqués et langoureux de leurs longs membres. Pour Plaire, pour Tromper. Pour satisfaire la cruauté lubrique. Pour empoisonner l'affamé. Engins de guerre ravissants qui progressent sur le champ de bataille des phallus mous, des baisers de tabagie, des cervelles gonflées d'ennui, des besoins gavés de frustration.

Uniformes. Coiffures, tenues, paroles, comportements identiques. Imposés par la plus belle, exigés par les plus forts, copiés mille fois, polycopiés, photocopiés, reproduits, plagiés, imités, fabriqués à la chaîne, à la grosse. Prêts à porter, prêts à manger, prêts à aimer, prêts à plaire. Exemplaire pâture offerte sur les écrans, sur les murs. Culs, Cœurs, Beauté, breveté S.G.D.G., bons pour le service.

Laquelle sera la plus belle ? Laquelle ressemblera à la plus belle ?

Moi ! MOI !

Voyons quelle est la plus belle aujourd'hui ? Celle qui est intacte, celle qui porte le printemps, celle qui offre le plus de lignes précises, neuves, celle qui donne l'idée du commencement, de l'intouché, avec ce que le début a de plus vulnérable, de plus dur et de plus ancien. Belle comme une pierre. Belle comme un œuf. Belle comme une pousse d'herbe.

Mais comment m'y prendre ? Tout est à faire. C'est un travail coûteux et lent. Plus les années passent, plus il y a de l'ouvrage. Moins on a d'argent, moins on y arrive.

Belle. Il faut être belle de quelque part ou d'ailleurs. Qu'on puisse dire au moins : « Oui, mais elle a de belles mains, ou de beaux cheveux, ou de beaux yeux, ou un beau·sourire, ou une belle allure... »

Belle. Pour que le gros avec sa bedaine à bière, pour que le maigre avec ses boutons à pus, pour que le vieux avec son haleine à charogne, pour que le jeune avec son pénis à maladresse, puisse dire : « Elle est belle. » Et la belle alors comblée fait la roue, roucoule, ronronne, se roule dans l'envie et la jalousie qu'elle fait naître.

Belle pour tout le monde. Généreuse Beauté.

Ça se fabrique ça, les filles, ça s'organise, ça se planifie ! C'est la vertu des femmes de se faire belles.

J'avais beaucoup lutté pour être belle. En vain. J'étais trop costaude, trop haute, trop carrée. Il y avait peu de féminité en moi. J'étais plutôt portée à faire de grands gestes ou des mouvements brusques, j'étais attirée par les exercices durs, qui gonflent les muscles et ne les allongent pas. Je n'avais pas le temps et, au fond, pas la patience, de chercher chaque jour le meilleur maquillage, la meilleure coiffure, la meilleure tenue. Tout ça, je le faisais à la va comme j'te pousse, et je pensais que le naturel était mon charme, ma beauté... comme disait ma mère, qui ajoutait : « Au moins, tu as de jolies oreilles. » Mais de mon temps, les oreilles n'avaient plus cours...

La quarantaine n'avait rien arrangé. Il me tardait que se termine le temps de la beauté pour vivre une vieillesse solide où la force me ferait prendre une revanche sur les belles.

Pour combien de temps encore cette compétition humiliante ? Pour combien de temps être préférée, attendue, désirée pour la beauté et pas pour moi ? Il y a de la beauté en moi mais elle n'est pas dans mon corps ni dans mon visage.

Et comment se battre contre une morte ? Comment lutter contre le souvenir ? Quel souvenir avait-il de la noyée ?

Les jours passant, Simone éprouvait un désir exigeant de connaître cette femme. Elle lisait le journal local. Elle allait chez Heidrun écouter la radio. Le pays était si tranquille que cette mort constituait un événement. Il arrivait qu'on en parle, qu'on donne de nouveaux indices découverts par la police. On ne savait toujours pas s'il s'agissait d'un crime ou d'un suicide.

La femme avait trente-huit ans. Elle n'était donc pas si jeune que ça. Il fallait qu'elle ait été bien belle pour que l'âge n'ait pas altéré sa beauté...

« Il n'y a rien de plus beau qu'une femme épanouie »... Balancelles des croupes larges, des seins-fontaines, des nombrils-puits, des fossettes aux fesses.

Non, ce n'était pas ça. Jean-François avait dit qu'il n'aurait pas su affirmer si le cadavre était celui d'une femme ou d'un homme. Et si c'était une femme elle avait peu de poitrine.

« C'est dans les vieux pots qu'on fait les meilleures

soupes »... Ventre goulu, qui connaît le plaisir, qui s'est, avec l'expérience, façonné pour lui. Lèvres suceuses, tétons roides et bruns, mains pulpeuses et chaudes, aux ongles courts et propres, qui savent branler doucement.

Non, il avait dit : « De longues mains fines et nerveuses... » Il ne l'avait pas touchée, à peine approchée. Elle était froide et raidie par la mort.

Au pub des pêcheurs, Simone avait appris que Mary MacLaughlin s'était trouvée enceinte et que ses parents, catholiques pratiquants, comme de bons Irlandais, l'avaient chassée. Elle était partie pour les Etats-Unis où elle avait eu un fils et pratiqué le métier d'infirmière.

Il n'avait jamais été question de sa beauté. Son physique n'avait laissé aucun souvenir.

Tous les renseignements glanés par Simone ne lui servaient à rien. Ce n'était pas cette femme que Jean-François avait rencontrée, ce n'était pas cette Irlandaise malmenée qui l'avait bouleversé. La femme que Simone cherchait à connaître était dans la mémoire de Jean-François. Comment pénétrer dans une autre mémoire ? Comment partager le souvenir ? Est-ce possible ?

Le souvenir est un éventail qui s'ouvre et se ferme, qui bat, et dont chaque pli se prolonge en d'immenses bras translucides munis de mains avides qui saisissent, à leur gré, d'autres souvenirs errants. Par eux, des faits récents ou anciens pénètrent dans l'éventail, des images fraîches ou jaunies le chargent, des réflexions le changent. Le souvenir est mouvant et lourd.

Il faut que je sache, et la meilleure manière de savoir c'est de poser des questions.

J'attendrais une de ces fins d'après-midi qu'il aime. Quand, après une longue marche, nous nous asseyons devant la baie.

Ce jour-là était très nuageux. La marée était basse. La plaine où serpentait la rivière était dorée ou argentée selon qu'apparaissait et disparaissait le soleil entre les nuages. Il arrivait même qu'elle soit les deux à la fois : ensoleillée ici et couverte là.

La promenade avait été fructueuse : un plein seau pesant de grosses moules et un saladier de crevettes grises. La conversation allait certainement s'engager sur le menu du soir. Comment accommoder notre pêche ? avec du riz ? nature ? marinière ? Puisque la cuisine est le passe-temps favori de Jean-François les soirs de vacances.

L'instant était paisible : les canards barbotaient, les hérons pêchaient, les moutons broutaient, une petite brise agitait l'herbe des îles. Dedans il faisait chaud, ça sentait le thé.

Il existe pour les couples qui se connaissent depuis longtemps et ne se détestent pas des moments qui ressemblent à des hamacs : berceurs, enveloppants, suspendus dans le vide, reposants. Nous vivions un moment semblable. Si ce n'est l'idée de questionner qui était dans ma tête et ne me quittait pas. Il fallait que je prenne Jean-François au plus faible, au plus désarmé de lui-même, car il n'aime pas que je le pourchasse, que je tente de pénétrer ses secrets.

Quels étaient ses secrets ? En avait-il ? Est-ce que je ne nommais pas ainsi ses interrogations, son ignorance, la conscience qu'il avait de ses limites ? Toutes choses qu'on ne sait même pas partager avec soi-même et dont on ne souhaite pas que quiconque soit témoin.

Tant d'années pour commencer à comprendre que Jean-François n'a pas plus de certitudes que moi et qu'il n'est pas plus maître de son destin que moi. Que, malgré les masques de la civilisation, nous sommes dans un égal état d'impuissance. Béance vertigineuse. Etourdissement de Simone qui prend peu à peu conscience d'un gouffre : l'absence du pouvoir finalement rassurant de Jean-François.

Jamais je ne m'étais rendu compte de la perfidie de

mes combats. Jamais je n'avais été aussi seule et aussi isolée avec Jean-François, tout entière livrée à mes buts, ayant, pour une fois, le temps de calculer et d'attendre. Aux aguets, le regardant faire. Forte de la connaissance que j'avais de ses habitudes, de son comportement, je l'examinais comme un entomologiste examine un insecte. J'attendais l'instant où il se serait dépouillé de sa lourde armure virile, de l'épaisse cuirasse avec laquelle on l'avait habitué à vivre. Jusqu'à ce qu'il apparaisse dans sa fragilité.

Alors, j'ai piqué comme une abeille :

« Elle était très belle ? »

Il a immédiatement su ce que je voulais dire et ce que je réclamais : sa vérité. Il est resté quelques secondes avec un regard désemparé comme s'il comprenait ma tactique et devinait le long cheminement de ma ruse. Un regard troublé avec peut-être un reflet de reproche et, certainement, la conscience de son échec. J'avais frappé au bon moment.

Il a répondu en baissant les paupières, gravement, soumis :

« Je ne saurais pas dire si elle était belle... Tu sais, elle avait déjà la bouche et les yeux mangés par les mouettes. Il y en avait des dizaines autour d'elle. »

Au Québec on chasse l'orignal. L'orignal est un grand animal, une sorte de renne colossal, un équidé plus haut et plus pesant qu'un cheval. Sa tête, tenant de l'âne et du chameau, est ornée de formidables bois qui partent latéralement de son front et se recourbent vers le ciel en s'aplatissant, comme deux yatagans. On appelle cela son panache. Il est solitaire, bien qu'il lui arrive de se joindre pour quelques jours à une harde de cerfs, de biches et de chevreuils. Il vit dans les forêts où il mange de l'herbe.

Je n'ai jamais vu un orignal. Je n'ai vu que ses traces, empreintes d'un sabot unique et rond que le poids de la bête imprime profondément dans le sol. Sa femelle, elle, laisse les marques d'un sabot double, assez comparables à celles d'un grand cerf.

Il court sur son compte une quantité de légendes. Je crois qu'il est indispensable aux Québécois, comme les monuments aux morts des deux guerres sont indispensables aux Français. Ils sont le témoin du courage des hommes. On voit une trace d'orignal, on en parle, et aussitôt affluent des histoires de dangers, de fusils, de guerre et de bravoure.

Personnellement, j'ai peur de l'orignal, mais je dois avouer qu'il m'attire et que j'aimerais bien en voir un, un jour, de loin, vivant. Pour l'instant je ne l'ai contemplé qu'empaillé et je l'ai trouvé monstrueux. Je sais qu'il craint l'homme mais que, parfois, il le charge. Oui, il charge, panache en arrière, dans l'inextricable forêt canadienne qu'il fait voler en éclats. Il arrache les branches et les arbustes, les buissons, les fougères et il attaque à grands coups de front le haut sapin où le chasseur malheureux s'est réfugié dans un sauve-qui-peut affolé, jusqu'à ce que l'arbre s'abatte.

Je connais un couple de Québécois : Nicole et Vladimir. Un bon couple uni. Uni surtout par la chasse. Ils partent seuls dans l'automne rouge ou en plein hiver blanc, raquettes aux pieds, vivre dans une petite maison de bois rond, isolée dans la forêt, à huit heures de marche de l'agglomération la plus proche. Ils vont chasser l'ours ou l'orignal.

Un soir, devant un feu qui montait haut dans le ciel plein d'étoiles, j'ai demandé à Nicole :

110

« Raconte-moi comment on chasse l'orignal. »

Il fallait bien que je lui pose cette question, depuis le temps qu'elle me parlait de leur camp de rondins, de la majestueuse solitude du lieu de leurs chasses, sans jamais me parler de la chasse elle-même. Comme on parle de son amant sans dire comment il fait l'amour.

Elle s'est mise à raconter avec pudeur, un peu comme si elle me faisait une confidence.

Il faut savoir, en gros, dans quelle région vit l'orignal et choisir un endroit au bord d'un lac. On rame doucement pour arriver là, tout doucement, longtemps. Les lacs, dans la sauvagerie du bois canadien, sont souvent des dédales, ils s'étranglent, on dirait qu'ils se terminent, mais il y a un passage, où la chaloupe racle le fond, qui mène à un marécage plein de roseaux et de nénuphars au bout duquel le lac réapparaît, parfois plus grand, rond, ou large, ou peuplé d'îles, et ainsi de suite, toujours plus profond dans le sauvage, l'inhabité, le vierge. Sur les rives, la forêt se presse, dense, griffue, faite de hauts sapins, de bouleaux et d'érables sous lesquels pousse une végétation qui veut vivre à tout prix, dans le moisi, le marécageux, le spongieux ou le glacial. En automne elle flambe, chaque arbre porte son rouge, son rose, son or. Le froid est déjà grand.

On part à l'aube, avant même que le soleil se lève, habillé de gros pantalons, d'épaisses chaussettes, de chemises de flanelle et d'une veste en lainage imperméable, généralement à carreaux rouges et noirs, chaussé de hautes bottes de caoutchouc. Plus on rame, plus on enfonce, plus la nature appartient à l'animal, plus elle est étrangère à l'homme, plus elle est belle. Quand le jour vient, la brume se détache de la surface de l'eau, elle dévoile le sous-bois épais, les troncs blancs des bouleaux, les troncs noirs des sapins, elle s'élève, s'effiloche après les sommets des arbres. Le silence est énorme et les rames, maniées pourtant avec précaution, font un bruit mouillé, déclenchent un cataclysme de gouttes qui roule d'une rive à l'autre.

On aborde la plage choisie, on débarque les armes, les munitions et le ravitaillement. Il faut que le rivage soit abrité car le vent risque de porter l'odeur de l'humain vers la cachette supposée de l'animal. Et on s'apprête à attendre.

D'abord on calle (to call : appeler). C'est-à-dire qu'on imite le cri de l'orignal mâle ou femelle, à intervalle régulier et on attend la réponse qui viendra de la forêt, plus ou moins loin.

« Tu sais caller ?

— Eh oui, c'est toujours moi qui calle. Vladimir, lui, il sait pas. Il sait rien que tirer. Les voix des femmes c'est meilleur pour caller.

— Montre-moi comment tu fais. »

Elle n'aime pas cette invitation qui la prend au dépourvu. Elle réfléchit et puis :

« J'suis pas capable de caller icite. »

Elle regardait autour d'elle, elle était perdue. Il lui fallait être seule avec la bête probable, dans la solitude du petit matin glacé, pour pouvoir pousser son cri. Ici c'était gênant, indécent, inutile. Elle n'avait ni la peur ni l'impatience de la rencontre éventuelle.

« Essaie quand même, pour me donner une idée.

— Ça sera pas comme là-bas.

— Tant pis, mais je me rendrai compte peut-être. »

Alors elle a mis ses mains creusées en conque autour de sa bouche. Elle s'est recueillie puis elle a inspiré profondément. Est sortie d'elle une plainte inhumaine, une sorte de charivari de galets se cognant dans le fond d'une eau, un tumulte interminable, lamentable et puissant.

« Ça, c'est le bruit de la femelle. »

Le bruit m'avait transportée ailleurs, dans un univers intestinal, dans le monde des viscères, dans la vie de la rumination. J'imaginais de grosses roches, sur lesquelles poussaient de jeunes sapins, en train de s'ébouler dans le marécage fumant de l'aube. Je savais le fou besoin de baiser qui prend le ventre de la femelle, le fou besoin de remplissage par le sexe puis par le petit. Besoin si pressant qu'elle le nomme par une plainte, elle le dit par un cri, elle le signale.

Nicole avait de nouveau réuni ses mains en boule autour de sa bouche, comme une grosse bulle de chair osseuse qui sortirait de ses lèvres et elle s'est mise à faire des « Bauk », « Bauk ». Un bruit court mais vertigineusement creux, comme si, dans le peu de temps qu'il durait, était exprimé le pouvoir de satisfaire, la satisfaction du pouvoir et un désir énorme, une sorte de « miam miam » monstrueux, épouvantable et merveilleux.

« Ça, c'est l'bruit du mâle. »

Couple animal qui s'entr'aime dans la forêt qui s'entre-dévore. L'eau, l'air, les pierres, les plantes et les animaux, unis, et composant un décor que l'humain armé d'un fusil qualifiera de sauvage. Architecture carnivore, herbivore, qui a besoin de manger l'autre pour être, de tuer pour s'épanouir. Subtile, haute et légère construction où s'entrelacent les poutrelles des caresses de fourrure et des frôlements de cornes, de croupes, de pinces et de vrilles, que percent les clous des aiguillons et des verges, que vêt le velours des pollens, que haussent les cris d'amour, pour que s'accomplisse la reproduction.

Nicole et moi nous demeurions silencieuses. Je ne sais dans quelles chasses nous étions parties.

Mais l'envie l'a prise de raconter la suite, le plus beau : le carnage.

« Je calle le mâle en faisant la femelle. Et puis j'attends. Et je calle encore... »

Des heures durant. Et quand elle n'avait pas de réponses elle callait la femelle en imitant le mâle...

« Ça arrive que tu trouves le mâle et qu'il y ait une

autre femelle dans le coin, une vraie. Elle se met à caller elle aussi, elle croit qu'elle a une rivale. »

A partir du moment où la réponse est obtenue il ne faut plus bouger et attendre que l'animal vienne. Il ne faut surtout pas partir à sa rencontre. Il faut rester sur place et attendre.

« Ce qui est bon pour le faire venir, c'est de verser dans le lac un bon chaudron d'eau. Comme ça le mâle croit que la femelle pisse. Qu'elle le calle et qu'elle pisse.

— Et Vladimir, qu'est-ce qu'il fait pendant ce temps ?

— Il attend aussi, il dort, il prépare les armes. »

Nicole pouvait rester comme ça quatre jours, à attendre que l'autre vienne.

Tout à coup il apparaît, là, tout près. Le nez pointé vers la voix de celle qui l'appelle, son grand panache rejeté en arrière le long de son cou. Nicole entend les branches qu'il casse sur son passage, elle sait qu'il n'est pas loin, elle saisit son fusil mais elle ne bouge pas. Elle reste tapie. Elle ne se lève qu'au dernier moment, quand il est devant elle, dressé, à l'orée de la forêt, les pattes de devant sur les galets ou dans le sable de la berge étroite, le panache étalé dans le ciel. Alors elle se met debout avec son arme, elle épaule et elle tire sur lui une de ces longues balles de cuivre que Vladimir a depuis longtemps introduite dans le fusil.

« Il faut tirer dans la poitrine, dans l'épaule. Surtout pas dans la panse.

— Pourquoi ?

— Parce que ça pue le diable une panse crevée. »

L'orignal a reçu le coup de face. Il ne s'attendait pas à ça. Il croyait trouver la femelle qui l'appelait depuis trois jours. Il voit à peine mais son odorat qui est fort lui dit que ce n'est rien de son espèce qu'il a trouvé. Ce n'est pas un autre mâle avec lequel il aurait pu se battre jusqu'à la mort. (Il arrive qu'au printemps des pêcheurs découvrent deux squelettes d'orignaux liés entre eux par leurs panaches férocement et inextricablement

114

embrouillés.) Face à Nicole l'orignal blessé a peur, il
veut fuir ou charger. Il fait un pas en avant. Puis il
recule. Il est touché mortellement. Il part maladroitement de côté, il tient mal sur ses jambes, il tombe à
genoux, il se relève mais c'est son arrière-train qui l'emporte maintenant. Il dérive sur les galets, il veut le bois
mais c'est l'eau qui l'attire. Il n'a plus la force de gravir
la légère pente de la grève. Il dévale et tombe dans le
lac. Un instant on dirait qu'il s'ébroue, on voit ses pattes qui brassent l'air, qui se raidissent et puis qui, bête-
ment, et lentement, les quatre ensemble, s'inclinent
vers l'eau cependant que son ventre a l'air de gonfler et
ressemble à une grosse roche ronde qui sortirait du lac.
Il est mort.

Nicole me donnait ces précisions par petits coups, en
répondant aux questions que je lui posais. Elle n'avait
pas envie de parler de ça. Ce qu'elle voulait maintenant
me raconter c'était ce qui se passe après : l'énorme bête
qui pèse plus d'une tonne qu'il faut sortir du lac avec
un treuil. Puis le dépeçage et le découpage en gros quartiers enveloppés dans un papier huilé, prêts à mettre au
congélateur.

« C'est tendre la viande d'orignal mais ça n'a pas de
goût. Faut l'accommoder avec des sauces pour que ça
soit bon.

— Et la peau ?

— On la laisse avec la panse. On garde juste la
viande et le panache. »

Ils s'en vont. La barque alourdie s'enfonce dans l'eau
noire. C'est le soir. Ils ont placé les bois de l'orignal à
l'avant, comme une figure de proue. Embarcation de
Vikings qui ramène les vainqueurs au port en glissant
dans la nature gelée.

Sur la plage sont restés les viscères gris et sanguino-
lents de la bête que les loups dévoreront cette nuit.
Longs boyaux méandreux, lourd estomac empesté, ordures du deuil que la forêt va engloutir vite. Demain il ne

restera plus rien de ce drame amoureux, que de grands os qui pointeront comme des branches échouées.

Nicole rêve et pour finir elle dit en riant : « Des fois, avec Vladimir, à la maison, on s'amuse à se caller. J'le calle et il répond comme un mâle...

« C'est beau un orignal... »

A l'approche de Jean-François les mouettes se sont agitées en piaillant puis elles se sont éloignées à regret de leur festin. Il était debout devant le cadavre ensablé, sans sexe, devant le visage sans yeux et sans bouche, devant les longues mains décolorées. L'ombre de son propre corps couvrait le corps noyé et les oiseaux dérangés se chamaillaient à l'entour.

Jean-François restait sans bouger, ému, bouleversé. Jamais un être ne s'était tenu avec autant d'abandon devant lui, jamais il n'avait vécu pareille intimité, jamais personne ne s'était montré aussi impudique que ce cadavre indifférent à tout, uniquement livré à lui-même. Rien ne semblait à Jean-François plus libre et plus impertinent que la mort.

Ce n'était pas la beauté qu'il avait rencontrée, c'était la mort. Simone n'avait jamais pensé que Jean-François eût la mort dans la tête. Elle le croyait étranger à la mort, loin d'elle. La mort, croyait-elle, n'avait jamais eu l'occasion de le toucher et quand la conversation venait sur elle il l'éloignait, disant que ce n'était pas un problème. Simone était certaine qu'il ne pensait jamais à la mort.

Ils se taisaient tous les deux. Elle, émue, constatait :

Je ne le connais pas. Je ne sais pas qui il est. Notre histoire est une autre histoire que celle que je racontais. Qu'avons-nous vécu depuis plus de vingt ans?

La mort est si grande, si haute, si vive! Elle est l'ourlet de la vie, elle la festonne, elle la frange, elle la termine avec des rangs de jours.

Et Simone pensait aussi : Je ne me connais pas. Je ne sais pas qui je suis. Mon histoire est une autre histoire que celle que je racontais. Qu'ai-je vécu depuis toujours?

Ce n'est pas rien de se trouver brutalement face à une réalité nouvelle. On croyait suivre un chemin jalonné de refuges, clairement indiqué sur les cartes d'état-major, et on se rend compte qu'on est perdu. En quelques secondes une vie s'efface, une autre s'impose, exigeante : « Dépêche-toi, dépêche-toi, le temps passe! » On ne sait pas la vivre, c'est l'aventure... Soit on la refuse, on fait comme si c'était « avant », tout alors devient chaos, le temps vous étouffe. Soit on l'accepte et on découvre la généreuse insécurité, le rutilant avenir, la chaleureuse existence... Mais ça fait peur.

Simone était là, à côté de cet homme avec lequel elle vivait depuis plus de vingt ans, qu'elle croyait connaître par cœur et voilà que, à cause de la noyée, elle prenait conscience qu'elle ne le connaissait pas et surtout qu'elle ne se connaissait pas. Et c'est cela qui était le plus énorme à admettre. Plus rien n'avait de consistance. Il y avait eu des moments dans sa vie où elle avait eu le pressentiment que quelque chose était en train de changer. Mais elle ne s'était pas arrêtée, elle n'avait pas voulu le savoir. Cette fois elle ne pouvait plus reculer.

La marée avait monté; maintenant elle était étale. Et comme le vent s'était levé, la plaine liquide prenait des allures de mer avec des vagues moutonnantes et même un bruit de ressac au pied de la maison. Le paysage avait changé dans leur silence.

Qu'est-ce qui les liait tous les deux ?

Dans l'instant, ce qu'il y avait de commun entre Jean-François et Simone c'était la mort, c'était ce sort identique. Il n'y avait pas d'autre sécurité dans leurs vies.

Comme ils étaient proches, presque semblables !

Mary MacLaughlin était avec eux, elle avait revêtu les amples vêtements de la camarde et, comme la faucheuse, patiemment, elle attendait que soient mûres leurs vies.

Elle n'était pas effrayante, au contraire, elle était sage. Ses nouveaux habits lui allaient bien, ils se creusaient en profonds godets souples autour de son corps mince et dans ses orbites grugées luisait un paisible regard nyctalope. La mort a un long corps anguleux mais harmonieux, elle avance lentement, partout, où elle veut, comme la reine des échecs, tout lui va : les montagnes, les océans, les masures, le gazon... Bergère d'un troupeau innombrable qui ne cesse de l'appeler à l'aide. Elle va des uns aux autres, fluide et lente, active, elle touche ceux qui la désirent le mieux, ceux qui l'aiment le plus. Elle aime qu'on l'aime et elle est douce.

Personne n'est plus séduisant que Mary MacLaughlin. Elle est la sérénité même, la paix, le repos. Les mouettes la veulent ? Qu'elles la mangent. Les poissons la veulent ? Qu'ils la mangent. Elle a bouclé la boucle de la vie, elle possède maintenant ce pouvoir formidable : elle sait. Elle a erré entre deux eaux, les vagues l'ont bercée, l'ont endormie pour toujours et puis l'ont déposée doucement, petit à petit, elles l'ont allongée sur la plage, elles l'ont couverte de sable et elles ont laissé ses longues mains brandies pour signaler la mort : « Je suis là, n'ayez pas peur; regardez-moi seulement. »

Le regard de Jean-François, seul dans la nature de Corvagh, était parti comme une alouette. Le soleil l'avait ébloui, si bien qu'un voile rose, strié de blanc et brodé d'or, couvrait ses yeux. Il avait laissé faire. Il préférait que l'océan et les dunes viennent dans sa mémoire à travers cet écran de sang clair. Ainsi étaient-ils océan et dunes mais aussi flambée, pluie, feu d'artifice, cascade, braise, marécage, tout ce qui est eau et tout ce qui est feu. Tout ce qui est air caressait ses cheveux, tout ce qui est terre était solide sous ses pieds. Il était dans le tout. Il était lui-même presque un tout, univers à lui seul; il lui manquait peu de chose pour que sa conscience et son inconscient ne fassent qu'un. Il était proche de cet évanouissement où le su et le non-su s'unissent pour former la connaissance. C'est alors qu'il a vu les mains et c'est vrai que sa première réaction a été de les éviter car il ne voulait pas qu'elles écartent le voile rose qui couvrait son regard. Il était le roi d'un royaume dépeuplé où la présence d'une autre personne était intolérable : elle aurait ravagé le royaume. Un autre être humain sur ses terres flottantes aurait détruit l'équilibre à cause de son odeur, de sa sueur, à cause d'une autre mémoire, d'un autre rythme, à cause de ses mots surtout, un simple « bonjour » à peine murmuré aurait tout pulvérisé.

Qu'est-ce qui a su pénétrer dans l'univers rose et voguant de Jean-François au point de l'arrêter et même de le faire revenir sur ses pas ? Des ongles mauves ? Une absence de sang ? Une raideur porteuse de silence ? Tout cela réuni ? Comment a-t-il connu que ces mains ne chasseraient pas son rêve ? C'est son mystère, nul autre que lui ne peut le dire.

Peut-être à cause des mouettes qui ne craignaient ni lui ni elle. Ce n'est plus un monde normal celui où l'homme ne dérange pas les oiseaux.

En tout cas c'est grâce à cela qu'il a pu regarder Mary MacLaughlin comme il l'a fait : avec amour et avec reconnaissance. La mort était la seule personne avec laquelle, dans cet instant, il pouvait communiquer, et, justement, elle était là.

Plus Simone inventait cette rencontre, plus la distance grandissait entre Jean-François et elle; et cependant il devenait identique à elle. Elle ne savait plus comment lui parler. Il lui semblait à la fois qu'elle ne le connaissait pas et qu'il était elle-même.

Le silence était installé depuis longtemps entre eux. L'heure du dîner était passée. La lumière du soir martelait la mer, qui s'était calmée entre-temps, des plaques d'or se formaient et se déformaient à sa surface, au gré des lents remous. Ils s'étaient enfoncés dans leurs réflexions et, pour la première fois, Simone ne s'inquiétait pas du mutisme de Jean-François, elle ne le sentait pas absent. D'ailleurs elle a parlé la première :

« Tu n'as pas peur de la mort, toi ?

— Pas vraiment. Et toi ?

— Moi oui, j'en ai peur. »

La table devant eux était rectangulaire. Jean-François était assis à peu près au milieu du petit côté et Simone, elle, à peu près au milieu du grand côté. Après que Simone eut dit qu'elle avait peur de la mort, Jean-François s'est courbé sur la table, il a allongé son bras vers Simone avec, au bout, sa main ouverte. Alors Simone en a fait autant, elle s'est penchée, penchée, elle a tiré son épaule jusqu'à ce que sa joue touche le bois de la table et leurs mains se sont trouvées. Elle a reconnu les jointures épaisses des phalanges, les ongles carrés, le duvet dur et court sur le tranchant du dos, et la paume tendre. Ils partageaient la bonne et la mauvaise mort.

« Pourquoi as-tu peur de la mort, Simonette ?

— Parce qu'elle est inhumaine... Je crois que le moment le plus intense de ma vie c'est celui où j'ai mis un enfant au monde... L'idée que cet enfant va mourir, qu'il va devenir une charogne, m'est insupportable.

— Et ta mort à toi ?

— C'est pareil... Ça m'est insupportable... C'est même un peu obsédant. Une obsession qui m'est venue la nuit de mon premier accouchement quand j'ai senti que mon corps avait sa propre autonomie, qu'il existait sans

120

ma volonté ou même contre elle. En même temps que je donnais la vie j'ai senti que je donnais la mort... Après, tout est devenu plus lourd. J'ai eu l'impression d'avoir perdu l'insouciance. »

Et Simone s'est mise à raconter l'accouchement, c'est-à-dire ce qui grouille dans l'immobile, le tumulte dans le silence, aussi comment on peut être à la fois deux et un.

Jean-François, à la fin du récit, avait des yeux aqueux, étranges.

« Pourquoi ne m'as-tu jamais raconté ça ? »

Simone ne savait que dire, car elle avait vécu cette naissance comme une tromperie. Elle avait été si loin de lui... Si loin de la Simone qu'il connaissait... Alors, elle a menti :

« Je croyais que ça ne t'intéressait pas.

— Comme on peut se tromper...

— La vérité est que je n'ai pas souhaité ta présence. Je désirais être seule ou avec mon bébé... Personne d'autre, même pas toi, et pourtant c'était ton enfant aussi.

— J'aurais pu comprendre.

— Je ne sais pas... Je ne pouvais pas le vivre et l'expliquer en même temps. »

C'était la première fois que j'abandonnais mon personnage d'épouse zélée et de mère innocente. Je me sentais nue, confuse, car ce personnage je ne l'abandonnais pas seulement devant Jean-François mais aussi devant moi-même. Il y avait tant d'années qu'il me couvrait que je ne savais plus agir sans lui. J'avais froid. Je ne savais pas parler, je ne savais pas regarder, je ne savais pas mentir. L'épouse et la mère m'encadraient comme des gendarmes ou comme des béquilles, elles gardaient ou assuraient ma progression. Sans elles je n'étais rien. J'avais été élevée pour être ça. Je savais qu'il fallait que je sois ça, depuis mon enfance.

Quand j'étais petite je n'aimais pas mes poupées. Elles n'étaient pas vivantes, elles avaient des yeux écarquillés et fixes. Quand leurs paupières se baissaient cela faisait un bruit dans la tête et je voyais la fente par où elles se glissaient. De même, aux articulations des bras et des jambes cela faisait une couture, je sentais que les membres n'étaient pas solidaires du corps comme chez les vrais bébés. C'était par ces failles qu'elles m'intéressaient, alors je les défonçais pour voir ce qu'elles avaient dedans. Leur vacuité me répugnait. Elles étaient vides, elles n'étaient que mensonge, simagrées. Je ne pouvais pas être la mère de cette pacotille. Je serai la mère d'hommes et de femmes, je ne serai pas la mère de ces idiotes. Mais je sentais confusément que mon mépris m'éloignait de mon rôle de petite fille bien élevée, alors je faisais semblant de m'occuper de mes poupées et, pour chasser ma gêne, je me promettais d'être une vraie mère quand j'aurais de vrais enfants. J'en rêvais. J'avais cinq ans, six ans peut-être, et le soir je me couchais en imaginant les enfants que j'aurais un jour, de beaux enfants ronds et frisés qui feraient ma joie et surtout la joie de ma mère...

En cet instant, à Corvagh, je ne jouais pas mon rôle d'épouse avec Jean-François, pas plus que je ne jouais mon rôle de mère avec mes poupées. Mais cette fois-ci c'était grave, je ne pouvais pas aller me coucher en rêvant à ce que je ferais quand je serais grande car j'étais grande, et même plus que grande.

Il y a comme cela des coupures dans ma vie, des spasmes : en une fraction de seconde tout bascule. Certitude que plus rien ne sera pareil. Les bruits, les odeurs, les lumières familières me parviennent différemment. Naissance subite à l'intérieur de moi d'une inconnue, d'une imprévue; une sauvage qui marche sur mes plates-bandes, une dondon qui dérange mon confort, une énergumène qui dérange mon équilibre et qui est moi. Une moi à peine distincte de celle que j'étais il y a un instant, d'apparence identique, mais pourtant une étrangère. Alors que l'étrangère, en vérité, est celle que je suis en train de quitter, celle dont je croyais connaître tous les recoins et sur laquelle cependant je n'ai plus la moindre prise, car je suis déjà l'autre.

Comment parler dans ces conditions ? Comment exister ? Il faut attendre que les remous se calment, que je m'habitue à la situation bouleversée.

De la confusion présente, seule la mort émergeait clairement. Je me suis mise à parler d'elle avec Jean-François, de la façon dramatique dont je l'avais reçue dans mon enfance, à cause de la morbidité de ma mère qui cultivait la mort comme une orchidée, la soignant, la bichonnant sans cesse, l'abritant dans la serre étouffante de son cœur, y revenant constamment, la mettant à tout bout de champ dans ses discours. Ce qui la fascinait surtout c'était la mort physique, l'agonie, le passage, avec la narration du dernier soupir, le détail des derniers instants et aussi la description des cadavres : la bouche grande ouverte de la tante Angèle, les longs pieds de la cousine Blandine, le sourire serein de l'amie Thérèse. Tout cela dans une minutie, un dévouement, un affairement de vestale entretenant amoureusement l'autel de sa déesse. Cela m'angoissait, j'avais peur de la mort.

Jean-François, lui, n'avait pas d'anecdotes à raconter. D'un petit frère mort avant sa naissance il ne savait rien. On n'en parlait pas dans sa famille. De la mort de sa mère il ne savait que son chagrin à lui. La mort était une abstraction. La noyée de Corvagh était sa première rencontre avec la mort peut-être parce qu'il se trouvait qu'elle allait bien avec ce qu'il pensait de la mort. Les yeux et la bouche picorés ne l'avaient pas rebuté. Ils n'étaient rien auprès du calme, de l'harmonie, que le corps de Mary MacLaughlin lui offrait, dans le sable, parmi les algues, sous le ciel, au pied de l'océan.

« Chaque vie finie est une perfection. On ne peut rien y ajouter, rien en retrancher... oui, elle est parfaite.

« En regardant la noyée je comprenais que, pour les autres, une mort paraît un échec, un dommage, c'est, en tout cas, un manque. Mais pour celui qui est mort, c'est bien... Nous savons tous que nous devons passer. Elle, elle était passée, elle savait... Elle appartenait autant à l'inhumain qu'à l'humain... Pourquoi avoir peur de l'inhumain ?... Il y avait quelque chose de nécessaire dans ce que j'ai vu, quelque chose de satisfaisant, de rassurant. Je t'assure que si tu l'avais vue tu aurais réagi comme moi.

— Je ne le crois pas.

— Pourquoi ?

— Parce que j'ai déjà vu des morts : mon père, des tas de morts à la guerre, Edith, ma meilleure amie d'enfance... et je n'ai pas trouvé ça satisfaisant.

— C'est que tu les as vus dans l'apparat dramatique que nos civilisations organisent autour d'eux... Ce n'est pas ça la mort. Je regrette d'avoir vu ma mère dans son cercueil, dans son linceul. Il me reste « linceul », « cercueil », « croque-morts », dans la tête... Alors que sa mort c'était sûrement bien autre chose. »

L'étrange lumière de la soirée éclairait Corvagh. Pourtant, dans la clarté dorée qui allumait le paysage, luisait quelque chose de la nuit. Chaque nuage avait deux visages, l'un sombre, à l'est, l'autre éblouissant, à l'ouest, signe que le soleil ne les surplombait plus, qu'il était bas et que, malgré son flamboyant éclat, il allait disparaître.

« Qu'est-ce qui nous pousse à vivre ensemble, Jean-François ?

— Je n'en sais rien. Je pense que c'est essentiel mais je ne sais pas pourquoi... Je ne sais pas pourquoi je tiens tant à toi... »

Il est resté un instant silencieux puis il a levé un

regard amusé vers moi. J'ai su qu'il allait refuser la conversation en faisant une pirouette :

« ... Si je tiens tant à toi c'est probablement parce que tu es si méchante, si bête et si laide !

— C'est ça, alors que toi tu es si gentil, si intelligent et si beau !

— Exactement. »

Nous riions. Nos mains encore jointes étaient une boule de tendresse.

Mes pensées ressemblaient aux hérons de Corvagh, avançant précautionneusement, capables de rester figés longtemps et de s'envoler subitement à grands coups d'ailes grises. Je ne savais pas sur quel terrain je progressais. Je faisais attention.

« Jean-François, nos enfants ne sont pas des liens entre nous.

— C'est vrai.

— Souvent ils me font me remettre en cause. Ils sont un lien entre moi et moi-même mais pas entre toi et moi. Je sais que nous les avons désirés. Je sais que, à leurs origines, il y a une cellule de toi et une cellule de moi. Mais nous ne les avons pas faits. Ils nous ressemblent parce que, comme nous, ils viennent de partout et de nulle part. Mais ils sont eux, ils ne sont pas nous.

« J'aimerais que nous fassions quelque chose ensemble qui ne soit pas un enfant.

— Quoi ?

— Je ne sais pas... Quelquefois, quand nous faisons la cuisine ensemble nous nous entendons bien.

— Tu rigoles ?

— Non, je ne rigole pas... Tu ne trouves pas que nous nous entendons bien dans ces cas-là ?

— Si.

— J'ai envie de ça, envie de fabriquer quelque chose avec toi.

— On va se mettre restaurateurs.

— Ne te moque pas. »

Le marché s'installe le dimanche matin dans le quartier. Il y a peu de bruits dans la ville ce jour-là; on dort plus longtemps. D'abord on sent le lit bien chaud, barque du sommeil, gréée pour la nuit. On se réveille ensemble, les avirons des membres vont reprendre le cours des existences, ils bougent, se frôlent , se croisent. Rires, murmures, baisers.

« Et si on faisait un bon repas aujourd'hui et qu'on invite des copains?

— Oui, oui, oui, oui, oui, oui, oui, oui, oui.

— Quoi?

— On verra au marché, ça dépendra de ce qu'on trouvera.

— Un pot-au-feu.

— Ou une grosse dorade au four.

— Ou un couscous.

— On verra, on verra, on verra. »

Le premier marchand est un marchand de fleurs, le second vend des fromages et du beurre, le troisième des fruits. Leur faisant face : un charcutier, puis deux marchands de légumes et un poissonnier. Et ainsi de suite, tout le long de la rue, de chaque côté.

Quelles odeurs, quelles couleurs, quelles textures vont composer le repas? Ça dépend des saisons. Y'a du rose, du doré, du blanc, du brun. Y'a du vert et du mûr et de l'épanoui. Y'a du sec et du juteux. Y'a de l'épais et du fluide. Y'a du brut et du subtil.

Tiens, y'a d'la ciboulette aujourd'hui! Pourvu qu'on trouve des cèpes.

« V'nez voir mes belles salades! Allez, mes p'tites clientes, v'nez voir mes scaroles, mes frisées, mes batavias, mes laitues! Et si vous êtes bien gentilles j'vous ferai voir aut'chose... »

Y'a d'la terre chaude ou froide. Y'a d'la pluie ou de l'orage. Y'a d'la neige, y'a du vent, y'a du thym, y'a des cigales. Y'a du ciel bleu, y'a des nuages. Y'a des arbres, y'a des champs, y'a des montagnes. Y'a la mer et les rivières.

« Choisissez! Choisissez! Faites vot' choix, madame. »

Qu'est-ce qu'on va rapporter chez nous? De l'Auvergne, de l'Alsace, des Flandres? De la Bretagne, des Pyrénées, du Val de Loire? Du Midi, du Rhône, des Alpes? Ou bien de l'Italie, ou bien de l'Allemagne? Ou alors de l'Afrique, ou même des Amériques?

On peut aussi rapporter Terre-Neuve, les Baléares ou l'île d'Ouessant.

Les trésors sont bien rangés dans les paniers qui tirent les bras. Encore deux pains de seigle à la boulangerie si parfumée de la dernière fournée qu'on a envie de s'y baigner.

« Et du vin rouge. N'oublions pas le bordeaux puisqu'on va faire un pot-au-feu. »

Le gros chaudron de fonte noire dans lequel l'eau s'argente en bouillant. Les oignons qui font pleurer, piqués de clous de girofle. Le céleri rincé, luisant de fraîcheur. La grosse pièce de viande ficelée, ni trop grasse ni trop maigre. Le jarret de veau tout pâle. Les os à moelle cousus dans de la fine toile.

« T'épluches les carottes, moi les navets?

— D'accord. Et les poireaux?

— Après.

— Tu crois?

— Comme tu veux.

— Après, tu as raison. »

Plein les mains la fine pluie des carottes qu'on gratte. Plein les narines l'odeur poivrée des navets.

« Et le poivre, tiens, on allait l'oublier.

— On a le temps.

— J'aime mieux le faire pendant que j'y pense.

— J'ai mis le gros sel.

— Heureusement, c'est essentiel. »

Cristaux, sources, traînées de naphte. Du chaud pour

décomposer. De la décomposition pour créer. Diamants
sécrétés par la lente fermentation. De la glace pour fermer. Du feu pour ouvrir. Volcans et déserts.

— « Marguerite, Catherine,
    Voulez-vous manger des vesces,
    Voulez-vous manger du flan ?
    Quand irons-nous à Liesse ?
    Quand irons-nous à Laon ? »

« Tu as remarqué qu'on chante toujours quand on
fait la cuisine ?

— Ouais. « J'ai descendu dans mon jardin pour y
« cueillir du romarin, gentil coquelicot mesdames, gen-
« til coquelicot nouveau... »

Le pot-au-feu cuit à gros bouillons bavards qui font
de la mousse à la surface. Ecumons. Ecumons. Bais-
sons le feu. Et le lourd couvercle noir pour que s'effec-
tuent dans le secret, lentement, les transformations
délicieuses, les mariages féconds, les naissances superbes.

Il pleut dehors. On est bien à la maison.

Peu à peu l'odeur glisse, fine, en lanières serpentines.
Le céleri en premier qui fait pousser un potager dans le
couloir et dans la chambre. Puis viennent les poireaux
et la viande. Nous sommes à la campagne, c'est l'automne. Les paysans ont labouré, la terre est retournée,
le feu gigote dans la cheminée; alimenté par les sar-
ments de la vigne vendangée, il pète comme un diable.

Dans les interstices indiscernables de la rêverie rusti-
que pointent les clous de girofle... Les chameaux, en
caravane, de leurs hautes enjambées balancées, condui-
sent les épices de point d'eau en point d'eau, jusqu'au
lieu du troc. Echange des fragrances.

« Il me semble que ça manque de sel. Tu ne trouves
pas ?

— Possible. Je vais aller goûter. »

Comme ça jusqu'au soir, que les copains arrivent, que

128

le vin coule et que tout le monde se délecte de leur chef-d'œuvre.

Jean-François et Simone, heureux, ont apporté la grosse soupière blanche où flottent quelques yeux brûlants de satin, puis le grand plat rond où s'entassent les légumes et la viande fumante. Ce n'est pas n'importe quel pot-au-feu, c'est leur pot-au-feu. Ils ont élaboré ensemble, toute la journée, les parfums et les goûts de ce plat qui ne ressemble à aucun autre.

D'immenses journées de vacances étaient ouvertes devant Simone et Jean-François; une durée lisse que ne scandaient plus leurs habitudes : la morte les en avait coupés. Ils formaient avec elle un trio inséparable.

Ils parlaient peu, entre eux, de la noyée. Ils y pensaient, chacun de son côté, mais ils n'en disaient presque rien.

Ils partaient pour de très longues randonnées dans les dunes, sur les plages, et échangeaient quelques paroles, ou bien ils s'allongeaient sur le sable et restaient à rêvasser sans prononcer un mot.

Simone avait l'impression d'évoluer dans un univers filandreux, une sorte de magma fait de toiles d'araignées où chacun de ses mots, chacune de ses réflexions, agitait un ensemble ajouré et fragile dans lequel sa vie elle-même n'était qu'un entrelacs de faits emmêlés, de préceptes confus, auxquels s'accrochaient des désirs contraires, des volontés ennemies.

Jean-François, de son côté, ressentait le trouble de Simone. Il comprenait qu'une mutation s'opérait en elle. Mutation qui le contraignait à se mettre à l'épreuve. Il n'aimait pas cette confrontation forcée avec lui-même. Il se sentait violé et dépossédé. Impression que Simone lui volait Mary... ou que Mary lui volait Simone?

Simone fut la première encore à rompre le silence :

« Et si nous parlions de Mary MacLaughlin ?

— Que veux-tu que nous en disions ?

— Ce que nous en pensons. Moi, je n'arrête pas de lui inventer une vie.

— Tu ne l'as même pas vue.

— Non, mais je sais ce qu'en disent les gens, et les journaux, et ce que tu m'en as dit.

— C'est pas grand-chose.

— C'est une femme, comme moi. Je peux bien imaginer une vie de femme.

— ... Dans le fond, tu veux me la prendre.

— Non, je veux la partager avec toi. »

Il ne comprenait pas où elle voulait en venir. Partager la noyée avec lui ! Cela n'avait aucun sens.

Cette idée d'inventer une vie à Mary ressemblait à un caprice de la part de Simone. Et c'est pour faire plaisir à sa femme, pour lui passer une fantaisie, que Jean-François accepta d'entrer dans le jeu. Il pensait que cela ne durerait que le temps d'une balade.

En fait, ils ne savent ni l'un ni l'autre où cela les mène. Simone ignore qu'elle y puisera les semences de sa propre existence et Jean-François ne soupçonne pas qu'il l'aidera à les mettre en terre.

C'est dans ces conditions, dans cette innocence, qu'ils forgent ensemble, jour après jour, l'HISTOIRE DE MARY MACLAUGHLIN.

HISTOIRE DE MARY MACLAUGHLIN

La lande est rude à l'extrême nord de l'Irlande, elle est faite de tourbe sur laquelle pousse une herbe courte. Le jour où Mary MacLaughlin est née il pleuvait sur la lande, comme souvent dans ce coin-là du globe. Elle est venue au monde dans une ferme qui ressemblait aux autres fermes de la région, enfoncée au creux d'un vallon pelé, entourée d'une haute et épaisse haie de rhododendrons que le vent entêté avait courbée en une sorte de muraille ronde. Cette impénétrable enceinte végétale était en fleur car Mary a vu le jour vers la fin de mai. Ainsi, les corps de bâtiments, les granges, les étables, tous couverts de toits de chaume descendant presque jusqu'au sol, étaient-ils gardés par cette grosse bague violette et rose.

Mary MacLaughlin était le onzième enfant que sa mère mettait au monde. A l'arrivée du docteur tout était déjà terminé, la chambre nettoyée, le bébé langé et couché dans son berceau de bois. L'accoucheur n'avait plus eu qu'à constater le bon état de santé de la petite Mary, Patricia, Tara. Mary pour la Sainte Vierge, Patricia pour saint Patrick protecteur de l'Irlande, et Tara parce que les Irlandais sont des gaéliques et qu'il faut bien mélanger un peu de satanesque à l'angélique pour faire une bonne catholique.

Ondoyée le jour même de sa naissance, baptisée très officiellement une semaine plus tard, Mary est devenue

131

une petite chrétienne de plus sur cette terre miséreuse. Le soir du baptême, son père était soûl comme une bourrique, plein de bière et de whisky irlandais. On l'a ramené inconscient jusqu'à sa ferme où le vent de la nuit soufflait en forcené, faisant tourbillonner avec lui les fantômes des manoirs abandonnés sur la lande et les esprits marins. Spectres exaltés qui réclamaient aux vivants la revanche de leur pauvreté et de leur orgueil bafoué. On a étendu l'homme à côté de l'accouchée, qui allaitait la nouvelle née. Les dix autres enfants, allongés tête-bêche sous les courtines rouges des deux grands lits, contemplaient cette scène familiale avec satisfaction : leur famille était bien telle qu'ils la connaissaient, la venue de la petite sœur n'avait rien changé. Ils purent se rendormir en sécurité. Leur père et leur mère étaient là, inchangés. Les filles rêvèrent à leurs futurs époux et à leurs futurs enfants frisés qui vengeraient l'honneur des catholiques. Les garçons rêvèrent aux futures raclées qu'ils foutraient aux protestants. Tout était dans l'ordre, le sommeil pouvait chasser le vent.

Mary MacLaughlin ne fut pas un de ces bébés joufflus aux cheveux roux et aux yeux verts comme le sont souvent les bébés de son pays. Non, elle était brune avec des yeux noisette qui tournaient au jaune les jours d'orage. Elle était peu bavarde, peu remuante. Ses premières années se passèrent à l'abri des rhododendrons, à patauger dans la boue, au milieu des poules, des moutons et des vaches. Il y avait aussi deux jolis poneys sur lesquels ses frères la juchaient. Un peu plus tard elle les accompagna à la pêche aux truites dans un petit lac hérissé de roseaux, perdu au plus profond de la lande, une sorte de flaque d'eau grouillante de poissons.

Elle n'aimait pas pêcher. Elle préférait rester assise sur le talus qui cachait le lac aux étrangers, à regarder la tourbe vallonner jusqu'à l'horizon et à écouter le vent qui ne disait que des mystères.

Que se passe-t-il dans l'esprit des petites filles catholiques quand elles sont livrées à elles-mêmes ? Mystères encore.

Plus tard, quand elle eut douze ans, on la mit au couvent du Comté pour y entreprendre des études, apprendre à coudre et à prier.

Cinq ans durant — sauf pendant les grandes vacances —, elle retrouvait chaque soir son haut lit de fer comme si elle se rendait au lac à truites de ses frères. Là, elle pouvait rêver. La pièce était longue, percée par six hautes fenêtres, si bien que la nuit n'y était jamais noire. Une fois ses yeux habitués à l'obscurité Mary les laissait errer dans la clarté laiteuse que diffusaient les épais rideaux de toile blanche tirés sur la campagne triste des faubourgs de Sligo. L'ombre ne s'épaississait vraiment que sous les lits. Il y en avait quatorze, deux rangées de sept lits, se faisant face, adossés aux murs. A un bout du dortoir se trouvait un autel où s'élevait une statue de la Sainte Vierge. La mère de Dieu se tenait debout sur des nuages entortillés un peu comme de la cervelle, contenus par un croissant de lune très creux. Un seul des pieds de la Vierge dépassait de sa longue robe qui traînait sur les nuées plâtreuses, il était nu et maintenait prisonnier un serpent zigzagant. Au-dessus, le corps de la sainte femme décrivait un léger arc gracieux qui poussait en avant une hanche dodue. Des épaules partaient de jolis bras pudiquement voilés, les coudes se dégageaient et permettaient aux avant-bras de faire se rencontrer les mains longues et fines, aux auriculaires légèrement détachés, et qui, serrées paume contre paume, fermaient pieusement le cadre charmant dans lequel les deux seins ronds, sur lesquels s'aplatissaient les plis de la robe, bombaient innocemment. Une large écharpe bleue soulignait au passage et obliquement ces rondeurs avant de se nouer à la taille et d'aller se perdre dans les plis du vêtement, du côté des cuisses fortes. En haut d'un long cou, le visage bien dégagé, légèrement rejeté en arrière, était en proie à une souffrance extatique. Les cheveux longs et ondulés tirés dans le dos laissaient apparaître les lobes de délicates oreilles. Les yeux, tournés vers le ciel, quémandaient respectueusement la clémence. La bouche mignonne, aux lèvres roses et un peu boudeuses, semblait prête à laisser passer une prière flûtée ou une ancienne ténue, tellement féminine que Dieu ne pourrait y résister. En outre, un fil de métal doré qui partait de l'arrière du crâne, auréolait le front de la Vierge d'une guirlande d'étoiles à cinq branches. Certains soirs de lune, des éclats de lueur s'accrochaient à elles. Ainsi la mère de Dieu semblait-elle veiller sur la chambrée livrée au sommeil et à l'oubli.

Le lit de Mary n'était pas éloigné de la statue dont elle connaissait les moindres détails. Elle avait constaté mille fois la beauté des mains mais aussi l'écaillement du plâtre sous la narine gauche. Ce qui faisait penser à Mary que la Vierge était attaquée par quelque maladie de peau qui, d'ailleurs, ne changeait en rien — paraissait même accroître — l'intensité du regard implorant.

Certains soirs Mary souffrait un peu de ne pouvoir jamais rencontrer ce regard imperturbablement tourné vers le ciel. N'y avait-il de chaleur, d'amour, que si haut ? Mary, quoique sage et réfléchie, n'était pas une mystique.

Les années passèrent ainsi, à l'ombre de la Vierge. Mary était studieuse. Elle ne se joignait pas aux chuchotis de ses compagnes de classe. Elle leur préférait ses livres, ses cahiers, ses rêves. Elle n'était pas très aimée des autres mais elle n'était pas rejetée pour autant. On la jugeait secrète.

On aurait dit que, repliée sur elle-même comme elle l'était, son corps ne pouvait se développer qu'en longueur. Elle grandissait mais ne grossissait pas. Elle était pourtant forte et elle excellait dans les exercices physiques que les bonnes sœurs faisaient exécuter aux

élèves vêtues de tuniques blanches descendant au-dessous des genoux; les religieuses, elles, attachaient, par
une pince à linge, un pan de leurs lourdes jupes au
ceinturon de cuir qui emprisonnait la bure autour de
leur taille et auquel s'accrochait le long rosaire d'ébène
terminé par un crucifix d'argent et des médailles; si
bien que les mouvements gymniques sautillants étaient
scandés par les « cling cling » que faisaient ces saints
bijoux en s'entrechoquant.

Elle était donc devenue longue mais ses hanches restaient serrées et ses fesses petites et dures s'accrochaient haut au-dessus de ses cuisses, comme celles des
garçons. Quant à ses seins, ils n'avaient pas poussé, les
bouts avaient bruni, les aréoles s'étaient étendues avec
leur couronne de petits picots bien rangés, mais c'est à
peine si les mamelons eux-mêmes avaient enflé. Elle
avait plutôt un torse qu'une poitrine. Dans le fond d'elle-même elle se réjouissait de cet état de fait. Elle n'ap-
préciait guère les croupes et les débordements charnus
de ses camarades de dortoir. Elle aimait son corps et, le
soir, avant de s'endormir, elle laissait glisser ses mains
de ses genoux à son cou en passant doucement par
l'intérieur de ses cuisses dures, puis sur la touffe de son
pubis, puis sur son ventre creux, jusqu'à ses bouts de
seins si doux et si obéissants à ses index. Pour tomber
dans le sommeil, enfin, les bras croisés sur elle, les
mains agrippées à ses épaules musclées.

Peu de temps avant sa sortie de pension, un événement important est survenu dans la vie de Mary. C'était
au mois de mai, le mois de la Sainte Vierge, Mary allait
avoir dix-sept ans. Cahque année, une grande cérémonie
était organisée par la paroisse au cours de laquelle on
couronnait la Mère de Dieu. Les élèves des collèges de
filles et de garçons y jouaient un rôle capital. Les filles
étaient vêtues de robes blanches et couronnées de marguerites artificielles, les garçons portaient des costumes
sombres. Dans la nef, les garçons étaient à droite et les

filles à gauche. Ils pénétraient dans l'église en procession, les garçons en premier, les filles ensuite. A la communion, les rangs se déversaient un par un dans l'allée centrale, si bien que c'est par couple que tous allaient vers la table sainte : une fille blanche, un garçon noir. Couples qui se séparaient ensuite pour retrouver chacun leur place, les uns en passant par l'allée latérale gauche, les autres par l'allée latérale droite. Mais les couples se reformaient à la fin de la messe pour partir en une longue procession à travers la ville où les quelques orangistes qui avaient le malheur d'y vivre avaient intérêt à se cacher.

Pour que la cérémonie se déroulât dans un ordre parfait il fallait répéter plusieurs fois les mouvements des élèves. Ceux-ci se rendaient à trois reprises à l'église pour mettre au point leurs déplacements, mais séparément. Les garçons venaient le lundi, le mardi et le mercredi, les filles le jeudi, le vendredi et le samedi. Ils ne se rencontraient que le dimanche, jour de la fête.

Toute la semaine régnait une agitation inhabituelle au couvent de Mary. Les filles faisaient des paris sur les garçons qui deviendraient leurs cavaliers : « Je suis sûre qu'il sera grand, ou blond, ou brun... » ou bien : « Pourvu que ce ne soit pas un petit imbécile dans le genre de celui que j'ai eu l'année dernière... J'avais honte dans la rue », etc. Mary les trouvait stupides. Elle se moquait éperdument du garçon avec lequel elle tomberait. Les garçons ne l'intéressaient pas tellement. D'eux, elle connaissait la brutale camaraderie de ses frères et la protection bourrue de son père. Elle n'aimait pas quand ils étaient soûls et qu'ils rentraient en sacrant à la maison. Par contre elle aimait secrètement leurs retours les nuits de bagarre. Elle aidait alors sa mère à les soigner sans mot dire, sans poser de questions. Ces soirs-là, c'est avec zèle qu'elle les aidait à vomir leur trop-plein d'alcool dans les rhododendrons, en soutenant leur front en sueur et en leur offrant l'appui de ses épaules solides.

Aussi, le jour du couronnement de la Sainte Vierge, Mary était-elle calme. L'année allait se terminer bientôt. Elle quitterait le couvent pour toujours, ses beaux diplômes en poche et, c'était décidé, l'année prochaine elle entrerait à l'école d'infirmières. Cela ne lui disait rien de rester à la ferme et d'épouser un fermier. Elle aimait la terre mais elle n'aimait pas l'élevage et les bergers. Ses études lui permettaient de ne pas être femme de ménage ou ouvrière à la conserverie de poissons. Elle ne voulait pas se faire nonne ou couturière. Alors il lui restait l'école d'infirmières. Pourquoi pas ?

Mary met sa robe blanche et elle fait la queue devant sœur Dorothée qui installe sur la tête des pensionnaires les couronnes de marguerites en plastique.

Les voilà toutes dans la rue, procession immaculée et recueillie, en route pour l'église. Sœur Adélaïde leur fait réciter le rosaire et c'est comme un long essaim qui s'étire en bourdonnant entre les maisons bleues et mauves et vert pistache. Les habitants sortent aux fenêtres, sur le pas des portes, et se signent quand passent les bannières de satin blanc sur lesquelles sont brodés des saints et des saintes dorés. Il fait beau.

A l'église, la cérémonie se déroule comme prévu. La nef chante les louanges de Marie Mère de Dieu avec les voix des petits devant, au pied de l'autel, et les voix des grands au fond, près du portail d'entrée. Les voix aiguës des filles et des religieuses répondent aux voix graves des garçons et de leurs aumôniers.

Vient la communion. Mary est dans les derniers rangs et son tour est long à venir. Elle patiente en rêvant. L'encens, les vitraux, la musique des orgues, les flammes des cierges, tout cela la fait rêver. A quoi ? Probablement à ce magma en fusion qui oppresse et anime les adolescents, à cette matière épaisse et instable qui emplit leur esprit, matière faite de la crainte, de l'impuissance que leur inspire la vie des adultes en même temps que des élans, des désirs, des espoirs fous, des vertiges de bonheur, que fait jaillir en eux la pensée de ce que sera leur propre vie d'adulte.

C'est au tour du rang de Mary à se diriger vers la table sainte. Les filles se mettent à la queue leu leu, elles ont hâte de se trouver dans l'allée centrale avec « leur » garçon qu'elles pourront enfin détailler malgré leurs mains jointes et leurs yeux baissés. Mary ne se presse pas, elle regarde le dos de sa voisine et sa nuque inclinée.

Soudain, devant elle, c'est comme une berge qui contiendrait un fleuve de dalles blanches et nues. En face d'elle, s'apprêtant lui aussi à sortir de son rang, surgit un grand garçon aux boucles blondes et serrées, au brave regard vert qui se pose sagement sur elle. Ils se regardent et, subitement, ils s'aiment, de cet amour si haut, si droit, si éblouissant qu'éprouvent les adolescents. Ils marchent lentement au centre de la nef, dans l'univers enchanté des passions partagées. Point n'est besoin pour eux de se regarder mieux, car ils existent l'un par l'autre dans les moindres nuances des mouvements de leur corps et de leurs pensées. Ils se quittent pour communier puis revenir à leur place. Mais ils savent délicieusement qu'après il y aura la longue procession côte à côte. Tout l'avenir, tout le temps divisé en heures, en années, en siècles, en millénaires, leur appartient.

Le sable, à Corvagh, est très blanc et très fin. Combien de millions de ses grains sont-ils passés entre les doigts de Simone et de Jean-François pendant qu'ils commençaient à imaginer la vie de Mary? Cascades sèches qui jaillissaient de leurs mains, entraînant leurs pensées et leurs mots, leurs réticences et leurs élans, dans le désert de la plage.

La ferme sur la lande, le couvent de Sligo : seuls repères donnés par l'Histoire. Une petite paysanne catholique, voilà ce qu'était Mary au départ de sa vie.

Ni Jean-François ni Simone n'avaient la moindre idée de ce que pouvait être une existence de paysan. Par contre, tous les deux savaient ce que c'était que d'être un enfant catholique. Mais Simone seule savait ce que c'était d'être une fille et elle se servait beaucoup de cette prérogative.

Par exemple, un couvent de filles, elle connaissait ça, elle y avait vécu dix ans de sa vie, partageant ses journées avec les pensionnaires. Alors, le dortoir, la statue de Notre-Dame de Lourdes, le couronnement de la Sainte Vierge, tout y passait. Et les bonnes sœurs, et les chuchotements, et la puberté qui vous prend là...

Au début Jean-François la laissait faire. Ils partaient bras dessus, bras dessous. Il se comportait comme un homme qui laisse faire un caprice à sa femme, il la taquinait :

« Parce que madame pensait aux garçons quand elle était petite ?

— Ben oui, je ne pensais qu'à ça. Dans ma classe il y en avait une qui s'appelait Huguette Meunier et je peux te dire qu'elle nous en débitait de belles pendant les récréations. Mais ça me gênait, je n'aimais pas écouter ses histoires... Et toi, tu pensais pas aux filles peut-être ?

— Pas comme ça... La virginité des garçons c'est pas facile, tu sais. On se branle, on bande, on éjacule, tout ça à l'air libre. On se dit qu'un jour on fera ça dedans. On en a envie ; mais dedans c'est l'abstrait, ça ne se voit pas. On n'a pas l'habitude du mystère, on ne veut pas le savoir, on le craint et pour cacher cette crainte on fait les flambards. »

Quelque part sur la côte, il y avait l'endroit où Jean-François avait trouvé le cadavre de Mary. Leurs promenades les y menaient toujours. Les marées avaient, depuis longtemps, nettoyé la place et reconstitué la laisse d'algues arrachées et de coquilles vides ou brisées qui festonnait la plage.

Ce que Jean-François avait considéré comme un jeu au départ, une fantaisie de Simone, devint peu à peu grinçant, tourna à la chicane, au duel même. Car Simone s'obstinait à reprendre le récit jour après jour et il commençait à la trouver agaçante.

« Je me demande pourquoi Mary MacLaughlin a les yeux noirs. Qu'est-ce que tu en sais ?

— Je suis sûre qu'elle avait les yeux foncés.

— Moi, ce que j'ai vu de ses yeux, ce sont deux trous dans lesquels les oiseaux piquaient jusqu'à la cervelle.

— ...

— Est-ce que tu te rends compte que tu te prends pour Mary MacLaughlin, que tu veux te mettre à sa place ?

— ...

— Elle ne te ressemblait pas du tout. Elle était le contraire de toi. Elle n'avait ni ton physique ni ton caractère. Le physique je l'ai vu, le caractère on l'a appris, on sait qu'elle était peu communicative, silencieuse, discrète...

— Comme toi.

— Un peu comme moi, si tu veux... »

Ainsi donnaient-ils naissance à une personne hybride qui vivait des événements faisant partie de la vie de Simone mais qui les vivait à la manière de Jean-François. Comme lui elle avait un caractère secret, et comme lui elle avait un corps vif et sec.

Ils se chamaillaient pour la vie de Mary. Ils ressemblaient à deux chiens se disputant une écuelle de pâtée avec un gros os au milieu. Ce gros os c'était le corps de Mary, le caractère de Mary ou le dieu de Mary.

« Ton dieu c'était un méditerranéen, une sorte de Neptune catholique.

— Et le tien ! C'était un chef porion, un mineur de fond crucifié. »

Ce que Simone ne comprenait pas c'était pourquoi Jean-François avait l'air de lui interdire la vie de Mary.

Ce que Jean-François ne comprenait pas c'était, tout simplement, le sens de ce jeu.

« T'es obsédée. T'es vraiment obsédée.

— Mais non. Quand nous en parlons, je crois qu'elle devient un lien entre nous, au lieu d'être un obstacle.

— Tu me violes, tu la violes.

— On dirait qu'elle t'appartient, qu'il n'y que toi qui as le droit d'y toucher. Elle est à nous deux, mon vieux, que tu le veuilles ou non.

— En quel honneur ?

— Je ne sais pas. »

Simone ne savait pourquoi ils devaient partager Mary. C'était devenu un besoin essentiel pour elle. Elle sentait que sa vie avec Jean-François dépendait de ce partage et même sa vie à elle, sa vie tout court. Elle avait besoin de s'exprimer.

Il y avait un souvenir qui tournait dans sa tête. Un souvenir bête, gênant, un peu humiliant. Un jour, elle se décida à le raconter à Jean-François.

Ça se passait il y a quelques années au supermarché de son quartier. Elle faisait la queue à une caisse. Il y avait au moins dix personnes devant elle. Elle était fatiguée, la journée avait été interminable.

Un homme s'occupait de lancer un nouveau produit. Il mettait de l'ambiance dans le magasin. Il avait un micro à la main et il parlait sans arrêt. Il organisait des concours, il faisait des plaisanteries. Et, pendant que Simone attendait son tour pour payer, il offrit un gros saucisson d'un kilo à qui résoudrait une charade.

Un saucisson d'un kilo, c'est bon à prendre !

« Alors, voilà, écoutez bien : mon premier c'est ce que disent les Corses en voyant Napoléon... Mon second c'est ce que Napoléon dit en voyant des Corses... Mon troisième c'est ce que dit une mère en berçant son enfant... Mon quatrième c'est ce qu'un enfant dit en regardant sa mère... Et mon tout c'est le nom d'une liqueur délicieuse. »

« Je la connaissais. Je l'avais apprise à l'école quand j'étais petite.

— Et tu n'as pas donné la réponse ?

— J'avais honte, c'était tellement bête. Et en plus devant tout le monde, toutes les femmes du quartier. »

Mais quand même, un kilo de saucisson, quand on n'a pas un sou, c'est important. Alors Simone a abandonné son tour à la caisse et, précédée de son chariot rempli, elle s'est avancée vers l'estrade où était le monsieur. Un petit jeune homme avec un costard style italien, une cravate éclatante, jaune, imprimée de cravaches emmêlées de fers à cheval, et des chaussures avachies. Elle espérait que quelqu'un donnerait la réponse avant elle et la délivrerait de cette situation.

« Allons, mesdames, la solution ! C'est difficile, personne ne trouve ? Je répète encore une fois... Plus qu'une minute et on passe à autre chose. Adieu, le saucisson ! Cherchez bien. »

Elle était là, devant lui, terrifiée par le monde, atterrée par l'imbécillité qu'elle allait dire. Elle restait plantée, soumise, attendant que le petit monsieur finisse de débiter sa série de fadaises. Jusqu'à ce qu'il la voie :

« Ah ! mais voici une ménagère qui vient peut-être me donner la réponse. Vous avez une réponse, madame ?

— Oui.

— Approchez, approchez, n'ayez pas peur ! Alors, qu'est-ce que vous me proposez ? »

Simone vient tout près parce que la réponse est tellement sotte qu'elle ne tient pas à la dire tout fort :

« Sirop d'écorce d'orange amère.

— Répétez, répétez ! »

Et il lui colle le micro sous le nez.

« Répétez !

— Sirop d'écorce d'orange amère. »

Simone entend sa propre voix dans tout le magasin. L'animateur la fait monter sur l'estrade. Elle domine le carrefour de la droguerie et, par-dessus les présentoirs, elle voit les vendeurs des fruits et légumes qui la reconnaissent et parlent d'elle entre eux. Des femmes et des hommes se sont arrêtés, des femmes surtout, avec leurs paniers. Elle connaît leurs regards. Ils l'envient. A cause du saucisson ? Ou parce qu'elle est sur l'estrade, au-dessus des autres, avec un micro ? Comme une vedette de la télé.

« Bravo, vous avez gagné le saucisson ! »

Le monsieur est tout content de l'astuce contenue dans la charade et il se délecte en la détaillant : « Sire », « Oh des Corses ! » « Dors, ange », « Ah, mère », « Sirop d'écorce d'orange amère ». Il trouve ça vraiment bien, vraiment intéressant pour des dames. Ce n'est pas si souvent qu'il y a des plaisanteries qui soient à la fois bonnes et correctes. On sent qu'il aurait préféré que personne ne trouve la réponse pour pouvoir mieux faire admirer son esprit singulièrement délié. Tant mieux pour Simone qu'il soit si exalté, comme ça elle reste tranquille dans son coin. Mais quand il pense avoir fait comprendre au public toute la finesse et l'humour de l'affaire, il revient vers elle :

« C'est très bien ça, madame ! Madame comment ? Quel est votre prénom ? Nous sommes entre amis ici.

— Simone.

— Vous savez que c'est très bien, Simone. Vous avez trouvé ça toute seule ? Dites-nous un peu comment vous vous y êtes prise ?

— Non, je connaissais la charade avant.

— Ah, voilà ! Votre mari y serait pas pour quelque chose par hasard ?

— Non, non. »

Elle n'osait pas dire qu'elle l'avait apprise à l'école et qu'elle avait toujours trouvé cette charade débile. Elle ne voulait pas l'agresser, elle voulait son saucisson et qu'on n'en parle plus. Mais lui n'était pas pressé. C'était la fin de la journée pour lui aussi. Il débitait ses boniments et faisait son baratin depuis neuf heures du matin. Il était payé pour mettre de l'animation mais sur le coup de six heures et demie du soir il n'avait plus beaucoup de ressort et cette femme intimidée était une aubaine.

« Et vous avez des enfants, Simone ?

— Oui.

— Elle n'est pas bavarde ! Combien d'enfants ?

— Trois.

— Trois enfants, c'est magnifique ! Vous croyez que ça va leur faire plaisir de savoir que leur maman a gagné un beau saucisson ?

— Oui, oui, certainement.

— Et qu'est-ce que vous faites dans la vie, Simone ? Mère au foyer peut-être ?

— Non, secrétaire.

— Ah, parfait ! Et monsieur ? »

Elle n'allait pas se mettre à raconter sa vie. Vite une réponse, n'importe quoi :

« Enseignant.

— Ah ! c'est ce que je me disais, je suis tombé sur des intellectuels. Savez-vous qu'en achetant des produits XYZ vous pouvez accroître votre quotient intellectuel ? Parfaitement, mesdames et messieurs, car il entre du phosphate dans leur composition. Et le phosphate... »

Il était reparti dans ses niaiseries. Il épatait les gens avec des mots savants et leur expliquait que, étant donné la difficulté de la charade, Mme Simone avait sûrement absorbé beaucoup de phosphate pour savoir la résoudre. Et monsieur aussi puisqu'il était enseignant.

Il se servait d'elle comme d'un instrument pour vendre son produit et elle se détestait de ne pas répondre, de ne pas oser le faire cesser, de ne pas savoir se défendre dans ces conditions. Endurer tout ça pour du saucisson ! Faut-il en avoir besoin ! Jamais elle n'avait été aussi humiliée. Sa voisine du rez-de-chaussée la dévisageait avec curiosité...

« Tu as quand même gagné un saucisson.

— C'était du saucisson à l'ail, figure-toi. On a tous horreur de ça. Je l'ai donné à la gardienne. »

Jean-François riait comme un fou. Quelle tendresse il avait pour cette femme-là !

« Ce n'est pas drôle ! »

Simone avait les larmes aux yeux. Elle ne voulait pas que Jean-François trouve cette histoire drôle, seulement drôle. Elle bougeait la tête de gauche à droite, comme pour nier. Elle avait l'air d'avoir quinze ans.

Jean-François la prit par les épaules et la serra contre lui.

« Ma belle mousse ! Qu'est-ce qui te prend ?

— C'est de ne pas pouvoir parler.

— Toi qui es si bavarde...

— Pas toujours... pas pour l'essentiel. »

Histoire de Mary MacLaughlin (suite)

Pendant l'été qui suivit sa dernière année de couvent Mary fut à la fois impatiente et languissante. Certains jours elle sortait de sa réserve habituelle pour rire avec ses frères et sœurs, s'activer et aider sa mère. D'autres jours, elle disparaissait dès le matin et ne réapparaissait qu'au soir, elle allait baguenauder sur la lande, seule.

Personne ne lui posa de question, et si l'ensemble de la famille pensa qu'elle était amoureuse, cela ne s'exprima jamais, ni directement ni indirectement.

En vérité, Mary MacLaughlin était amoureuse. Certains jours elle pensait qu'elle retrouverait son sage cavalier et cela lui procurait un bonheur tel qu'elle se sentait alors proche des autres, capable de les aimer, de les aider. D'autres jours, elle désespérait de le retrouver jamais, elle ne savait ni son nom ni son adresse. D'après le rang qu'il avait dans la nef, elle devinait que, comme elle, il terminait son collège. Où serait-il l'an prochain? Peut-être étudiant à Dublin. Il était perdu dans le monde, perdu dans l'humanité. L'avenir paraissait alors à Mary lointain, creux, et la vie de la ferme lui était insupportable.

C'est avec soulagement qu'elle s'installa à l'école d'infirmières une fois l'automne venu. Elle y était pensionnaire mais sa vie n'avait rien de comparable avec celle du couvent. Ses journées étaient prises par des cours théoriques donnés à l'école même et par des cours pratiques qu'elle suivait à l'hôpital. Le samedi après-midi et le dimanche elle était libre avec permission de rentrer à minuit.

La ville lui plut autant que la lande. Elle aimait marcher dans les rues et flâner sur le petit port.

Justement, à la fin d'un samedi pluvieux et sombre où le jour n'était pas arrivé à gagner sur la nuit, Mary était descendue au dock des pêcheurs à l'heure où les courts bateaux ventrus rentrent de leur travail. De hauts lampadaires, chacun armé d'une épée de néon, donnaient une lumière blanche qui éclairait les pavés luisants du quai et les ventres nacrés de mouettes innombrables qui immobilisaient leur vol en attendant le moment propice où l'une ou l'autre foncerait et saisirait une proie facile dans les caisses de poissons que les pêcheurs accumulaient sur le quai. Le spectacle était gai.

Mary, en retrait, regardait les oiseaux, les poissons, les pêcheurs coiffés de gros bonnets de laine, qui parlaient fort d'un bateau à l'autre, contents d'être rentrés avec une bonne pêche. Les acheteurs, vêtus de canadiennes à col de mouton, un carnet en main, inspectaient les lots et parlementaient avec les patrons des bateaux.

146

Certains lots ainsi achetés étaient acheminés vers un entrepôt qui s'élevait au fond du quai. Rien que des harengs, put constater Mary qui regardait passer les chargements devant elle.

Après l'agitation du marché le calme vint. Presque toutes les caisses avaient été enlevées et il ne restait que peu de mouettes à attendre une aubaine. Mary reprit sa promenade et passa le long du bâtiment où elle avait vu pénétrer les lots de harengs. La bâtisse s'étirait en longueur et elle était presque entièrement faite de verrières sales dont beaucoup de carreaux étaient cassés ou fêlés. A l'intérieur, c'était éclairé *a giorno*. Mary s'attarda à regarder travailler les hommes. Ils étaient debout devant de grandes tables de pierre sur lesquelles, à toute vitesse, ils nettoyaient et ouvraient les harengs qu'ils piochaient dans des caisses à leurs pieds, puis, après avoir retiré l'arête centrale, ils lançaient les poissons ainsi désossés dans une sorte de ruisseau d'eau claire qui courait au milieu de la table. Ils agissaient avec une rapidité et une adresse incroyables. Mary avançait lentement, admirant la dextérité de ces hommes qui travaillaient côte à côte de chaque côté des grandes tables qu'elle voyait en enfilade. Certains parlaient, d'autres s'interrompaient un instant pour rire ou essuyer leur visage du coude. Tout à coup elle s'arrêta : parmi ces hommes se trouvait son cavalier ! Elle le trouva encore plus beau que dans ses rêves. Elle ne l'avait vu qu'avec son costume de cérémonie. Là il était vêtu d'une chemise au col ouvert, aux manches retroussées. Il lui parut très jeune, presque un enfant, mais fort et solide. Il souriait en écoutant un voisin, un rouquin qui n'arrêtait pas de parler tout en travaillant et qui dépouillait ses harengs plus vite que tout le monde.

Mary avait envie de rire avec eux. La soirée lui semblait heureuse, légère. Elle regardait de tous ses yeux son gentil cavalier. Ainsi il était là ! L'avait-elle assez cherché dans les rues de Sligo ! A travers les vitres des pubs, dans les autobus bondés, partout! Ouvrier dans une poissonnerie! Elle n'y aurait jamais pensé. Elle qui l'imaginait étudiant à Dublin...

Le crachin qui s'était mis à tomber sans arrêt couvrait son gros pull blanc, son bonnet et ses gants, de minuscules gouttelettes brillantes. Elle était trempée mais elle ne le sentait pas. Rien ne pouvait la distraire de la contemplation de son bien-aimé. La nuit la cachait, elle était voyeuse et se régalait de son indiscrétion.

Mais, à un changement de rythme dans le débit des harengs, à des allées et venues, à une cadence adoucie des mouvements, Mary comprit que le travail allait se terminer et que les hommes allaient sortir. Alors une véritable panique s'empara d'elle. Elle se sentit incapable d'affronter le cavalier. Et s'il ne la reconnaissait pas? Le quai était vide, les lampadaires étaient éteints. Dans la nuit ne subsistaient que les maigres lumières jaunes de quelques hangars et, plus haut, les enseignes colorées des pubs du port. Mary s'est mise à courir sur le sol boueux et les pavés luisants. Elle fuyait.

Pendant trois semaines elle ne retourna pas au quai des pêcheurs. Elle se préparait. Elle voulait s'aguerrir. C'était son caractère. Là où les autres se seraient agitées comme des folles, elle, elle se refermait, elle attendait que monte de l'intérieur d'elle-même la force nécessaire. Trois samedis passèrent ainsi et le quatrième, en se réveillant, elle sut qu'elle était prête.

D'autres auraient vécu cette journée dans la jubilation, auraient fignolé leur meilleure toilette, auraient lavé leurs cheveux et limé leurs ongles, auraient jacassé, ri, se seraient exagérément alarmées pour un bouton manquant ou un ourlet mal fait. Mary, elle prit un livre et alla lire au foyer des infirmières après avoir déjeuné avec une dizaine de filles qui étaient malades ou avaient leurs règles. Petit groupe triste dans le réfectoire rayé de tables vides. Ce n'est qu'en fin de journée qu'elle se décida à sortir.

Elle était vêtue comme d'habitude. Rien dans son apparence n'indiquait l'agitation de son esprit qui ressemblait pourtant à une mouche prisonnière, ne cessant de se heurter à la vitre derrière laquelle défilait le film de son amour. Film se déroulant constamment, se gonflant ou s'amenuisant selon les humeurs de Mary, tournant autour des quelques images qu'elle possédait : le cavalier en costume de cérémonie, le cavalier souriant aux autres tout en dépeçant les harengs, ses mains, ses cheveux, ses bras, la couleur de sa peau, et ses regards, une multitude de regards porteurs d'une multitude de messages. Arriverait-elle à trouver le passage ? Parviendrait-elle à entrer dans le film ?

Son projet était d'arriver le plus tard possible à la pêcherie et d'attendre dans l'ombre la sortie des hommes puis de suivre le cavalier. Ensuite, elle verrait bien. Ils iraient probablement boire une bière. Elle irait, elle aussi. Elle n'avait pas peur d'entrer seule dans un pub.

Les néons des lampadaires s'éteignirent pendant qu'elle descendait vers le quai. L'obscurité, c'était justement ce que désirait Mary. Elle chercha le cavalier à travers les verrières. Elle le trouva travaillant à la même place, et elle resta longtemps encore à le contempler. Avec un regard plus exigeant toutefois, elle essayait de comprendre ce qu'il disait quand il s'adressait aux autres et tâchait d'évaluer le pouvoir qu'il avait sur eux. Elle crut comprendre qu'il leur était sympathique, qu'il était aimé d'eux et cela lui fit plaisir.

Quand elle vit que le travail était fini, elle alla s'adosser contre des piles de caisses vides qui sentaient le poisson, dans un endroit très noir. De là elle pouvait voir la porte de l'entrepôt par où des hommes se mirent à sortir en petits groupes bruyants. Le cavalier n'y était pas. Elle entendit des bruits d'eau et pensa que le cavalier était resté avec d'autres à laver les tables et le sol à grands jets. Puis le silence et encore des groupes d'hommes. Cette fois-ci il était là, dans le dernier groupe, celui qui sortit en même temps que les lumières s'éteignirent à l'intérieur. Ils restèrent un moment sur place à attendre l'un d'entre eux qui fermait la porte à clef, puis ils prirent le même chemin que les autres. Mary restait seule. Une lueur mouillée argentait faiblement le port. Elle eut l'impression absurde que le meilleur de sa vie venait de se passer et elle éprouva, une seconde, le désir de rester là, avec elle-même.

Cela n'était pas possible.

Alors elle suivit les hommes, de loin. Ils grimpèrent jusqu'à la rue et entrèrent dans un estaminet à l'enseigne de *The Salmon Inn*. L'endroit était plutôt moderne avec une grande vitrine et une porte tournante. Dedans les pêcheurs et les ouvriers s'empilaient devant des chopes de bière. Mary ne vit pas de femmes, à part les deux serveuses qui tenaient haut leurs plateaux et paraissaient connaître tout le monde. Tant pis, elle entrerait quand même.

Elle s'installa à une table près de la porte tournante et commanda de la bière. Une belle bière brune et mousseuse qui était une compagnie à elle seule.

Elle savait que les hommes noteraient rapidement sa présence et tâcheraient de savoir pourquoi elle était là, seule. Elle répondrait poliment et brièvement à leurs questions pour faire comprendre qu'elle désirait qu'on la laisse en paix. Elle espérait qu'il n'y en aurait pas parmi eux qui attireraient l'attention sur elle en se mettant à gueuler des grossièretés à travers la salle, comme elle l'avait vu faire à ses frères quand une fille refusait leurs avances. C'est pénible cette manière qu'ont certains hommes de faire les fiers-à-bras après un échec galant. Ils en remettent tant qu'ils peuvent. Ce n'est pas facile alors pour une fille isolée de savoir se comporter. Si elle souligne leur faiblesse, ils peuvent devenir dangereux, si elle semble touchée par leurs ordures, ils en remettent encore plus. Il n'y a plus qu'à partir.

Mary n'eut pas à partir. Les hommes n'étaient pas

d'humeur violeuse ce soir-là. C'était pourtant samedi. Peut-être n'avaient-ils pas encore assez bu et peut-être aussi que l'attitude de Mary était si nette qu'elle n'attirait pas l'irrespect : elle buvait une bière, c'était tout.

Son cavalier était attablé au centre de la pièce. Elle l'avait noté furtivement, en s'asseyant. Les regards de Mary ne se dirigeaient pas vers cet endroit, ils allaient de son verre à la porte tournante derrière laquelle se dressait la nuit sans étoiles.

Comme à l'église, comme à la procession, Mary n'éprouvait pas le besoin de regarder son cavalier. Elle était dans le même lieu que lui, proche de lui et cela lui suffisait.

Elle regardait alternativement le velouté de sa bière et le soir humide à travers les vitres de la porte tournante sur lesquelles se reflétaient les allées et venues des buveurs à l'intérieur du pub.

C'est ainsi qu'elle vit le cavalier se lever et se diriger vers elle. Son cœur battait à tout rompre. Le reflet fut effacé un instant par les phares d'une voiture qui passait et, quand il réapparut sur la glace, il était tout près de sa table devant laquelle il s'immobilisa.

Elle n'eut qu'à tourner un peu la tête et à lever les yeux pour retrouver le sage regard vert qui souriait. Il demanda :

« Vous me reconnaissez ?

— Oui. »

Et comme il restait debout sans rien dire, elle ajouta :

« Vous voulez vous asseoir ? »

Il avait l'air d'hésiter, et finalement il dit abruptement :

« J'aimerais mieux qu'on aille marcher un peu. Je m'en allais.

— Volontiers. »

Il s'apprêta maladroitement à payer la consommation de Mary qui précisa : « J'ai déjà réglé. »

Ils marchaient sans mot dire. Le chemin était si creux, qui menait de la procession à ce soir, que leurs pensées déraillaient. Elles ne trouvaient de prise que dans les rêves que chacun avait faits séparément et étaient donc inexprimables. Ce soir, avec leurs chaussures boueuses, leurs vêtements de tous les jours, la nuit, le froid, la liberté, ils n'étaient que deux étrangers.

Qu'est-ce qui les avait poussés l'un vers l'autre ? Pourquoi s'étaient-ils reconnus ?

Il fallait rompre la gêne. C'est Mary qui dit :

« Je m'appelle Mary, je suis à l'école d'infirmières.

— Je m'appelle Jérémy. Je travaille à la conserverie de harengs. »

Elle ne dit pas qu'elle l'avait regardé travailler. Elle ne le dit pas car cela eût été trop donner d'elle-même. Peut-on appeler ça un mensonge ? Elle se reprochait de ne pas dire la vérité et en même temps elle savait que cela n'était pas dans son caractère de se livrer. En agissant ainsi elle sentait aussi qu'elle appliquait la vieille recette que les femmes se transmettent à propos de tout et de rien : « Méfions-nous des hommes. »

Lui ajouta :

« Je veux embarquer sur le bateau de mon oncle, c'est pour ça que je travaille à la conserverie.

— C'est dur ?

— Non. Y'en a beaucoup qui sont d'anciens marins qui travaillent avec moi. Beaucoup qui ont déjà embarqué ou qui attendent un embarquement, comme moi.

— Alors vous aimez ça les bateaux.

— J'ai toujours voulu être sur un bateau. C'est dans ma famille.

— Dans ma famille à moi, c'est la terre. Ils sont tous fermiers.

— Et vous, ça vous dit rien la terre ?

— Ça me dit mais j'ai pas envie d'être une femme de fermier. J'aime mieux être infirmière. Parce que j'aime la ville aussi. Le samedi et le dimanche on n'a pas de cours alors je marche dans la ville. Je viens souvent au port.

— Et quand la nuit tombe vous vous arrêtez pour boire une bière.

— Quelquefois... pas souvent. »

Ils étaient dans le centre maintenant. Mary avait dit qu'elle rentrait à l'école et Jérémy l'accompagnait. Ils ne parlaient pas beaucoup. De nouveau, comme à la procession, ils n'osaient pas se regarder. Ils marchaient côte à côte. C'est devant la porte, au moment où Mary allait sonner, que Jérémy a dit :

« On pourrait se voir samedi prochain, comme aujourd'hui, si vous voulez. »

Et Mary, vite, a répondu :

« Oui, très bien. »

C'est ainsi qu'ils prirent l'habitude de se voir le samedi. Ils échangeaient peu de paroles. Ils marchaient. leurs silences ne les gênaient pas. Ils étaient peu bavards l'un et l'autre, simplement. Au bout de quelques semaines, ils entrèrent dans un caboulot, près de la gare, où ils dînèrent. Ils prirent l'habitude d'y retourner. Là, ils échangeaient des regards rapides et sages qui les rendaient heureux. Ils étaient bien ensemble. Ils se mirent à se tutoyer. A minuit moins cinq Mary rentrait à l'école.

L'automne passa ainsi, l'hiver aussi et le printemps allait finir quand, un samedi, Jérémy arrêta la promenade. Ils se trouvaient sur le chemin qui longe les anciens remparts de la ville envahis par la mousse, le lichen et le lierre. De là où ils étaient, s'il n'avait pas fait nuit, ils auraient pu voir la mer qui était grosse et verte au pied des falaises.

Jérémy debout, plus haut que Mary, droit :

« J'embarque la semaine prochaine pour la durée de la saison de pêche. »

Le cœur de Mary avait envahi son torse et cognait. Il y avait un réverbère qui éclairait le chemin caillouteux et Mary regardait obstinément une de ses chaussures sous laquelle elle faisait rouler de petites pierres. Elle avait hâte que son cœur se calme. Puis :

« C'est bien, tu es content, c'est ce que tu voulais.

— Oui, je suis content et j'espère que toi aussi tu auras ce que tu veux. J'espère que tu seras reçue à ton examen de fin d'année. »

Elle se mit à rire, elle ne sut pas pourquoi :

« Je l'espère, je travaille assez pour ça. »

Elle enchaîna dans son rire inexplicable :

« Ce sera triste pour moi de ne plus te voir. »

Il la regardait avec une sorte de hardiesse, comme il ne l'avait jamais fait. Et elle aussi le regarda hardiment.

Alors il la prit dans ses bras et la serra très fort contre lui. Elle avait attendu ce geste depuis tant de temps qu'elle y entra comme dans un bain, livrée à la tiédeur, ne sachant même pas quoi faire de ses propres bras qui pendaient le long de son corps. Mary et Jérémy tremblaient. Leurs désirs si longtemps contenus fusaient maintenant à travers leurs corps entiers par des grelottements, des saccades, des frissons, des frémissements, des vibrations. Le visage de Mary s'écrasait contre le gros chandail de Jérémy à travers lequel elle sentait pour la première fois, embrouillée de travail et d'océan, l'odeur de cet homme qu'elle reconnaissait, qu'elle désirait, qu'elle aimait encore mieux. Du coup elle remonta ses bras et ses mains s'agrippèrent au dos de Jérémy, aux grands muscles durs qui lui partaient de la nuque. Les mouvements qu'ils faisaient pour s'incorporer l'un à l'autre, pour que leurs corps correspondent exactement l'un à l'autre, leur faisaient perdre l'équilibre. Ils durent s'appuyer contre la vieille muraille, à l'écart du chemin. Alors Mary releva son visage et ils rencontrèrent leurs lèvres, leur nez, leurs joues, leurs yeux, l'orée des chevelures, les sourcils, les oreilles, la peau. Leurs désirs avaient trouvé mille orifices par où s'engouffrer et leurs corps apaisés soutenaient fermement leurs visages unis, tout barbouillés de salive et de larmes.

Ils restèrent longtemps comme cela, éblouis, insatiables, jusqu'à ce que, épuisés, ils se séparent.

L'heure de rentrer à l'école était venue. Jérémy raccompagna Mary. Ils se tenaient par la main. Leurs visages détruits par la passion s'étaient recomposés en masques sages et las.

Au moment de partir, Jérémy dit :

« On se retrouvera.

— Quand ?

— Je ne sais pas. »

Et Mary en entrant à l'école sut qu'elle ne reverrait jamais Jérémy.

Pour Simone et Jean-François, Corvagh était une île qui partait à la dérive. Un grand bouleversement l'avait détachée de la terre et elle flottait parmi de lourdes brumes qu'éclairait une lumière de demi-jour.

Pour mieux connaître Mary MacLaughlin ils avaient voulu s'imprégner de ses paysages familiers. Aussi étaient-ils allés sur la lande et avaient-ils visité Sligo.

Ils avaient marché sur la tourbe, vu des fermes entassées sous les rhododendrons, et pêché trois truites dans un lac minuscule qui ressemblait à un nombril enfoncé dans le ventre mou de la lande dont les bourrelets se multipliaient jusqu'à l'horizon, offerts aux vents et aux moutons à tête noire.

Ce jour-là, comme ils regardaient encore le paysage grandiose, froid et isolé, avant de rentrer dans leur voiture, un paysan passa sur la route avec son troupeau. Il vit les trois truites que les étrangers avaient allongées sur le capot de l'auto, il s'arrêta pour les regarder puis, avec un geste d'adieu allègre, il dit :

« Three nice little fellows ! »

Et il s'éloigna avec ses bêtes.

« On aurait dit une phrase de Shakespeare, dit Simone.

— Absolument. »

A Sligo, ils virent le port, les rues, et parce qu'ils avaient faim ils entrèrent dans une épicerie pour acheter du chocolat. A l'intérieur, la boutique ressemblait à la cambuse d'un boutre bien tenu. Tout y était de bois ciré : le sol, les murs, les plafonds et les comptoirs derrière lesquels s'activaient des vendeurs vêtus de blouse blanche. A chaque poste de vente se trouvait suspendu une sorte de petit obus de cuivre dans lequel le vendeur déposait l'addition des achats et la somme remise par le client pour la régler. Alors, d'un geste puissant du bras il lançait le petit engin qui courait le long d'un fil ascendant jusqu'à un caissier à manches de lustrine siégeant en hauteur, dans une sorte de soupente surplombant le magasin. Vers son officine convergeaient une douzaine de fils. Il saisissait les petits obus parvenus jusqu'à lui, vérifiait l'addition et renvoyait par le même chemin la note acquittée et la monnaie du client.

Simone et Jean-François, ravis, regardaient ces gros insectes dorés qui circulaient au-dessus de leurs têtes. Ils pensaient que cette épicerie avait peut-être été celle de Mary.

« On se croirait dans un livre de Dickens, dit Jean-François.

— C'est vrai. »

Shakespeare, Dickens. C'était par le biais de leur savoir que, maintenant, ils inventaient Mary. Très vite, ils se rendirent compte que ce n'était pas un bon moyen et que, d'autre part, ils ne parviendraient pas, en si peu de temps, à avoir l'intuition du fond des existences de ceux qui vivaient dans ce pays. Surtout dans ce coin-là d'Irlande que la pauvreté a gardé sauvage, claquemuré dans les secrets de la terre et de la mer, vibrant des mystérieux courants gaéliques.

Alors ils rentrèrent à Corvagh et n'en sortirent plus, livrés à eux-mêmes, conscients de leurs racines, émus de voir fleurir, dans « leur » Mary, tel tourment méditerranéen, telle joie flamande. Ils se disaient longuement ce qu'ils n'avaient fait que murmurer ou même ce qu'ils avaient volontairement tu. Certains mots abattaient de véritables brèches dans les murailles de leurs personnes, d'autres mots étaient des clés ouvrant en eux de mystérieux mécanismes dont ils n'avaient jamais soupçonné l'existence. Des silences leur faisaient entrevoir leurs étrangetés. Des images illustraient leurs différences.

Pour Simone, en premier lieu, Mary était une femme, elle était donc, en quelque sorte, identique à elle et — elle ne savait pas pourquoi — cela lui donnait de la force.

Pour Jean-François, en premier lieu, Mary connaissait la mort et cette connaissance le troublait à un tel point qu'il se sentait fragile face à elle.

Ensemble ils essayaient de comprendre, ils essayaient de se rendre compte. Simone y mettait de la fougue, Jean-François de l'humilité. Seulement ils ne savaient pas exactement ce qu'ils cherchaient à comprendre. Etait-ce Mary ? Etait-ce eux-mêmes ? Eux trois mêlés ?

« Ecoute, Simone, que savons-nous de Mary ?

— Qu'elle a quitté l'Irlande très jeune et enceinte.

— Avec son diplôme d'infirmière en poche.

— Oui. Et qu'elle est revenue il y a deux ans avec son enfant qui doit être adolescent.

— Et qu'elle est morte à l'âge de trente-huit ans.

— Oui, c'est tout. »

Encore un silence. Puis Jean-François :

« Le tutoiement, ça existe en anglais ?

— Ça n'existe pas... sauf pour Dieu... pourquoi tu me demandes ça ?

— Comme ça. »

Histoire de Mary MacLaughlin (suite)

Mary MacLaughlin fut reçue brillamment à ses examens de fin d'année. Pendant les vacances elle prit du service à l'hôpital, comme fille de salle. En partie pour connaître mieux l'univers des malades, celui qui allait être le sien, en partie pour ne pas s'éloigner de la mer où voguait Jérémy.

Puis les études reprirent, la saison de pêche se termina mais Jérémy ne revint pas. L'océan l'avait pris.

Mary s'enfonça dans son travail comme ces plantes du Sertão brésilien qui ont l'air d'être de maigres broussailles et qui sont en réalité les extrémités des branches d'arbres immenses s'enterrant eux-mêmes pour aller chercher au plus profond l'eau nécessaire à leur survie. Ainsi, ce que l'on voyait de Mary c'était une mince personne laborieuse et discrète qui n'avait pas d'éclat, pas de brillant. Et pourtant il y avait en elle une ardeur formidable, mais elle savait la contrôler. C'est que les études qu'elle faisait nourrissaient le feu qui la brûlait intérieurement. Elle apprenait avec avidité les fonctionnements du corps. Elle voulait tout savoir des fièvres, des infections, de la transmission des microbes, du sommeil des virus, de l'éveil des épidémies. Elle apprit le sang globule par globule, les nerfs neurone par neurone, les os, la peau, les muscles cellule par cellule, elle apprit la lymphe, l'urine, les larmes, les excréments, la sueur.

La vie de Mary avait été bouleversée par les baisers des remparts. Par ceux que Jérémy lui avait donnés et peut-être encore plus par ceux qu'elle avait donnés. Elle les avait trouvés délicieux mais elle avait été surprise par son propre corps. En y repensant, certains jours, elle se sentait dupée par elle-même. D'où lui venaient cette fougue, cette science, cette connaissance du corps de l'autre, cet instinct de la caresse efficace? Elle n'oubliait pas le bâton rond et dur de Jérémy qui la chauffait à l'aine et comment, par ses baisers, elle soutenait son feu avec une adresse insoupçonnée. Par moments elle en était obsédée. D'où venait qu'elle avait la compréhension de cette machinerie? Ce tuyautin, cette branchette, cette baguette, ce hot-dog : juste ce qu'il fallait pour qu'elle soit entière, pleine, complète! Mesure exacte, mécanique de précision que son corps savait parfaitement évaluer alors que son esprit l'ignorait absolument.

Mary commença à devenir attentive à l'endémie du mal-être ou du bien-être, à ce qui conduit à la maladie ou à la guérison. Mais tout cela passait à travers ses études, elle-même gardait un corps sec, sain, sage. Comme si elle voulait le préserver de toute fermentation, de toute germination. Comme si elle ne voulait pas que son esprit le rejoigne, comme si elle avait peur de lui.

Elle devint une excellente infirmière.

Les médecins se disputaient sa collaboration et c'est finalement un spécialiste des maladies nerveuses qui l'emporta. Elle devint, dans son service, une sorte de très jeune reine à l'apparence stricte et même sévère mais dont les mains apaisaient, les mouvements calmaient, les rares paroles berçaient.

L'hôpital était son royaume, son univers. Elle n'existait que là. Elle aimait les nuits de garde, quand elle allait au bout de sa résistance et qu'elle sombrait ensuite dans un sommeil noir où son corps était aboli.

Aux abords de l'hôpital elle avait trouvé un logement : une pièce avec une cuisine et une salle de douche. C'était plus une cellule de nonne que l'habitation d'une jeune fille de vingt ans. Elle n'y venait que pour dormir et travailler, car elle avait entrepris de faire sa médecine. Quand sa tête était remplie par ses livres au point de ne pouvoir plus rien y engranger, elle sortait et elle marchait. Il y avait à chaque fois une souffrance heureuse dans ses retrouvailles avec le crachin, avec les pavés humides et les flaques des trottoirs. Elle marchait d'un pas vif, pendant des heures. Elle ne laissait pas les images de Jérémy venir à la surface de sa mémoire, elle les gardait en retrait, dans le vague, juste ce qu'il fallait pour entretenir en elle un léger pincement qui n'était pas douloureux mais qui activait le rythme de ses déambulations et la faisait souffler, un peu comme si elle était poursuivie.

Elle ne retournait plus au port. Elle n'allait plus sur la lande non plus, il y avait là-bas quelque chose de trop charnel qui la gênait : les douces joues de sa mère, les bras de ses frères, les lèvres de son père suçant sa pipe sous des moustaches brûlées, les ventres ronds de ses sœurs. Elle y était devenue une étrangère; elle ne savait pas se laisser aller à la bière, aux repas de famille dont les bonnes odeurs, dès le matin, vous calfeutrent dans la gourmandise. Elle ne savait se gaver que de cérébralité et, justement, à la ferme, il y en avait peu. C'étaient des rires ou des pleurs simples, des travaux manuels, des efforts des bras, des reins, des abdomens, qui se répéteraient jusqu'à la mort, sans commentaires. Tout cela la faisait fuir, elle n'aimait pas qu'on se livrât au corps. Elle pensait qu'il y avait toujours un chemin pour le vaincre et que la mort venait quand on la désirait, quand on décidait d'en terminer avec le corps.

Mary, cependant, n'allait pas sombrer dans la sécheresse, car elle était consciente de son excessive rigueur, elle savait que quelque chose clochait en elle. De ses origines paysannes elle avait gardé le sens de l'équilibre et un certain fatalisme : il fallait qu'elle en passe par le corps. Plus tard, un jour... En attendant elle ne tirait aucune fierté de sa virginité et elle était rude avec les visiteuses religieuses qui hantaient les couloirs de l'hôpital comme des oiseaux de malheur. Elle ne se voulait pas semblable à elles. Elle attendait en s'armant comme une Minerve, comme une amazone, comme une chevalière.

De plus, Mary était orgueilleuse et elle ne voulait pas se retrouver en position d'être encore évincée. Même si c'était la mer elle-même qui avait été sa victorieuse rivale, elle ne voulait pas retrouver le goût humiliant de l'échec, du manque. Elle préférait rester seule.

En très peu de temps la réussite professionnelle de Mary avait été telle qu'elle l'avait propulsée dans une société de gens sages et graves qui étaient tous plus âgés qu'elle et qui appartenaient tous au monde médical. Les jeunes internes eux-mêmes la respectaient, on aurait dit qu'elle leur faisait peur. C'est vrai qu'avec ses cheveux noirs tirés en chignon serré, ses yeux sombres qui limitaient les rapports aux sujets professionnels, sa minceur stricte et son uniforme impeccable, elle paraissait intimidante.

Ainsi racontée, la vie de Mary MacLaughlin semble triste. Mais, en fait, elle ne l'était pas. Mary était trop occupée et elle aimait trop son travail pour être malheureuse. Il y avait en elle une blessure qui ne cicatrisait pas mais qui la faisait rarement souffrir. Parfois un élancement venait de là, une fulgurance insupportable. Alors Mary pleurait à gros sanglots, comme une petite fille, à plat ventre sur son lit, la tête dans l'oreiller. Cela survenait généralement pendant ses jours de congé ou le soir en rentrant chez elle.

C'est ainsi qu'au bout d'une paisible journée de travail, une de ces journées qui coulent harmonieusement, où il ne se passe rien de notable, mais où on a l'impression que la vie est belle, Mary, sur le chemin de son studio, sentit enfler la vieille plainte dans son cœur. Mais enfler au point de ne plus pouvoir être contenue. Mary savait qu'elle allait rentrer chez elle et laisser sortir la plainte avec des gémissements, des grimaces, toutes les expressions du désespoir. Elle ne le voulut pas, elle éprouva de la colère pour ce mal qui l'habitait. Pas aujourd'hui, il fait trop beau, j'ai trop envie de vivre.

Elle rebroussa chemin et se dirigea vers le centre de la ville. Etait-elle consciente que c'était le mois de mai, qu'elle allait avoir vingt-trois ans, que cinq ans auparavant elle processionnait dans les rues aux côtés de Jérémy? Mary était capable de faire de tels rapprochements, c'est-à-dire qu'elle était capable de convenir que tout cela réveillait sa peine aujourd'hui. Elle savait que l'inconscient chemine avec chacun et ne lâche pas plus les gens que leur propre ombre. C'est quotidiennement qu'elle le voyait aux prises avec la conscience de ses malades.

Mary la paysanne savait calculer et elle trouva soudain que cinq ans c'était beaucoup dans une vie de vingt-trois ans.

Elle se mit à marcher moins vite et à regarder en passant les vitrines des magasins. Comme par hasard elle prit le chemin du port et se dirigea vers le dock des pêcheurs.

Son émotion fut forte à la vue du décor volontairement oublié. Elle dut s'asseoir sur un tas de gros cordages, gros comme le bras, amassés là pour être réparés. Fallait-il que la mer fût puissante pour en être venue à bout! L'usure les avait rendus duveteux et blancs. Mary les caressait tout en se laissant ravir par le spectacle retrouvé. Les mouettes étaient là dans leur vol immobile, serrées les unes contre les autres, formant un toit au-dessus de la scène du débarquement des poissons. Les lampadaires donnaient leur lumière crue qui faisait luire les écailles comme des éclairs figés qui éclairaient les gros ventres, bariolés de couleurs vives, des bateaux de pêche. De part et d'autre du quai les mâts se balançaient doucement comme une forêt enchantée et les noms sacrés des embarcations apparaissaient et disparaissaient au ras des pierres de la jetée. Sur des passerelles souples et délabrées les pêcheurs se croisaient; les uns, les bras vides, remontaient à bord; les autres, les

162

bras chargés de lourdes caisses, descendaient les jambes écartées pour garder leur aplomb. Au passage ils échangeaient des paroles, mots brefs portés par leurs voix drues habituées à traverser le vent.

Mary considérait que ces hommes étaient tous ses amis, qu'ils avaient tous des bras solides et tendres comme ceux de Jérémy. Son plaisir d'être là était si grand qu'elle laissait couler sur ses joues des larmes dont pour une fois elle n'avait pas honte.

Les acheteurs avaient commencé leurs palabres. Carnet en main ils discutaient avec les patrons. Insensibles à la beauté des poissons, à la sueur des hommes, ils parlaient argent. Tout cela — les trognes tannées, les cheveux collés par les embruns du large, les mouettes, les limandes, les harengs, les lampadaires, les saints patrons des bateaux, l'oscillation des mâts, la nuit, les maquereaux, les merlans — ça valait tant : peu de sous ou beaucoup de sous, cela dépendait des exigences du marché.

Mary n'éprouvait ni sympathie ni antipathie pour eux. Elle les regardait faire et elle savait que, malgré leurs costumes de ville et leurs mains baguées, ils n'étaient pas plus riches que les marins. Les marins ont la mer et quand ils sont avec elle, ils n'ont pas besoin des biens de la terre.

Elle était contente d'être venue. Elle comprenait Jérémy. A voir les hommes s'activer sur les bateaux, à les voir marcher, à regarder leurs gestes, à les entendre parler, elle comprenait qu'on ne peut pas se donner à moitié à la mer. Elle-même n'avait-elle pas tout donné à l'hôpital ? Pourrait-elle l'abandonner ? Non. Elle aimait son métier et construisait son avenir autour de lui. Comment pourrait-elle avoir une famille comme sa mère en avait une ? Ce ne serait pas possible.

Trois acheteurs s'en allaient et, en apercevant Mary, ils firent au passage des réflexions. Idioties que, machinalement, des hommes lancent à une fille solitaire.

Incroyablement Mary leur répondit; elle était de si bonne humeur ce soir! Du coup ils s'arrêtèrent et la regardèrent. Mary leur dit en riant, avec cet humour âcre des paysans de la lande, qu'ils ressemblaient à des chiens flairant la chienne. D'où lui venait cette faconde, cette effronterie? Elle s'amusait et, en outre, elle se sentait autant à son aise qu'à l'hôpital, dans son service. Elle n'en revenait pas elle-même car si Mary n'était pas timide et savait se défendre, elle faisait habituellement en sorte que les gens ne se lient pas avec elle.

Deux des hommes étaient pressés et s'éloignèrent rapidement. Ils avaient jeté leur ligne, comme ça, par hasard, par habitude, et n'avaient ni le temps ni le goût de ferrer cette prise inattendue et impertinente. Le troisième, par contre, se campa devant Mary et entreprit une conversation stupide. Enchaînement de phrases toutes faites par lesquelles l'homme montre sa subtilité d'habile dragueur. La situation était ridicule et Mary, sans se départir de sa bonne humeur, lui indiqua qu'elle n'était pas ce qu'il croyait.

Elle se leva pour mettre fin à ce moment absurde. Il se mit à grimper avec elle le raidillon qui conduisait à la rue, juste en face de *The Salmon Inn*. Il avait reconnu, dans les quelques phrases qu'elle avait prononcées, qu'elle n'était pas une fille du port et même qu'elle avait de la culture, ce qui l'intimidait tout en l'intriguant.

« Voulez-vous boire une bière avec moi ? »

Ils arrivaient à la hauteur du bistrot où Mary avait si souvent rencontré Jérémy. Elle eut envie d'y retourner, de voir si le décor avait changé. Elle désirait retrouver ce lieu comme on a envie de remettre une vieille robe abandonnée.

« Si vous voulez. »

Elle allait traverser quand il la prit par le bras et l'entraîna vers la droite.

« Où allons-nous ?

« — Ma voiture est stationnée un peu plus loin. »

Elle était prise au piège. Et il avait une voiture par-dessus le marché! Mary ne connaissait et ne rencontrait que des pauvres. Son père avait bien une vieille guimbarde qui puait le suint; on ne pouvait pas appeler cela une auto. Le médecin dont elle était l'assistante avait une voiture lui aussi mais elle n'y montait jamais. La voiture de l'acheteur de poissons l'intimidait presque autant qu'il avait été intimidé par ses paroles. Une femme instruite et un monsieur riche, voilà une situation ambiguë pour commencer...

Il emmena Mary dans un pub du centre, avec beaucoup de lumières dehors et beaucoup d'ombres dedans, des glaces partout, des fausses poutres, de faux meubles anciens, de faux chandeliers sur chaque table, pour singer les auberges du bon vieux temps. Et une musique douce.

Qu'est-ce que Mary faisait là? elle se le demandait. Quel changement en quelques instants. Elle qui, tout à l'heure, allait rentrer chez elle le cœur gros pour retrouver ses livres et ses notes dans une pièce vide, elle se tenait assise maintenant sur une banquette de velours rouge en face d'un homme inconnu qui ne savait pas comment s'adresser à elle.

Mary était violente, ses apparences sages cachaient un caractère vif et décidé. Ce soir elle ne pouvait plus supporter sa virginité. Elle regarda cet homme et elle prit une décision : elle coucherait avec lui. D'ailleurs, trêve d'hypocrisie, ils étaient là pour ça. Quand un marchand de poisson lève une infirmière en vadrouille au coin d'un quai, on sait ce que ça veut dire.

Le problème était que Mary ne savait pas du tout s'y prendre. Elle n'avait jamais voulu écouter les secrets de ses camarades de couvent ou d'école, elle n'avait jamais participé à leurs interminables chuchotements dans la cour de récréation ou les jours de congé, elle n'allait jamais au cinéma, elle ne lisait jamais de romans. Le résultat était qu'elle ignorait tout des usages amoureux.

D'abord ils avaient été occupés par la serveuse qui était venue prendre leur commande. La femme attendait debout qu'ils se décident. Avachie sous sa tenue coquette, lasse sous sa haute permanente, le ventre gonflé sous le tablier à fanfreluches, les jambes veineuses sous la jupe courte, elle était indifférente au couple qu'elle servait, elle pouvait attendre longtemps.

Ils avaient fini par choisir deux bières différentes, une brune pour Mary, comme d'habitude, et une blonde pour l'acheteur.

« J'aime bien la brune moi aussi mais ce soir il me semble qu'une blonde me rafraîchira plus. J'ai soif. »

Silence, que le tango diffusé en sourdine ne remplissait pas.

« Vous êtes institutrice ?

— Non, je suis infirmière à l'hôpital. Je suis assistante du professeur X., neurologue. »

Elle savait bien ce qu'elle faisait en disant ça : neurologue produisit un nouvel effet paralysant sur l'homme. Neurologue, catalogue, psychologue, cardiologue...

« Mon père et ma mère ont des troubles au cœur. Oui, tous les deux... C'est un cardiologue qui les soigne, le docteur Y. Vous le connaissez ?

— Non, il n'a pas de service à l'hôpital. »

Ceux qui soignent le corps exercent une sorte de magie sur les autres. On pense qu'ils possèdent les clefs de la vie longue et heureuse. On croit qu'ils connaissent la mort. On imagine qu'ils voient à l'intérieur des êtres. On craint leur regard. Il y a tant de secrets en chacun de nous !

« Et vous ? Vous achetez du poisson ?

— Oui, sur la côte entre Sligo et Mullaghmore. Du poisson et des homards. Je les expédie à Dublin et sur le continent.

— J'aime pas le poisson. »

Elle regretta cette phrase dans l'instant même où elle

166

la prononça; ça n'allait pas détendre l'atmosphère. Heureusement, il enchaîna :

« Moi non plus. »

Ils rirent un bon coup. Ouf !

« Mais c'est un métier qui rapporte. »

Il commença alors à parler des camions et des wagons frigorifiques par lesquels il expédiait ses achats à Dublin et même à l'aéroport de Shannon. Ça demandait du personnel, des chauffeurs, des représentants, des secrétaires... Il se sentait supérieur et étalait son pouvoir. Peut-être qu'il ne parlait pas bien mais en tout cas il gagnait des sous.

Mary le regardait. Il devait avoir la trentaine. Il était grand, très grand, plus grand que Jérémy. Et large, plus large que Jérémy. C'est que Jérémy était si jeune quand elle l'avait connu ! Maintenant il avait dû s'étoffer à force de tirer sur les cordages mouillés, de hisser les filets, d'affronter les vents de la haute mer...

L'homme parlait de Dublin où il passait une semaine par mois. Etre un habitué de la capitale, c'était encore une supériorité qu'il avait. Il parlait de Sligo avec une sorte de dédain.

Ses cheveux étaient bruns et ses yeux très bleus, ce qui donnait une sorte de velouté à son visage. Sa bouche avait des lèvres larges et rouges qui attiraient et effrayaient Mary.

Ils burent de la bière et encore de la bière. Finalement, l'homme dit :

« Il est tard, il faut que je rentre. C'est que je n'habite pas Sligo et demain, à cinq heures, j'ai une expédition. »

Il paya après avoir vérifié l'addition, en homme qui sait ce qu'un compte veut dire. Pour lui les factures c'était comme les maladies pour Mary, il s'y connaissait.

Il la raccompagna et dans la voiture arrêtée, mais dont le moteur tournait, en serrant la main de Mary, il dit :

« Maintenant que je sais où vous habitez, est-ce que je pourrais venir vous voir un de ces jours ? »

Pour parler il venait d'employer une voix particulière, comme si, sous les mots corrects qu'il avait prononcés, il avait glissé un sourire équivoque et des perspectives douceâtres. Ça faisait froid dans le dos à Mary, c'était un peu gluant. Elle eut envie de l'envoyer balader. Mais non, celui-là, elle le tenait dans sa main et elle ne reviendrait pas sur sa décision.

« Si vous voulez. Je termine mon service vers cinq heures et le mardi je suis de garde.

— Bien, je vous remercie. »

Il serra la main de Mary un peu plus fort.

« A propos, comment vous appelez-vous ?

— Mary MacLaughlin. Voilà. A un de ces jours peut-être ! »

Elle sortit en vitesse, sans même lui demander comment il s'appelait. Elle s'en fichait, elle savait qu'il reviendrait.

Le bonhomme était pressé car le lendemain, vers sept heures du soir, il était là. D'ailleurs, Mary l'attendait. Elle avait acheté du whisky en sortant de l'hôpital. Ça lui faisait même plaisir de le voir. Elle avait toujours aimé passer des examens.

Celui-là s'avéra particulièrement difficile. La vie sexuelle de Mary MacLaughlin se limitait pratiquement à l'interminable baiser qu'elle avait échangé avec Jérémy sur le chemin des remparts. Pour le reste, elle connaissait les caresses qu'elle se donnait à elle-même, qui étaient délicates et feutrées. Et patientes.

Son embarras était grand. Elle invita l'homme à s'asseoir sur la chaise et elle-même s'assit sur le lit, après avoir ouvert la bouteille de whisky. Il n'y avait pas d'autres sièges chez elle.

« J'ai oublié de vous demander votre nom l'autre jour.

— Je m'appelle Billy Laghey. »

Il n'y avait pas grand-chose à ajouter. Et maintenant quoi? Elle ne trouvait plus rien à dire. Elle avait pris son visage fermé.

« Ça ne vous fait pas plaisir ma visite?

— Si.

— Ben alors?

— Ben alors quoi?

— Vous faites une tête comme si ça vous faisait pas plaisir.

— C'est que j'ai eu une journée fatigante.

— Moi aussi. Justement, on est là pour se détendre. Pas vrai? »

Il se levait, il enlevait sa veste, il apparaissait en bras de chemise. Enorme. Une vague odeur d'eau de Cologne sortait de son déshabillage. « Il se soigne, c'est déjà ça de pris », pensa Mary.

Il vint s'asseoir auprès d'elle et passa un bras autour de ses épaules.

« Faut pas être intimidée. Je n'suis pas méchant, vous savez. »

Quel con!

Il prit le menton de Mary dans une de ses grandes mains, tourna le visage vers lui et commença à l'embrasser.

Qu'y avait-il de commun entre ses baisers et ceux de Jérémy? Rien. Elle ne sentait que du mouillé, de l'indiscret, et une langue qui s'enfonçait dans sa bouche, chaude, stupide, interprète maladroite d'un désir violent. Elle pensait qu'il allait lui décrocher la mâchoire. Elle le repoussa de ses deux mains. Elle aimait qu'il pèse lourd au bout de ses poignets, qu'il soit si grand, qu'il emplisse toute la pièce.

« Vous n'avez pas l'habitude?

— Non. »

Elle ne savait pas si l'aveu de son ignorance était bon ou mauvais. En tout cas elle ne pouvait pas feindre plus longtemps. Il parut touché.

« Laisse-toi faire. Fais-moi confiance. »

Quelle douceur ce « tu », quelle tendresse, comme il avait bien fait de l'employer. Il répéta :

« Laisse-toi faire. »

Et il se mit en demeure de la déshabiller. Il embrassait chaque partie du corps qu'il découvrait. Il resta longtemps sur ses seins dont, pour la première fois de sa vie, elle regretta la petitesse. Il les embrassait, puis les léchait par petits coups et les mordillait à peine. Elle trouva ça délicieux. S'accomplissait enfin dans son corps tout ce qu'elle avait pressenti dans les bras de Jérémy, tout ce qui lui manquait depuis lors. Quand il commença à dégrafer sa jupe, elle prit la tête de l'homme dans ses deux mains et la remonta vers sa poitrine pour qu'il la caresse encore, longtemps.

Quand elle se raidissait parce qu'une nouvelle caresse la surprenait, il se remettait à dire doucement :

« Laisse-toi faire. Fais-moi confiance. »

Il ne la regardait pas en disant ça, il regardait la partie du corps qu'il avait entrepris de caresser. On aurait dit que c'était à cette parcelle d'elle-même qu'il s'adressait, à la peau, au duvet, au nombril, au pli de l'aine. Elle était entièrement nue maintenant. Il caressait ses cuisses qu'elle tenait serrées.

« Laisse-moi faire. Fais-moi confiance. »

Il frôlait de ses doigts les longs muscles de Mary depuis les genoux jusqu'au bassin, jusqu'à ce qu'elle desserre ses jambes et les écarte un peu. Alors il plongea la tête et de sa langue chercha le clitoris. Elle le sentait qui fouillait dans ses poils. Elle n'avait jamais imaginé qu'on puisse faire ça. C'était un fou, un vicieux, il la traitait comme une putain. Elle le repoussa et se redressa, les bras croisés sur ses jambes qu'elle avait remontées contre sa poitrine. Il restait pantelant, agenouillé sur le sol, la tête sur le matelas, les yeux fermés, la respiration rapide. A bout de souffle.

« Laisse-toi faire. Laisse-toi faire.

— Tu es un fou, un malade, un vicieux.

— Mais non. Laisse-toi faire, c'est normal.

— Non, fous le camp, tu me dégoûtes. »

Elle aussi le tutoyait. Il y avait entre eux une intimité affolante. Mary si réservée, si discrète, si secrète, en était scandalisée. Soudain la promiscuité avec cet homme lui paraissait inadmissible, avec ses doigts et ses lèvres surtout. Tout à l'heure, ses doigts et ses lèvres étaient des génies autonomes, délicieux et pervers, qui obtenaient d'elle ce qu'ils voulaient, maintenant, elle voyait les mains au bout des bras de l'homme, les lèvres au milieu du visage de l'homme et elle n'en voulait pas. Elle croyait qu'elle pouvait tout contrôler de son corps, en tout cas qu'il y avait des parties d'elle-même qui n'étaient abordables que par elle. Elle savait, pour être quotidiennement à ce contact, que les soignants abordent les soignés dans ce qu'ils ont de plus privé, de plus cru. Mais c'est d'un abord technique qu'il s'agissait, les organes ne livrent alors que leur mécanisme et comme, de plus, ils le livrent dans la souffrance ou dans la gêne, cela ne prête pas à conséquence, ce sont des soins désagréables qu'on s'empresse d'oublier. Tandis que là, ce que l'homme voulait, c'était qu'elle se livre entièrement, qu'elle montre ses rêves, ses phantasmes les plus extravagants, qu'elle s'ouvre. Qu'elle se donne totalement à lui, un étranger, un imbécile.

Il était pitoyable. Assis sur le lit, la tête baissée, les bras coulant entre ses jambes, débraillé, la chemise en bannière, toute fripée. Il avait enlevé ses chaussures et deux chaussettes raccommodées sortaient de son pantalon. Il ne faisait plus peur à Mary tout à coup.

Elle avait retrouvé sa blouse dans le désordre du lit et l'avait mise en vitesse, un pan de couverture lui servait à cacher son ventre. Elle ne savait que dire. Elle le regardait et se disait qu'elle ne l'aimait pas, qu'elle ne l'aimerait jamais. Ainsi n'importe quel homme, pourvu qu'il sache s'y prendre, pouvait lui donner du plaisir —

171

car elle avait beaucoup aimé qu'il la caresse, au début — il n'était pas nécessaire qu'il y ait de l'amour pour ça.

Après qu'elle eut pensé cela Mary se sentit plus vieille. Elle envisagea, dans une sorte d'éblouissement, une quantité de liens ternes qui embrouillaient les gens les uns aux autres, qui les faisaient agir, aimer, travailler, enfanter, sans amour. Des bals sans amour, des manèges sans amour, des enterrements, des mariages, des baptêmes, sans amour. Des foyers sans amour, des usines sans amour, des rues sans amour, innombrables. Elle n'avait pas compris cela. Elle croyait, jusque-là, à un imbroglio de chicanes amoureuses, de passions déçues, de comptes à régler, d'affections mal partagées, de frustations gonflées d'amour. Elle ne savait pas qu'on pouvait éprouver mécaniquement, uniquement mécaniquement, du désir, un besoin fou de l'autre, sans qu'il y ait le moindre amour.

C'était triste. Mary était triste. L'homme paraissait triste. Il était toujours prostré et elle eut l'impression, en regardant le large dos, qu'elle était plus forte que lui. Elle dit :

« Je ne t'aime pas, je ne t'aimerai jamais. »

En disant cela elle avait avancé son bras et posé sa main sur la cuisse de l'homme qui lui parut dure et vivante à travers le fin lainage du pantalon. Ils restèrent un moment dans le silence. Elle sentait qu'il voulait parler et n'y arrivait pas, qu'il avait quelque chose à ajouter à ce qu'elle venait de prononcer et qu'il ne parvenait pas à exprimer. Il redressa son buste, elle vit le visage lisse, les paupières cachant le regard. Il prit la main de Mary et doucement la mena vers le bas de son ventre où elle sentit, malgré les vêtements, un dur bâton chaud, semblable à celui de Jérémy. Il fit ce geste comme un enfant montre son genou fraîchement égratigné, comme un malade réclame à boire, comme les vaches demandent à être traites. Impression qu'il désirait être protégé, plaint, soigné. La main de Mary n'avait jamais rien touché de pareil, elle resta un moment ouverte, la paume au contact de ce brûlot. L'homme pesait sur elle, comme s'il souffrait. Les doigts de Mary se recourbèrent enfin autour du chibre. Alors Billy, prestement, se déboutonna et bientôt Mary eut le poisson tout vivant au creux de sa main.

Elle voyait tous les jours des hommes nus à l'hôpital mais cela n'avait rien de comparable avec le spectacle que l'homme lui offrait, chez elle. S'étant rejeté en arrière, la tête perdue dans l'ombre de l'oreiller, on aurait dit qu'il lui abandonnait son pénis bandé. Il se livrait à elle en quelque sorte. Ce qui surprenait Mary c'était l'intense chaleur du vit et la formidable force qui le tenait érigé. Elle aurait cru que c'était plus malléable, elle ne s'attendait pas à cette rigidité absolue, dangereuse sous la gaine soyeuse. Elle n'osait pas trop y toucher.

Elle eut ensuite, pour le phallus, une curiosité professionnelle. Elle avait posé sa main sur le coussin de poils rêches qui couvraient le ventre de l'homme et elle regardait le priape allongé en travers de sa paume et de ses doigts. Il parut à Mary qu'il avait un léger phimosis. Du bout de ses ongles elle tira doucement sur la peau qui, à un certain endroit, sous le gland, ne glissa pas tout à fait jusqu'au bout. Elle ne s'était pas trompée. Sinon l'organe était sain, parfaitement sain, magnifique.

L'homme la laissait faire. Par moments, il poussait une sorte de plainte et aspirait l'air entre ses dents, comme s'il voulait calmer une souffrance. Mary, maintenant, était contente d'avoir ce jouet pour elle toute seule. Elle trouvait que l'homme était gentil de le lui avoir donné. Elle touchait le satin, la soie, elle les faisait bouger sur le corps de l'animal aveugle, chaud et palpitant. C'était aussi doux que le ventre d'un chat, aussi pathétique que la gorge d'un pigeon prisonnier, aussi vulnérable qu'un chiot nouveau-né. Elle se pencha et y posa de petits baisers de tendresse.

L'homme se releva, la prit sous les bras et, dans un grand mouvement puissant, l'allongea sur le lit. Elle était sur le dos. Lui, agenouillé entre les jambes de Mary, se dressait, exhibant son doux oisillon qui était devenu pétard, bâton de dynamite, revolver. L'homme et la femme s'affrontèrent du regard. Il était clair qu'un combat allait commencer. Elle se sentait prise au piège et impuissante. Elle ne savait pas se battre et d'ailleurs si l'idée lui vint de résister, elle l'abandonna aussitôt. Elle comprenait qu'elle était allée trop loin, qu'elle ne pouvait plus échapper. Alors elle ferma les yeux.

L'homme commença à s'enfoncer en elle à petits coups têtus, jusqu'à ce que quelque chose cède, quelque chose dans le corps de Mary et quelque chose dans la tête de Mary. Elle sut qu'elle n'était plus vierge et écarta mieux les jambes. L'homme alors y alla plus fort, il accéléra la cadence et la puissance de ses coups. Il suait, il ahanait, il s'acharnait sur le beau corps mince de Mary, sur son ventre intact, sur sa nuine étroite qu'il fouillait, qu'il fouaillait. Il la fendait, il la sabrait, il la tringlait. Elle avait replié un de ses bras sur ses yeux fermés pour mieux s'éloigner de la scène, pour ne pas voir l'homme, pour se réfugier dans son corps saignant, violenté, agressé, qui, par un instinct surprenant, acceptait sans souffrir cette bastonnade et accueillait avec soulagement cette déchirure pourtant irréparable.

L'homme, tout à coup, emporté par un rythme dément, laissa sortir de lui une plainte qui grossit, devint une sorte de sanglot enfantin au bout duquel il s'affala sur Mary qui le reçut brutalement tel qu'il était, couvert de transpiration, haletant. Elle comprit qu'il avait fini sa besogne et le repoussa. Il resta longtemps allongé sur le dos, pâle, respirant difficilement, affaibli. Son sexe peu à peu se rétracta et ressembla aux sexes que Mary avait l'habitude de voir à l'hôpital, un morceau de chairs grisâtres et plissées que le foutre, en séchant, ternissait.

174

« Eh bien, c'est fait, pensa Mary, me voilà débarrassée de ma virginité », et elle se leva pour aller se laver.

Pendant qu'elle prenait sa douche elle se dit qu'elle n'aurait pas aimé être dépucelée par Jérémy. Elle ne l'imaginait pas en train de la déchirer comme venait de le faire Billy Laghey : brutalement et expertement.

Quand elle revint dans sa chambre, l'homme se rhabillait, il cherchait ses chaussettes dans le désordre du lit.

« Il faut que je m'en aille parce que je travaille très tôt demain. »

Puis, comme en s'excusant :

« Tu ne m'en veux pas ?

— Pourquoi ?

— Parce que je m'en vais.

— Pas du tout. »

Elle ne demandait que ça. Elle avait hâte qu'il s'en aille. Elle voulait être seule avec son nouveau corps et tout nettoyer, changer les draps, aérer la pièce. Il n'y avait pas de place pour deux personnes ici.

Avec un petit air coquin il dit :

« Je te reverrai ?

— Si tu veux, la semaine prochaine. J'ai un examen bientôt, il faut que j'étudie. »

Il la prit par les hanches et la colla contre lui — il voulait qu'elle se souvienne — et tenta de l'embrasser. Mais elle n'en avait pas envie. Elle se dégagea et en ouvrant la porte elle dit :

« Bonsoir, à la semaine prochaine.

— T'es une drôle de fille quand même. »

C'est ainsi que commença la liaison entre Billy Laghey et Mary. Elle dura plusieurs mois. Mary fut reçue à ses examens et, au cours de ses vacances, Billy l'emmena à Dublin. Elle vit des théâtres, des grands cafés, le Palais du Gouvernement, et des paquebots en partance pour les Amériques.

Quand elle reprit son travail, elle commença à soupçonner qu'elle était enceinte. Elle fit tout ce qui était en son pouvoir pour provoquer l'écoulement de ses règles. Mais le sang s'obstinait dans son sommeil. Elle pensa d'abord que son corps réagissait par le silence à la nouveauté des rapports sexuels. Puis elle commença à s'inquiéter. A vrai dire elle ne s'attendait pas à cela. Comme toutes les femmes elle savait qu'en faisant l'amour elle risquait d'être fécondée mais elle croyait en savoir assez pour éviter l'affaire.

Un matin, à son réveil, elle eut la certitude qu'elle était entrée dans une grossesse. Un examen à l'hôpital confirma cette certitude.

Rien dans son corps n'avait changé. Elle ne ressentait rien. Simplement, en tarissant, son sang avait laissé la place à une pensée, à une idée, à un personnage schématique, à un mythe : l'Enfant, c'est-à-dire la vie recommencée, la vie continuée, la vie incarnée. Elle n'aimait pas qu'on se servît du même mot « enceinte » pour désigner l'état où elle était et l'état d'une femme qui attend un bébé depuis de longs mois. Elle ne se sentait pas enceinte, elle sentait que son corps renfermait un symbole, le symbole à deux faces de la présence et de l'absence. Que son esprit se mette d'accord avec son corps et elle porterait la présence d'un autre, que son esprit ne se mette pas d'accord avec son corps et elle rejetterait la présence d'un autre. Ce qui ne voulait pas dire qu'elle choisirait alors la solitude, mais seulement, l'absence momentanée d'un autre.

Elle savait bien que cet autre c'était l'enfant. Etait-elle capable de porter l'autre ? Désirait-elle l'autre ? Saurait-elle établir des relations avec l'autre ? Pourrait-elle nourrir, loger, habiller, garder l'autre ? Y avait-il en elle de l'amour pour l'autre ? Etait-elle assez forte, elle, Mary, pour se donner à autrui ?

Mary était dans la vague colossale qui roule le possible et l'impossible, qui roule le présent, le passé et l'avenir, qui roule le singulier et le pluriel, qui roule l'Un et l'Autre, qui roule l'éphémère et l'éternel, qui roule la division et l'indivision, qui roule l'ordre et l'anarchie, qui roule partager et accaparer, qui roule le un et le deux. Chaque force porteuse de son contraire étant inextricablement liée à lui, soudée à lui. Cependant le désir de Mary, sa volonté, son goût, avaient le pouvoir de libérer ces couples.

Elle se trouvait devant un choix éblouissant, devant un vague incommensurable.

Mary demeura quelques jours, seule avec sa réflexion, à errer dans les dédales tièdes de la procréation, dans les labyrinthes humides de la germination, dans les embrouillaminis gluants du commencement.

Journées pesantes, capitales, où l'épaisseur et le poids de ce qui était en cause dans l'esprit de Mary se trouvait harcelé par la vélocité et la petitesse de ce qui était en cause dans son corps. Elle savait le grouillement intérieur de la grosse cellule qui, déjà, s'était partagée en deux, puis en quatre, puis en cent, puis en mille... Elle savait l'activité incessante de cette microscopique usine à fabriquer de la matière humaine. Que la boule de chair grossisse encore, qu'elle pousse, dans son eau chaude, le continent bombé d'une ébauche de crâne, les presqu'îles allongées des membres esquissés, que se creusent les baies des moignons de doigts, les bassins des orbites aveugles, les grottes des oreilles sourdes, et c'en était fait du choix de Mary. Elle ne pourrait plus choisir.

Il fallait qu'elle se dépêche, en même temps qu'il fallait qu'elle prenne son temps. Il n'existe pas de décision plus grave à prendre pour un être humain. Il n'y a pas de plus grande impuissance ni de plus grand pouvoir. D'un côté l'humanité, de l'autre côté le moi, dressés l'un face à l'autre, au creux du ventre et au creux de la tête, en un conflit secret, muet, immobile et terrible. Le ventre c'est l'humanité, la tête c'est le moi.

Finalement Mary décida de devenir enceinte, d'attendre un enfant. Elle en avait envie. Dans le fond, depuis toujours elle avait eu le désir de cette intimité-là. Elle se sentait capable de l'assumer. Le seul problème était ses études. Elle ne pourrait pas faire son métier d'infirmière, poursuivre ses études et élever son enfant. Elle savait que cela n'était pas possible. Alors comment faire? Pourquoi ne pas épouser Billy qui ne demandait que ça, abandonner l'hôpital pour se consacrer entièrement à son enfant et à ses examens?

Oui, c'était la bonne solution. Elle n'aimait pas Billy mais elle l'aimait bien. Elle était certaine de pouvoir le supporter. Ce ne serait pas difficile puisqu'il était occupé toute la journée et que ça plaisait à Mary de faire l'amour avec lui, le soir. Et puis, après tout, cet enfant était aussi l'enfant de Billy. D'ailleurs, elle le sentait, il serait haut comme Billy, large comme Billy, il aurait des yeux bleus et des cheveux noirs, comme Billy.

L'enfant de Mary venait de prendre vie. La décision de sa mère venait de lui donner l'existence. Il était devenu une personne dans la seconde même où elle l'avait accepté. Une présence chérie, silencieuse, obstinée.

Mary était heureuse. Elle aurait un enfant, un mari, elle serait médecin. La vie était belle. Billy venait jeudi, elle lui annoncerait la nouvelle. Il serait heureux lui aussi.

Jeudi elle s'est fait belle en l'attendant. Elle a dénoué ses cheveux, parce que Billy l'aimait comme ça. Elle a mis une robe d'été, ce n'était pas la saison mais elle lui allait bien et il faisait chaud ici.

Quand Billy est arrivé elle l'a embrassé tendrement. Elle riait, elle était toute contente de le voir et lui tout heureux et surpris de la voir si contente. Elle l'a fait asseoir cérémonieusement, en se moquant de la cérémonie...

« Je vais t'apprendre quelque chose qui va te faire

plaisir : nous allons nous marier. C'est pour ça que je t'installe sur le trône du mari ! »

Et comme il ne disait rien et qu'elle ne pouvait plus garder son secret, elle ajouta :

« Parce que nous allons avoir un enfant. »

Il y a eu dans les yeux de Billy quelque chose de dur qui est passé vite puis il a regardé ses mains.

« Mais je croyais que tu savais quoi faire pour ne pas en avoir.

— Ben oui, mais j'en ai un quand même.

— Tu l'as fait exprès ?

— Non.

— Tu as des facilités à l'hôpital pour te faire avorter.

— Mais je viens de te dire que je veux le garder, que je veux me marier avec toi, Billy ! »

Billy regardait toujours ses mains. Il sembla à Mary qu'il avait pâli. Elle comprenait que la construction de son avenir allait s'écrouler mais elle ne savait pas pourquoi. Elle avait toujours cru que Billy l'aimait, qu'il était solide et qu'elle pouvait compter sur lui. Il dit :

« Je croyais que ça t'intéressait pas le mariage. On en a jamais parlé. Je croyais que tu voulais être docteur. »

Mary sentait un danger alors qu'il n'y en avait apparemment aucun. Elle regroupait ses forces, son être entier était aux aguets. En fait, elle n'était pas en danger, c'était l'enfant qui rencontrait son premier ennemi. Ce qu'elle ressentait c'était l'agressivité de la femelle qui défend son petit.

« C'est pour le bébé. Je ne peux pas l'élever toute seule.

— Tu es sûre que tu veux le garder ?

— Oui.

— Pourquoi ? »

Elle n'en savait rien. C'était comme ça. Elle avait un enfant dans son ventre et elle l'aimait. Voilà tout. Il y a deux jours elle aurait pu discuter de cela mais aujourd'hui ce n'était pas possible. Ce n'était plus possible depuis qu'elle l'avait accueilli lui, là, tout petit, énorme.

« C'est comme ça, je le garde... Et toi, tu ne serais pas content d'avoir un enfant ?

— ... J'en ai déjà deux et une femme. Je tiens beaucoup à eux. »

Ça le soulageait de dire ça, du coup il se redressa.

« Tu aurais pu me le dire.

— Tu me l'as pas demandé. Je croyais que ça n'avait pas d'importance pour nous deux.

— La preuve.

— ... Tu avais l'air si sûre de toi. C'est ton métier. Je croyais pas que ça pouvait t'arriver. »

Elle le détestait, elle le trouvait minable. Il la dégoûtait. Elle se demandait comment elle avait pu faire l'amour avec lui, comment elle avait pu y prendre du plaisir. Elle voulait qu'il foute le camp.

Il restait là sur sa chaise, comme un gros ballot, la chique coupée.

« Je sais pas quoi te dire.

— Tu en as assez dit.

— Je vais m'en aller.

— C'est ça.

— Tu m'en veux. Mais moi j'y suis pour rien. Tu disais que tu savais quoi faire... Nous deux c'était pour passer de bons moments. Ça nous changeait... C'est tout... Je t'aime bien, tu sais, Mary, je t'aime beaucoup... Comme je suis le premier, je comprends que c'est important pour toi, que tu t'es attachée, surtout que tu es pas une fille à courir...

— Il ne s'agit pas de ça.

— Tu te marieras avec un autre. Moi je me doutais pas que tu voulais te marier. T'es tellement secrète.

— Je t'ai déjà dit qu'il s'agissait pas de ça.

— Je comprends pas... Si c'est l'argent qui te manque pour te faire avorter, je peux t'en passer, c'est normal.

— J'ai pas besoin d'argent. Je gagne ma vie.

— J'comprends pas... Il faut que je m'en aille. Je tra-

vaille de bonne heure demain matin. Et puis, maintenant que tu le sais, autant te dire que ça me faisait des
ennuis chez moi de rentrer tard si souvent... Alors ce
soir je voulais rentrer plus tôt.

— Bonsoir.

— Je passerai la semaine prochaine.

— Parfait. »

En fermant la porte sur lui, Mary savait très bien
qu'elle ne reverrait plus la couleur de Billy et elle en
était soulagée. Elle haïssait maintenant la présence de
cet homme alors qu'une heure avant elle pensait en
faire son mari.

Dire qu'elle aurait pu faire son mari de ce type inexis-
tant!

Immaturité.
Irresponsabilité.
Inaptitude.
Impuissance.

Tous ces i et ces in gomment la virilité. I-i-i-i- pour
nier la puissance, l'aptitude, la responsabilité, la matu-
rité. Hi, hi, hi, hi, c'est comme cela que rient les femmes, les enfants et les plaisantins dans les textes de
comédie. Hein, hein, hein, hein, menace le maître ou le
sergent de ville. Ouin, ouin, ouin, pleurniche le cancre
ou la bougresse.

Si Jean-François jonglait avec ces i et ces in, c'est que
dans la vie de Mary MacLaughlin les hommes partaient
toujours. Ils la laissaient seule. Ils se retiraient, se
tiraient, se débinaient. Avec une véhémence effrayante
Jean-François réclamait son droit à l'indolence, à l'insouciance, à l'instabilité, à l'indifférence.

Invivable.
Intolérable.
Inutile.
Inférieure.

Répliquait Simone en parlant de sa solitude. Simone projetait sa propre vie dans la vie de Mary, l'essentiel de sa propre vie, ce qui restait de sa vie dépouillée des histoires. Elle parlait du dur labeur, de la fatigue, de l'anxiété, du poids insupportable que pèsent les avenirs des enfants et l'avenir du ménage. Un poids si grand qu'il écrasait l'avenir de Simone, qu'il l'obligeait à se définir par lui : « Je suis une mère de famille. J'élève mes trois enfants. Je suis la femme de Jean-François. » Définition qui lui avait suffi pendant des années parce qu'elle n'avait pas eu le temps d'y réfléchir. Pas le temps de penser. Et puis parce que cette définition était considérée par tout le monde comme étant une bonne définition. Il n'y a pas de meilleure femme que la mère, chacun sait ça... Plus elle est dévouée, plus elle se sacrifie, plus elle s'efface, plus elle sert sa famille, meilleure elle est. Du moment qu'une femme a des enfants et un mari, elle ne peut pas être malheureuse. Or elle avait été malheureuse, elle, Simone, et elle avait peur de l'être encore.

Durant les quelques jours où Jean-François et Simone avaient inventé la période de grossesse de Mary MacLaughlin, l'affrontement entre eux a été terrible.

C'était écrit dans les journaux : Mary était enceinte quand elle est partie, seule, pour les Etats-Unis. Ça, ils ne l'avaient pas inventé. C'était peut-être ce point précis de la vie de la noyée qui les avait attirés.

Pourquoi ?

Simone parlait de lâcheté là où Jean-François parlait d'immaturité. Cette immaturité Jean-François la réclamait, elle n'était pas une excuse. Elle était nécessaire, disait-il. Elle permettait le progrès, l'évolution, la liberté, elle permettait d'éviter la définition, la prison des institutions. Un jour il lança brutalement :

« Fallait que je choisisse entre toi et moi. J'ai choisi moi.

— Mais qui j'étais moi ? Tu te l'es demandé ? Qui

j'étais à part ta femme et la mère de tes enfants, tu le savais? Et si j'avais fait comme toi, qu'est-ce qu'ils seraient devenus nos enfants?

— ...

— Je ne sais pas qui je suis. J'éprouve un manque terrible maintenant que les enfants sont grands et que je suis seule pour toujours en face de toi. Si tu t'en vas qu'est-ce qui me reste? Comment rattraper ma jeunesse? Comment la retrouver? Et d'ailleurs qu'est-ce que je voulais au commencement? Je n'en sais rien. J'ai été si méthodiquement, si rudement dirigée vers la femme et la mère que je ne sais même plus si je voulais ça vraiment ou si on me l'a fait vouloir. Je crois que je le voulais, que j'en avais le désir physique, physiologique, instinctif, animal. Mais je ne savais pas que ce désir allait m'engloutir à ce point. Au point de m'annuler moi, au point de rendre impossibles de véritables relations avec toi, mon mari, mon homme, le père de mes enfants. Maintenant je ne sais même plus ce que tout cela veut dire. Je ne sais peut-être même plus si de vrais rapports sont possibles entre toi et moi. Peut-il y avoir des rapports durables entre un homme et une femme qui ne soient pas des rapports d'intérêts, mais des rapports d'amour?

— Je n'en sais rien.

— Comment tu n'en sais rien?

— Je n'en sais rien. Je sais que nous nous connaissons depuis plus de vingt ans, c'est tout.

— Oui, mais à quel prix ces années? Au prix de ma propre vie. Que tu t'en ailles, que n'importe qui ou n'importe quoi te détourne de moi — comme cette noyée par exemple — et je ne suis plus rien, je n'existe plus. »

Jean-François en avait marre. Il détestait les scènes de Simone. Ici, à Corvagh, il était pris au piège, il ne pouvait pas s'en aller sous prétexte d'aller chercher des cigarettes ou de rentrer l'auto au garage. Il fallait qu'il la supporte.

« Qu'est-ce que tu veux que je te dise? Je devais rater ma vie parce que tu as raté la tienne?

— Salaud!

— Pourquoi salaud, parce que je te dis la vérité?

— Non. Salaud, parce que tu t'appuies sur ce qu'il y a de plus touchant, de plus fragile et de plus mensonger dans nos institutions pour t'enfuir des institutions. Tu t'appuies sur l'enfant, sur la mère et l'enfant, sur la beauté, le bonheur, le naturel de la maternité, pour foutre le camp. Moi j'ai les enfants, toi tu as la vie. On ne peut pas tout avoir, c'est ça?

— ...

— Salaud, parce qu'en me forçant à parler comme je suis en train de le faire, j'ai l'air de rejeter mes enfants. C'est moi la salope. Ça se retourne contre moi.

— Qu'est-ce que tu veux que je te dise? Tu ne t'es jamais plainte de ça avant. Je croyais que ça te plaisait cette vie, que tu voulais avoir des enfants, une maison.

— Toi aussi tu le voulais. Je ne les ai pas faits toute seule. Et la maison, on l'a cherchée ensemble. Non?

— D'accord. Mais après j'ai changé d'avis et je t'ai dit et répété que cette vie ne me plaisait pas. Tu t'es obstinée. Tu ne vas pas me dire que je ne t'ai pas prévenue.

— Mais qu'est-ce que tu voulais que je fasse avec les enfants? Ça me faisait peur.

— Dis ça, dis que ça te faisait peur et ne me flanque pas tout sur le dos. Tu voulais que je t'impose une autre vie?... C'était rester dans le même schéma. C'est toi qui fais ta vie.

— Mais je ne sais pas la faire.

— Ça ne t'est jamais arrivé d'avoir l'impression de vivre ta vie?

— Ça m'est arrivé... Pas souvent.

— Quand? »

Simone est restée silencieuse. Fallait-il qu'elle parle? Fallait-il qu'elle raconte ce qui était si caché en elle-même que ça se résumait à une sensation qui n'avait pas de nom, pas de définition, une impression de solidité quelque part dans un univers mou ? Elle était gênée. Il y aurait eu de l'indécence peut-être à parler de ça. Elle ressemblait à Nicole qui ne voulait pas raconter la chasse à l'orignal. En même temps elle avait envie de se dire et elle savait que Jean-François ne la trahirait pas.

Le temps était mauvais depuis quelques jours à Corvagh. De gros nuages couvraient les terres et les eaux qui reflétaient leurs grisailles. Par moments la pluie tombait, voilant le paysage, isolant encore plus Jean-François et Simone dans le cottage bien chauffé qui était plein de leur vie privée.

La voix de Simone hésitait. Elle cherchait ses mots. Elle essayait d'expliquer. Chaque parole, au commencement, portait une justification ou une excuse. Jean-François l'écoutait attentivement.

Un jour, il y a eu à Paris une manifestation de lycéens et d'étudiants à propos de la loi Debré. Ils devaient défiler de Denfert-Rochereau à la place d'Italie. Le matin, chez Simone, ils étaient une bonne douzaine de jeunes à discuter. Ils faisaient presque tous partie du service d'ordre du lycée où allaient ses enfants. Brassards. Foulards antilacrymogènes. Banderoles. Drapeaux rouges et noirs. Ça s'activait. Ça s'exaltait dans la cuisine.

Juste avant de partir travailler, Simone a entendu l'aînée de ses filles dire à la plus jeune :

« Si les flics chargent, tu n'as qu'à courir et tu t'enfournes dans la première bouche de métro que tu trouves. Tu y restes un bon moment. Tant pis si tu nous as perdus. T'as un ticket de métro ?

— Oui.

— Ne le perds surtout pas. Comme ça tu peux toujours rentrer à la maison. Et n'oublie pas ta carte d'identité et dix balles.

— J'ai pas dix balles.

— On va te les trouver. Mais ne t'en sers pas, tu nous les rendras après. C'est seulement pour les flics si jamais tu te fais prendre. »

La plus petite avait treize ans. C'était la première fois qu'elle allait à une manif. Elle était en avance au lycée, ses camarades étaient tous plus âgés qu'elle et comme sa classe était particulièrement concernée par les nouveaux décrets, il n'était pas question qu'elle n'aille pas à la manif où — paraît-il — « même les sixièmes iraient ». L'en empêcher c'était, une fois de plus, la traiter en bébé, — ce qu'elle détestait — c'était souligner devant tout le monde son statut de petite. Impossible.

Simone à nouveau se justifiait devant Jean-François : « C'est que, tu sais, elle a un fameux caractère ta fille. Elle est cabocharde et elle est intrépide. Elle n'a peur de rien. C'est pas facile de la manipuler parce qu'elle a un sens pas croyable de la dialectique. Elle tourne les choses comme ça lui plaît avec une logique implacable, tu ne sais plus quoi dire. »

Bon. Il fallait que Simone s'en aille mais sa décision était prise : elle se débrouillerait pour aller à la manif. Elle surveillerait de loin, sans se faire voir et si c'était nécessaire elle se montrerait. Elle empêcherait la petite de se faire matraquer, ou dieu sait quoi.

Le défilé devait partir à trois heures. A trois heures Simone arrivait place Denfert-Rochereau. Elle commença par mettre un quart d'heure avant de sortir du métro dont toutes les bouches étaient obstruées par une masse compacte de jeunes qui piétinaient dans les escaliers. Leur excitation était intense mais ils savaient la contrôler, si bien que leur entassement était trépidant mais pas hystérique. De nouvelles rames de métro apportaient de nouveaux manifestants qui attendaient leur tour. On faisait passer le mot d'ordre : « Ne poussez pas, le défilé n'est pas encore parti. » Bientôt un grand déplacement poussa Simone jusqu'au milieu des escaliers. Elle eut l'impression que la foule l'avait portée là. Les garçons et les filles qui l'entouraient ressemblaient à ses enfants; ils employaient le même vocabulaire, portaient les mêmes vêtements, avaient les mêmes préoccupations. Il ne lui parut pas difficile de se détendre et de s'intéresser à ce qui se passait. Beaucoup tenaient leurs banderoles enroulées, ce qui leur donnait des allures de chevaliers armés de leur lance.

Enfin elle émergea sur le trottoir parmi la multitude de gens jeunes qui avait envahi les rues, les avenues, la place. Les banderoles déployées indiquaient des noms de lycées, de groupes d'action, de syndicats de professeurs, d'associations de parents d'élèves, des pancartes portaient des slogans. Elle se mit en demeure de chercher la banderole du lycée de ses enfants. Mais il y en avait partout. La foule allait jusqu'au cimetière Montparnasse, jusqu'à Alésia, jusqu'au boulevard Raspail, jusqu'à l'Observatoire, jusqu'à la gare. Partout. Un océan de têtes, de drapeaux.

Personne ne s'occupait d'elle. On la prenait pour une prof ou pour une mère d'élèves. Et c'était vrai qu'elle était une mère d'élèves. Elle ne se sentait pas déplacée.

Elle mit un moment à comprendre qu'il y avait un ordre dans ce désordre apparent : les groupes attendaient d'entrer à leur tour dans le défilé en s'entassant sur les abords du boulevard Saint-Jacques. Dans la masse compacte et stagnante de la foule s'ébranlaient de longues fluidités surmontées de leurs oriflammes, conduisant des groupes au départ. Des garçons et des filles du service d'ordre général parlementaient avec les responsables de chaque groupe avant de les laisser entrer sur le boulevard. Ils devaient probablement leur donner les consignes d'ensemble.

Simone comprit que la seule manière de retrouver la petite c'était d'emprunter elle-même le boulevard Saint-Jacques, de remonter jusqu'à la tête du cortège, de vérifier ainsi si le lycée de ses enfants était déjà parti, sinon de se poster, au bord, et d'attendre.

C'est ce qu'elle fit et c'est ainsi qu'elle se trouva, avec une bande de badauds, à regarder passer le défilé, à la hauteur de l'hôtel P.L.M.

Elle scrutait le boulevard de part et d'autre. De l'endroit où elle se trouvait il dévalait puis remontait, après, en direction de la place d'Italie. Il était plein, bondé, totalement envahi par la forêt serrée des manifestants qui avançaient lentement, s'arrêtaient par instants, puis repartaient. Elle comprit que ces rythmes étaient donnés par la tête du cortège qu'elle ne pouvait déjà plus voir. Elle percevait simplement de longs mouvements de reptation qui partaient du haut, se diffusaient, se propageaient, parvenaient jusqu'à elle, continuaient vers l'autre extrémité qui se perdait dans les feuillages. On aurait dit un immense dragon qui se cambrait. C'était énorme, splendide.

Simone se sentait émue, son cœur battait. Qu'est-ce qui lui prenait? Elle avait envie de pleurer, ses yeux picotaient, sa gorge se serrait, comme, dans son enfance, à l'instant où elle découvrait l'arbre et les cadeaux les matins de Noël, ou bien quand survenait le gâteau et ses bougies allumées les jours d'anniversaire. C'était la fête, ici, dans la rue, avec des dizaines de milliers de gens qui chantaient, qui riaient, qui criaient. Mais il y avait quelque chose en plus, quelque chose qui dépassait Simone, qui l'entraînait. Elle ne savait pas quoi, c'était bloqué dans sa tête, c'était une boule serrée, dure.

Elle a vu venir de loin la banderole du lycée de ses enfants. Le dragon progressait à grands coups de reins, ses écailles hérissées, ses flancs palpitants, bruyant, puissant. Dans le corps de la bête, Simone regardait de tous ses yeux ses deux aînés et la plus petite. Ils lui parurent beaux, plus beaux qu'elle les avait jamais vus. Ils lui parurent grands aussi, graves. Elle n'avait regardé que leurs visages d'enfants et elle faisait connaissance maintenant de leurs visages de femmes et d'homme. Elle éprouva du respect pour eux et souhaita que reste intacte dans leurs regards l'expression de gaieté sérieuse qu'elle. y voyait. Pourvu que personne n'éteigne ça! Curieusement, plus la jeunesse déferlait, plus elle s'épanouissait, plus se multipliaient les peaux lisses des visages, les longs membres inachevés, les duvets des lèvres, les seins libres sous les tee-shirt, plus Simone éprouvait la sensation que ces garçons et ces filles étaient responsables et conscients de prendre le dernier relais d'un siècle fou qui avait échappé aux mains de leurs parents. Elle les sentait capables, plus capables que leurs pères. Elle trouvait le spectacle pathétique.

Le défilé s'était immobilisé. Les manifestants restaient sur place à scander : « Une seule solution, la Révolution! » La petite avait un visage déterminé, farouche, elle criait de tous ses poumons. Simone la connaissait tellement! Elle savait la tache de rousseur au coin de l'œil droit, les yeux bruns directs comme deux petits pistolets, le grain de la peau si fin, si doux, les lèvres charnues. Elle actionnait avec force sa mâchoire et sa bouche pour lancer loin : « Une seule solution, la Révolution! »...

Simone pensait : « Ils sont fous, ils ne veulent pas la révolution. Moi qui vis avec eux, je sais qu'ils ne veulent pas la Révolution. » En même temps, elle savait qu'ils voulaient quelque chose d'autre, quelque chose de différent. Elle ne savait pas quoi mais elle les comprenait. Oui, elle les comprenait, elle, Simone, qui avait pourtant voulu rester fidèle aux traditions. Peut-être que la Révolution c'était autre chose que ce qu'elle croyait. Quoi? Ils étaient repartis et les grands rangs de soixante ou quatre-vingts personnes défilaient constamment devant elle, avec des drapeaux dans le soleil, des chants, des mots d'ordre répétés, des slogans.

L'esprit de Simone avait chaviré dans la manifestation. Elle était bouleversée. Elle commença à suivre le défilé, en marge, le long des immeubles, sous prétexte de suivre ses enfants. Mais un désir fou était en elle qui n'avait rien à voir avec ses enfants, un espoir immense. Désir de quoi ? Espoir de quoi ? Envie d'entrer dans le défilé.

Tout à coup elle se rendit compte que cette chose dure qu'elle avait dans la tête et qui l'empêchait de penser, cette boule qui l'étouffait et lui serrait la gorge, c'était en réalité dans sa poche qu'elle se trouvait, c'était son poing qu'elle avait caché là sans s'en rendre compte et qu'elle tenait crispé de toutes ses forces. Elle en avait marre d'attendre un homme, de se crever au travail et de n'avoir jamais un sou, de faire le ménage et la vaisselle, de n'avoir jamais voix au chapitre, de subir, de subir, et tout le saint-frusquin. Elle en avait marre de tout ça, et encore d'autres choses qu'elle ne savait pas dire ! Ce n'était pas juste !

Elle s'arrêta, le souffle court, l'émotion plein le cœur. Justement passaient des groupes de profs et de parents. Elle entra dans les rangs, les mains dans les poches, intimidée. On lui fit spontanément une place. Elle se sentait soulagée maintenant qu'elle était à l'intérieur du défilé, le poids était moins lourd en elle. Le poids de quoi ?

Les arbres étaient pleins de feuilles neuves et le soleil dorait la poussière soulevée par le dragon. Le temps était magnifique. D'ailleurs tout paraissait magnifique à Simone, elle était heureuse.

Il y avait surtout des femmes autour d'elle. Elles parlaient des études de leurs enfants, de leurs conditions de vie. Simone les écoutait et pensait qu'elles avaient raison, que la pagaille était terrible dans les lycées, que la génération de ses enfants était une génération sacrifiée.

« Tu as raison. Comment tu t'appelles ?

— Simone.

— Une génération sacrifiée ! A qui ? A quoi ? »

Ce « tu », quelle histoire! Ça en faisait des copines, alors qu'elle ne les connaissait même pas!

Une jeune femme — elle n'avait pas trente ans — avec une jupe longue dans le genre gitane et des cheveux frisés, en boule autour de son visage aigu, a dit :

« Et nous, les femmes, on n'est pas sacrifiées alors? »

« Pourvu que je ne sois pas tombée sur un groupe du M.L.F. », pensa Simone qui avait une peur panique des manifestations de femmes. Pourquoi? Elle n'en savait rien. Ce n'était pas correct. Et puis elle, son mari, il était parti et elle ne rêvait que de le voir revenir. Elle ne dit rien.

Le défilé s'était arrêté au creux du boulevard Saint-Jacques. Le métro aérien les surplombait et à chaque fois qu'une rame passait Simone voyait les têtes des voyageurs curieux qui se pressaient aux fenêtres, les unes contre les autres, pour les regarder. Normalement elle aurait dû avoir honte, mais elle n'avait pas honte parce qu'elle n'était pas seule.

La petite jeune femme dégourdie agitait les langues de ses voisines qui s'étaient mises à parler des bas salaires, des demi-retraites, du manque de crèches, de la double journée. Simone se reconnaissait dans leurs paroles, elle était une femme comme ça, une mère comme ça, ses enfants étaient comme ça. Elle se sentait bien parmi ces inconnues. La petite était rigolote, on voyait bien qu'elle avait l'habitude de ce genre de discussion et elle lançait des phrases qui faisaient mouche à chaque fois. Elle avait un vocabulaire cru mais pas vulgaire qui les faisait partir à rire. Il y avait longtemps que Simone n'avait passé un si bon moment.

Elles s'étaient remises à marcher. Maintenant elles grimpaient la côte qui mène à la place d'Italie. C'est à cet instant que, de là-haut, a déferlé vers elles *L'Internationale*. Le chant avait jailli de la tête et courait comme une traînée de poudre le long du corps du dragon.

191

Stupéfaction de Simone : elle ne pouvait pas chanter ça. Elle écoutait les paroles, non, elle ne pouvait pas chanter « Debout les damnés de la terre, debout les forçats de la faim ». Elle n'avait jamais eu faim, sinon quand elle faisait un régime pour maigrir, pas longtemps... Quant à damnée... Il ne fallait pas exagérer... Les femmes autour d'elle chantaient de tous leurs poumons... en levant le poing par-dessus le marché. Simone marchait en regardant par terre. Personne ne faisait attention à elle. Elle se disait : je chante bien « Aux armes, citoyens, formez vos bataillons! » ou bien « Qu'un sang impur abreuve nos sillons ». C'est pire. Un désir inconnu était devenu si grand à l'intérieur d'elle-même qu'il la faisait souffrir. Elle aurait bien pleuré mais les larmes ne venaient pas. Ses poings étaient si serrés dans ses poches qu'elle en avait mal aux os.

Alors, doucement, la tête toujours baissée, en sourdine, elle s'est mise à chanter le refrain : « C'est la lutte finale, groupons-nous et demain... » C'était un beau chant, entraînant, qui donnait envie de lutter.

Lutter contre quoi? Lutter pour quoi? Lutter pour mes enfants? Ils ne m'ont pas attendue, ils sont là, devant, à crier comme des sourds. Alors?

D'où venait qu'elle sache le refrain par cœur? On ne le lui avait jamais appris. Comment était-ce possible que tous ces mots soient dans sa tête, en ordre, phrase par phrase, et toute la musique? Elle n'avait qu'à ouvrir la bouche et ils sortaient tout seuls.

Des dizaines de milliers de personnes chantaient ensemble et, par ces voix réunies, s'élevait une construction magnifique, le plus beau monument que Simone ait jamais vu. Une nef immense flottant sur les pilotis des drapeaux rouges et noirs, un vaisseau, voguant sur les flots des poings, dont la mâture touchait les nuages.

Simone releva la tête pour chanter plus fort. Et, tout à coup...

« Je ne sais pas pourquoi, je t'assure que je ne sais pas pourquoi », disait-elle à Jean-François.

Lui la regardait sans rien dire. Il la regardait comme on regarde une étrangère. Il semblait l'admirer mais ne la reconnaissait pas.

... Tout à coup elle a sorti son poing et elle l'a levé. Elle, Simone, elle faisait ça! Elle regardait sa main repliée sur elle-même et dressée dans le ciel. Elle s'est demandé si elle préférait mettre le pouce dedans ou dehors. Elle a essayé les deux positions. Elle était mieux avec le pouce dehors.

Alors elle s'est mise à gueuler la chanson, à gueuler comme elle ne l'avait jamais fait, avec une force terrible. En même temps les larmes coulaient de ses yeux, pressées, vives, gaies, eaux souterraines, comme des ruisseaux de printemps.

Arrivée place d'Italie, c'était une autre paire de manches. Les forces de l'ordre, casquées, abritées derrière leurs boucliers transparents, gourdin en main, tentaient de canaliser le défilé, qui ne cessait de se déverser là, vers les faubourgs et la banlieue. Impossible de descendre vers la Seine. La masse des gens se trouvait drainée vers un cul-de-sac où personne ne voulait aller. Des mouvements violents de la foule se produisaient, faisant courir les manifestants dans tous les sens. Simone se trouva séparée de ses amies. Seule. Mais personne au monde ne l'aurait fait déguerpir. Elle n'y comprenait rien. Elle restait là au milieu de la cohue. Elle y était bien. Elle vit un garçon lancer un cocktail Molotov qui alla s'écraser sous une voiture. Une seconde plus tard la voiture flambait. C'était dingue. Simone ne cherchait même pas à retrouver ses enfants, elle ne pensait pas à eux. Elle se sentait arrogante. Elle se pavanait comme un paon qui fait la roue, elle riait, elle courait.

La nuit tombait quand est venu l'ordre de disloca-
tion. En très peu de temps la place s'est vidée.

Simone a pris la rue de Tolbiac et elle s'est mise à
marcher en direction de son quartier. Peu à peu l'exaltation tombait à l'intérieur d'elle-même et la tristesse a
pris sa place. Pourquoi avait-elle fait ça ? Elle gardait,
comme une image précieuse, le souvenir de son poing
brandi dans le ciel.

Elle est rentrée chez elle en même temps que ses
enfants. Elle n'a pas osé leur dire qu'elle venait de la
manif.

« Pourquoi ne l'as-tu pas dit ?

— Parce que je n'aurais pas su expliquer pourquoi
j'avais été dans cet état. Cela me paraissait indécent de
leur parler de ça. Ça n'appartenait qu'à moi. »

Et puis, après, Simone a parlé d'Angèle. Comment
elle avait vu l'homme et Angèle faire l'amour et que là
aussi elle avait été bouleversée.

« Angèle, c'était avant ou après la manif ?

— Après.

— Et qu'est-ce que tu as tiré de tout ça ?

— Rien. Jusqu'à aujourd'hui je ne considérais pas
que ces événements faisaient partie de ma vie. Ils
n'étaient que des accidents. Mais je commence à croire
que c'est peut-être le contraire... ils reviennent si souvent dans ma tête ces jours-ci. »

Histoire de Mary MacLaughlin (suite)

Mary était en colère. Mary était enragée. Elle en voulait au monde entier, à Billy et surtout à elle-même.

D'abord il ne s'était agi que d'orgueil blessé. Billy
refusant sa demande en mariage était un souvenir qui

la faisait suffoquer de honte. Elle s'était abaissée à organiser une petite cérémonie, elle avait pris un air enjoué et câlin... Grotesque, elle avait été grotesque face à ce grand crétin !

Mais ce qui devint grave c'est que, le temps passant et émoussant les aspérités de la honte, elle avait découvert ce que cette honte masquait : elle-même avec son bébé dans le ventre, seule.

Impossible d'attendre une aide de sa famille. Une de ses sœurs s'étant trouvée enceinte peu de temps auparavant avait été sommée, par le père et la mère, de revenir dans les plus brefs délais avec un époux, ou de ne pas revenir du tout. On venait juste de la marier avec le fils débile d'un fermier voisin. Il n'était donc pas question que Mary leur annonce qu'elle était enceinte et qu'elle attende d'eux le moindre secours.

A l'hôpital, on l'aurait aidée à avorter mais pas à garder son bébé. On lui aurait dit que c'était de la folie : tout le monde allait lui tourner le dos, tous les bons chrétiens de la ville lui fermeraient la porte au nez, elle ne trouverait plus à se loger correctement, jamais une nourrice convenable ne se chargerait du petit et, ce qui était plus grave, sa faute ternirait sûrement la bonne renommée du service. Etre une fille mère, c'était scandaleux. Exhiber son « ballon », c'était ignoble. Traîner son « bâtard », c'était honteux.

Traquée. Mary était traquée. Elle cherchait dans sa tête et ne trouvait aucun terme qui convienne mieux à son état. Elle avait vu ses frères et son père pêcher ou chasser. Elle savait comment ils traquaient le saumon, la grouse ou le lièvre. Elle ne voyait pas de différence entre elle et le gibier, entre les chasseurs et l'humanité qui l'entourait.

Elle tournait en rond dans sa chambre. Pourquoi ? Pourquoi cette traque ? Parce qu'elle avait dans le ventre un petit qu'elle aimait ?

Mary pleurait de lourdes larmes douces comme de

l'huile. C'était sa manière à elle de caresser son bébé. Ce n'était pas un chagrin qui ressemblait à ceux qu'elle avait eus après le départ de Jérémy. Ce chagrin nouveau était un bain, une berceuse : « N'aie pas peur. N'aie pas peur. Je te protégerai. On ne te fera pas de mal. Tu peux compter sur moi. » En même temps qu'elle faisait cette promesse, elle s'engageait à la tenir toujours. Il ne s'agissait pas de simples paroles, chaque mot constituait une partie de la muraille qu'elle élèverait désormais pour défendre son enfant. Mary devenait deux : elle-même et la mère de son petit. Elle ne savait pas encore comment l'autre, la mère, allait grandir et prendre toute la place. Pourtant si elle l'avait su elle aurait quand même fait la promesse puisque l'enfant était là, sage, fragile, tenace.

Alors, personne ne devina l'état de Mary, ni à l'hôpital, ni sur la lande.

Mary changea, elle devint plus douce et plus méfiante. Elle économisa ses forces et son temps. Elle voulait que l'enfant soit bien portant et elle espérait passer un nouvel examen avant que sa grossesse soit flagrante. Après... Après elle ne savait pas. Elle vivait au jour le jour.

C'est ainsi qu'elle fit son entrée dans l'univers des adultes, dans le monde des grands qui ont des petits à leur charge. Elle n'y vit qu'hypocrisie, bêtise et lâcheté.

Sa taille épaississait, ses seins se veinaient de bleu. Elle aimait bien que son corps s'encorbelle et se balconne pour garder l'enfant, pour lui faire une maison.

Elle fut reçue à son examen et tout de suite après l'été vint avec les vacances. Mary donna son congé à l'hôpital disant qu'on lui avait offert une place aux Etats-Unis. C'est aussi ce qu'elle dit à ses parents.

Ce n'était pas tout à fait faux. Elle avait, en effet, écrit au docteur Stone, un gynécologue connu dans son service et qui avait émigré aux Etats-Unis. Elle lui avait demandé si elle trouverait éventuellement du travail en

196

allant là-bas. Il avait répondu affirmativement : on manquait, paraît-il, de bras comme les siens à New York.

C'est comme cela qu'elle embarqua à Southampton sur un paquebot qui faisait la ligne, avec une valise et ses économies, enceinte de sept mois.

Elle était têtue, Mary, obstinée aussi, et fière. Elle s'en sortirait, elle reviendrait un jour avec son enfant que tout le monde fêterait. D'ailleurs, en montant à bord, elle eut l'impression d'être soulagée. Elle pouvait, enfin, être tranquillement enceinte. Les dernières semaines à Sligo avaient été dures. Ce n'était pas que sa grossesse se voyait beaucoup, mais quand même il avait fallu qu'elle se sangle et se boudine, qu'elle change sa manière de s'habiller, de se tenir. Elle avait honte vis-à-vis de son bébé d'avoir à le cacher comme ça. En même temps elle n'avait pas le courage d'affronter ceux qui l'entouraient.

Si bien qu'une fois dans sa cabine, qui était à peine plus grande que la couchette, elle se déshabilla, eut la sensation de se dilater. Comme pour répondre au bien-être de Mary, l'enfant se mit à danser une véritable sarabande, il pédalait, on aurait dit qu'il comprenait qu'il était libre. Elle revêtit une robe achetée à Dublin pour l'occasion, une robe large avec un empiècement au-dessous duquel le tissu froncé étalait un véritable champ de fleurettes multicolores. Des violets, des turquoise, des roses vifs, toutes les couleurs un peu criardes qu'affectionnent les habitantes des îles Britanniques. Elle pensa qu'elle n'avait jamais eu une robe plus belle et que ce jour était le plus beau jour de sa vie. Elle monta sur le pont au moment de l'appareillage, elle vit les marins larguer les lourdes amarres.

Pensa-t-elle à Jérémy ? Au petit port avec ses mouettes et ses casiers de harengs ? Vit-elle le grand Billy Laghey parlementer avec les patrons des chalutiers ? Rien sur son visage ne trahit la moindre émotion. Southampton était déjà si loin de Sligo ! Elle paraissait heureuse et intéressée par les manœuvres du grand navire qui devait se mettre en marche arrière puis tourner sur lui-même avant de prendre le centre du chenal. Des remorqueurs l'aidèrent dans ses moindres mouvements et l'escortèrent entre les berges vertes et bâties de jolies maisons jusqu'à l'île de Wight où ils le quittèrent avec des coups répétés de sirènes. Ensuite ce fut la haute mer. C'était beau.

Pendant la semaine que dura le voyage, le ventre de Mary, enfin libéré, bomba hardiment. Il devint visible qu'elle était enceinte. Les gens s'effaçaient pour la laisser sortir ou entrer dans la salle à manger. Elle aimait ces hommages dus à son petit et les acceptait avec un gentil sourire. On l'appelait « Madame », voilà qu'on l'ennoblissait. Son sourire devenait parfois moqueur, quelques kilomètres avaient suffi pour la faire passer de la honte à l'honneur...

Elle n'avait que vingt-quatre ans, Mary, mais en fait elle avait cent ans, elle avait mille ans, elle avait dix mille ans. Il avait suffi qu'un petit niche au creux d'elle-même pour qu'elle porte, en même temps que lui, la nuit des temps, pour que lui vienne une sagesse séculaire, pour que surgisse l'instinct indicible, depuis longtemps muselé, par lequel une femme sait que l'humanité qui la fait taire est, en réalité, issue de son ventre.

« Je vous en prie, madame.

— Je vous en remercie, monsieur... »

Comme ça, ici, sur le paquebot qui, bien qu'elle y soit logée en dernière classe, avait des allures de luxe et donc de respectabilité.

A Sligo, il n'y aurait eu que fuites, sévérités ou moqueries.

La dame et la demoiselle. La lourde et la légère. L'honnête et la friponne. L'hymne et la chansonnette. Le lis et la paquerette. L'ourse et le papillon. Le juge et le prévenu. Tout ça, cette différence considérable, pour un hymen déchiré conformément aux usages. Mary ne cessait de sourire.

Et Billy qui assistait à la messe avec sa femme et ses enfants. Au premier rang à cause de ses vêtements cossus et de l'auto qui l'attendait à la sortie.

« Ecce agnus dei qui tollit peccata mundi. »

Pratique cet agneau qui efface les péchés. Il bat sa coulpe, Billy, d'un grand geste du poing contre sa poitrine :

« Domine non sum dignus... » Il répète ça trois fois, Billy. Trois fois il se frappe la poitrine et c'est fini, plus de péché, plus de bébé. Dieu est bon et continuera de l'être tant que Billy priera et tant que le plâtre s'écaillera aux ailes du nez de Notre-Dame de Lourdes qui implore, implore encore, pour que les péchés-bébés des demoiselles endormies qu'elle protège ne salissent pas les marbres et les ors des églises. Qu'elles avortent ou qu'elles s'en aillent. Dieu est juste.

Mary s'imaginait qu'elle avait laissé à Sligo la sottise et la méchanceté, qu'ailleurs le monde était meilleur et elle ne cessait de se féliciter d'avoir pris la décision de partir.

Un couple de vieux Américains l'avaient prise en sympathie. Ils s'inquiétaient quatre fois par jour de sa santé : avant et après les deux principaux repas. Le bébé à venir les attendrissait. Ils avaient eu eux-mêmes six enfants et ils attendaient leur douzième petit-enfant qui naîtrait en même temps que celui de Mary. Ils la dorlotaient, l'aidaient à s'installer dans la chaise longue qu'elle avait louée sur le pont, bien enveloppée jusqu'au menton dans un gros plaid.

« L'air de la mer est bon pour la santé », disaient-ils à chaque fois. Puis ils la laissaient tranquille.

La nuit, dans sa cabine qui était au fond du bateau et contre la coque, Mary sentait rouler le grand océan qui la berçait de sa houle profonde. Elle sentait aussi les vibrations des moteurs formidables qui la faisaient progresser. Enfant porteuse d'enfant, elle s'endormait confiante au sein d'un monde que, dans le fond, elle croyait bon.

C'est à huit heures du matin que le bateau entra dans le port de New York. Mary était réveillée depuis longtemps. En pleine nuit elle avait senti que les moteurs ralentissaient. Elle était restée quelque temps dans un demi-sommeil à imaginer ce qu'elle allait faire en arrivant : chercher un hôtel, téléphoner au docteur Stone, prendre rendez-vous avec lui — il ne savait pas qu'elle était enceinte... Après, s'occuper d'un accoucheur. C'est qu'elle n'en avait plus pour longtemps : six semaines peut-être. Elle refaisait ses comptes indéfiniment : date de ses dernières règles, jour probable de l'ovulation. A partir de là : neuf mois. A partir de ce jour ? Ou à partir des dernières règles ? Ou à partir des règles qu'elle aurait dû avoir ? Elle était infirmière et elle ne savait pas exactement. Comme les femmes sont mal informées, pensait Mary. Comment cela se fait-il ?

Son esprit triturait avec fébrilité ces quelques éléments : l'hôtel, le docteur Stone, l'accoucheur, la date de la naissance. Une maison, un travail, un enfant. Une vie, quoi ! Mais elle ne se disait pas ça, elle restait à la surface de ses pensées. Elle voyait des images, elle ne voulait pas réfléchir. Dès que la réflexion venait, elle s'agitait de nouveau pour la chasser et recommençait son travail de fourmi qui va, qui vient, qui s'active, qui se démène, pour amener jusqu'à la fourmilière une brindille cent fois plus grosse qu'elle.

Comme à chaque fois que Mary s'énervait, son enfant s'arrêtait de bouger. Il formait bloc. On aurait dit qu'il avait peur et qu'il se tassait dans son coin. Mary n'aimait pas ça. Elle avait l'impression d'une part que le petit n'était pas heureux et d'autre part qu'il la surveillait, qu'il connaissait ses moindres pensées, jusqu'à celles qu'elle ne laissait pas monter à sa conscience. Alors, elle dit tout haut, pour rassurer la mère de l'enfant :

« Il n'y a rien à craindre. Tout va bien se passer. »

Elle se leva, fit une longue toilette, prépara sa valise et monta sur le pont. Il n'y avait pas à dire, elle avait pris du poids : pour grimper l'échelle qui montait à la coursive supérieure il fallait qu'elle s'agrippe à la rampe et qu'elle se hisse littéralement d'une marche à une autre. Elle pensa que ce serait comme ça quand elle serait vieille...

C'était presque le jour. On aurait dit que l'océan fumait. Il allait faire chaud. Devant le paquebot, tout près, il y avait New York.

A un endroit, la ligne de la côte se gonflait d'un entassement de choses visiblement construites par l'homme. La brume qui soulignait la terre s'épaississait là et se soulevait en un dôme gigantesque. C'était New York City que réveillait un nouveau matin.

Il y avait déjà quelques passagers dehors, dont certains avaient des jumelles. Elle entendit quelqu'un déclarer : « On peut déjà voir Manhattan. » Elle s'assit sur un banc raide, face à la ville qui se précisait lentement. Elle laissa le Nouveau Monde venir à sa rencontre.

D'abord il y eut des maisonnettes le long d'une grande plage — moins belle que la plage de Corvagh. Puis, au fur et à mesure qu'on avançait, s'ouvrit une sorte d'estuaire barré d'un pont, encombré d'entrepôts, de hangars, de murs, avec d'immenses inscriptions qu'on pouvait déchiffrer de loin : COCA COLA, SWAN, FIVE ROSES... L'estuaire s'ouvrait encore, devenait delta. Univers de blocs, de cubes, de parallélépipèdes, allongés ou dressés. Le soleil s'était levé mais ne parvenait pas à percer l'épaisse pollution qui chapeautait la cité. Il donnait un jour jaune. Les arêtes des docks se hérissaient aux pieds des bâtiments, de part et d'autre du navire, au loin

Mary vit enfin Manhattan, sa gerbe de gratte-ciel se

dressant devant elle, au fond. Hauts bâtiments froids, sentinelles à la tête enfumée, gardiens hiératiques.

La progression était extrêmement lente. Le grand bateau se frayait doucement son chemin parmi les bouées, les barges, les cargos, les pétroliers, les remorqueurs. Pas de barques, pas de rames. Pas d'odeurs de poissons. Rien que de l'électrique, du chimique, de l'industriel, du ferrugineux, du bétonné.

Le delta se resserrait enfin et Mary pouvait distinguer maintenant des hommes au travail et de longues voitures glissant sur des quais cependant que d'innombrables grues, rangées en batterie, accomplissaient leurs besognes anguleuses dans l'air lourd.

Les passagers pullulaient avec leurs appareils de photo, leurs jumelles et leurs caméras. Ils voulaient tous avoir une image de la cité fabuleuse, de cette porte qui ouvrait sur la modernité et la richesse.

Ils s'entassaient devant Mary qui ne pouvait plus rien voir mais qui ne cherchait plus à voir. Ce qu'elle avait vu la stupéfiait : rien que de l'humain. Rien que de l'humain. Les rares mouettes qui s'aventuraient jusque-là avaient plutôt l'air de pilotes que d'oiseaux. Aucune végétation. Aucun relief naturel. Montagnes de poutrelles, vallées de rues, collines de minerais, plaines de chantiers.

« Bon, c'est comme ça, disait-elle à l'enfant. C'est là que nous allons et nous nous y ferons. Nous ne sommes pas les premiers Irlandais à aborder cette côte. »

C'est alors que courut la nouvelle : « Nous allons passer devant la statue de la Liberté. » Il n'était pas question que Mary manque ça. Comment faire ? Elle n'avait qu'à monter sur son banc où plusieurs personnes étaient déjà juchées. On l'aida, et comme elle était à l'extrémité du banc, elle put même, une fois debout, s'adosser au montant d'une écoutille qui s'ouvrait là. Elle dominait toute la plage avant.

Effectivement, la statue de la Liberté s'en venait. Une

matrone avec une couronne d'épines et un flambeau. Mary vit quelques touffes d'herbe maigre qui poussaient entre les blocs à la base du socle. Elle ne trouva pas la statue si grande que ça. Pourtant elle savait qu'elle était grande puisqu'on pouvait monter à l'intérieur d'elle. Elle savait que le bras qui portait le flambeau était assez gros pour contenir un ascenseur et un escalier. Oui, mais le reste, la métropole, était si énorme, si vaste, si haut... Et puis elle était sale la statue de la Liberté, sa robe était souillée de traînées noirâtres, sa figure était barbouillée par l'accumulation centenaire de chiures de mouettes, car la couronne piquante avait l'air d'être leur ultime perchoir avant la barrière des gratte-ciel qui défendait le ciel.

Rouille et poussière. La majesté du lieu venait de là. De l'homme bravant l'usure, niant l'usure, érigeant encore plus d'acier et de béton sur du grugé, de l'oxydé, du rongé, du détérioré, du cassé, du lézardé, du fendu, du brisé. L'homme construisant sur le vieux et l'érodé. L'homme défiant la pluie, le vent, la soleil, la mer, par son œuvre d'homme qui ne dure pas, qu'il doit toujours recommencer, toujours renforcer. Pathétique absurdité. Colossal malentendu. Impossible Babel. Vertigineuse prétention.

A travers les plis de sa robe, Mary tenait son ventre à deux mains. « N'aie pas peur. N'aie pas peur. Il y a des millions d'Irlandais qui sont venus ici et ils n'y sont pas morts. Il y en a même beaucoup qui y ont fait fortune. »

Mary était bouleversée. Cette ville lui faisait peur. Elle aurait voulu rester encore dans sa petite cabine qui ressemblait pourtant à un cercueil. Elle fut une des dernières à sortir du paquebot.

« Tu te rappelles quand tu es venu me chercher à New York ?

— Oui.

« — Tu avais ton regard comme le jour où tu as découvert Mary.

— Mais non. A New York, d'accord, je n'avais pas envie de te voir. Mais ici, c'était autre chose.

— Pourquoi étais-tu venu alors ?

— Je ne sais pas. »

Toujours des « Je ne sais pas », glissés par Simone ou par Jean-François, pour prendre les tournants de leurs vies, pour pouvoir continuer à vivre. Toujours du subi, du résigné, du tu, de l'incompréhensible, pour servir de charnières aux portes de leurs existences.

Cette année-là, Jean-François s'était installé avec une femme, juste avant l'été. Il l'avait écrit à Simone, mais il avait ajouté qu'elle pouvait venir quand même, qu'ils s'arrangeraient. Qui ce « ils » désignait-il ? Lui et la femme ? Lui et Simone ? Comment peut-on s'arranger de ça ? La date du départ était fixée, le courrier était trop long pour apporter un éclaircissement.

Simone pensa que le bateau la reposerait et lui donnerait le temps de se préparer.

« Je t'assure que tu avais le même regard, celui que tu prends quand tu ne veux pas que je te questionne.

— J'ai tout de même le droit d'avoir ma vie.

— Il ne s'agit pas de ça.

— De quoi s'agit-il alors ?

— De nous deux.

— Nous deux on s'entend bien, non ? »

Jean-François, en riant, avait pris Simone dans ses bras et faisait mine de danser avec elle un slow ravageant. Elle riait aussi.

« Et toi, grande garce, le défilé, Angèle, ton accouchement, tout ça... tu m'en avais parlé, peut-être ?

— Ce n'est pas pareil.

— C'est pire.

— Je n'ai pas envie de discuter. Il fait trop beau. Et puis tu sais qu'on a promis à Hans et à Heidrun de les aider ce matin. »

204

Ils continuaient à danser dans le silence. La lumière était belle ce jour-là, toute dorée.

« Tu sais comment ça se passe la tonte des moutons ?

— Pas la moindre idée.

— Bon, allons-y, ça va être une corrida ! »

La pluie de ces derniers jours avait nettoyé la moindre brindille d'herbe, le moindre caillou, la moindre branche. La nature reluisait au soleil, fraîche. Le paysage était serein, lumineux. Par-delà les troncs des grands arbres qui bordaient le chemin, Simone et Jean-François pouvaient voir d'un côté la mer étale et de l'autre les vallons verdoyants coupés de haies courtes.

Hans et Heidrun avaient commencé à rassembler les moutons dans la cour de la ferme, close de hauts murs de pierre grise. On entendait, derrière, le troupeau bêler avec entêtement.

« Il en reste cinq ou six qui se sont échappés du côté de la rivière, leur dit Hans par le portail entrouvert. Essayez de nous les attraper. Nous, on commence à travailler avec le tondeur. »

Au bout d'une heure, Simone et Jean-François étaient enfin parvenus à faire entrer les moutons réfractaires. Ils étaient épuisés, pas seulement d'avoir couru comme des fous après les bêtes, mais surtout d'avoir ri à en pleurer. Les moutons leur échappaient sans cesse. A chaque fois qu'ils croyaient les avoir tous coincés contre le mur d'enceinte, l'une des bêtes trouvait une faille, un passage à travers la défense organisée par Jean-François et Simone qui avançaient vers eux jambes et bras écartés, munis de bâtons et poussant des cris terribles. Les moutons leur faisaient front, piétinant nerveusement le sol, butés. Dès que l'un d'eux parvenait à s'échapper, aussitôt les cinq autres suivaient et tout était à recommencer. Jean-François et Simone s'affalaient dans l'herbe, à bout de souffle et pris par le fou rire.

« On n'y arrivera jamais !

— Cette fois on va essayer en prenant par la gauche. »

Finalement, ils y arrivèrent et, une fois le portail refermé sur leurs victimes, ils s'assirent un moment sur une grosse pierre pour reprendre haleine. Au bas de la prairie la rivière coulait rapidement. A cet endroit les berges étaient envahies de roseaux et d'iris jaunes.

« On s'est bien amusés.

— Oui, mais c'est pas tout. Maintenant faut entrer là-dedans. »

A l'intérieur, le troupeau entassé n'arrêtait pas de bêler. La tonte s'opérait dans une petite remise adossée à la grange. Heidrun apportait des bouteilles de bière.

« Vous en avez mis un temps ! Vous feriez de fameux fermiers ! »

La bière était bonne.

Présentations au tondeur qui s'appelait Michael Thorton et qui, apparemment, n'en était plus à sa première bière ; Hans aussi avait les joues rouges et la voix forte.

Il s'agissait d'attraper un mouton, de l'immobiliser et de le diriger vers Michael et Hans. L'animal se débattait, mais dès qu'il sentait sa capture inévitable il devenait de bois, ne bougeait plus, n'avançait plus, ne reculait plus, il fallait le pousser, le tirer, le traîner, le porter. Une fois entre les bras des deux hommes il se laissait mettre sur le dos et ne bêlait que faiblement. Dans sa tête noire, ses yeux noirs, épouvantés, roulaient comme deux billes d'obsidienne. Hans maintenait les pattes comme il pouvait. Le tondeur manipulait la bête avec dextérité. Avec des ciseaux trapus, de couleur terne, dont seul le tranchant luisait dangereusement, il attaquait la fourrure. Les lames qui se croisaient, triangles courts et pointus, s'enfonçaient dans la laine épaisse et coupaient. Dans la grosse toison sale, couleur de caillasse claire, s'ouvraient de tendres vallées neigeuses, des falaises de beurre frais, toute une géographie de duvet ivoirin qui rappelait l'agneau, le petit, le fragile.

Michael, après chaque lampée de bière, taillait à qui mieux mieux. Parfois, aux endroits difficiles, sous les pattes ou à la naissance de la queue, là où la toison est si crotteuse qu'on la croirait faite d'argile, il enfonçait le ciseau de travers et coupait une longue estafilade dans la peau rosée et impudique de l'animal.

« Mais vous lui faites mal, disait Simone.

— Il ne sent rien », répondait Hans avec assurance.

A la fin le mouton indécent, ridicule, laid, son court pelage tailladé de coups de ciseau irréguliers, était remis sur ses pattes. Il était à la fois chauve et hirsute. Il mettait une seconde pour comprendre qu'il était libre et détalait alors pour rejoindre les autres.

C'était au tour du suivant. Une brebis souvent, dont le petit restait sur le pas de la porte à se plaindre sans arrêt.

Les dépouilles, sortes de manteaux plats auxquels le suint tenait lieu de couture, ressemblaient à des vêtements abandonnés. Michael les roulait en boules serrées qu'il entassait dans un coin.

Histoire de Mary MacLaughlin (suite)

Le bébé de Mary est né en septembre : un garçon. Un fils silencieux comme Mary, avec des cheveux noirs et des yeux bleus, comme Billy. Elle l'appela Sean, comme son père.

Deux mois plus tard, un matin de bonne heure, Mary conduisait son fils chez une nourrice et commençait son service au dispensaire du docteur Stone, à Brooklyn.

C'était la fin du mois de novembre, il faisait froid.

Du centre de la rue principale, à intervalles réguliers, sortait une fumée que le froid blanchissait et épaississait. Volutes compactes fusant du sol, émanations livides des entrailles de la ville, procession de bardes crayeux, vieux fantômes d'écumes.

Mary marchait vite. Elle n'aimait pas être en retard. Surtout le premier jour. Elle se sentait légère, trop légère. Elle savait que des millions et des millions de femmes faisaient ce qu'elle venait de faire : laisser leur enfant chez une nourrice. Elle savait qu'elle récupérerait le sien ce soir. Elle savait qu'elle aimait son métier. Elle savait même qu'elle préférait son métier d'infirmière à son métier de mère. Mais, à cause de cela peut-être, elle se sentait vide, écœurée.

Elle s'enfonça dans les ruelles qui la conduisaient au dispensaire. Trottoirs défoncés. Flaques. Echelles de secours rouillées. Briques et fers corroyés par l'air qui sent le métal. Passants pressés. Le jour gris se lève. Les rats rentrent dans les bouches d'égout.

Sean est vigoureux, il boit bien ses biberons. La nourrice est sérieuse et un arbre pousse dans sa cour.

Le dispensaire est allumé, il occupe le rez-de-chaussée et le premier étage d'un immeuble de béton.

« Bonjour, Mary.

— Bonjour, monsieur.

— Je vais vous présenter aux autres. La consultation commence à huit heures précises. »

Dès l'ouverture des portes débute le défilé de la misère. L'un après l'autre passent les diabétiques, les ulcéreux, les anxieux, les pulmonaires, les vieux, les scrofuleux, les grippés, les chômeurs, les eczémateux, les variqueux du quartier. Presque tous des Irlandais qui se sont regroupés là pour avoir moins froid, moins peur, moins mal. Mais certains viennent de loin, ils ont fait des kilomètres dans la nuit verglacée pour retrouver ceux de leur peuple. Il y a aussi quelques Noirs.

Onze heures. C'est l'heure de promener Sean. J'espère que la nourrice n'oubliera pas de lui mettre son chandail blanc. Je l'ai rangé dans le sac à biberons.

Plaies, furoncles, peaux sèches, regards fiévreux, crachats, toussotements. Le tout-venant de la souffrance urbaine se présente. A la queue leu leu.

Mary a retrouvé l'univers qui lui plaît, celui à l'intérieur duquel elle sent qu'elle existe. Le travail au dispensaire lui paraît plus intéressant qu'à Sligo car il est divers. La médecine générale c'est impressionnant, pensait-elle. A Sligo j'étais protégée par ma spécialité, ici je vois tout.

Quatre heures. C'est l'heure où Sean se met à gazouiller. J'aime tant quand il fait ça. J'espère que la nourrice l'écoutera.

Mary admire les boîtes métalliques qui sortent de l'autoclave. Dedans il y a la gaze, les pansements, et tous les instruments : des pinces, des ciseaux, des bistouris, des aiguilles... Outils d'acier qui brasillent, qui effraient à cause de leurs formes archaïques. Au bout de millions d'années l'homme s'est inventé les serres, les becs, les spatules, les crocs, les griffes, les dards, les aiguillons qui lui manquaient pour couper, ouvrir, gratter, scier, piquer le corps humain. Pour le soigner. Après l'avoir combattu avec des armes comparables mais plus barbares. Celles-là sont raffinées, longues, oblongues, barlongues, sveltes, fortes et curieuses, comme la pensée fureteuse qui les a mises au monde.

Six heures. Le dispensaire ferme. Mary range, dit : « A demain », et court pour retrouver Sean.

Mon fils, mon enfant, mon garçon, ma beauté, ma joie! Comme je t'aime! Comme nous nous aimons! Comme c'est bon de se retrouver!

Sept heures et demie. La chambre est tiède, elle est juste assez grande pour eux deux. Mary bavarde sans arrêt avec son enfant qui l'écoute, qui la suit du regard pendant qu'elle prépare le bain. Il gigote dans l'eau, il aime ça. Il s'agrippe à sa mère, après, comme un petit singe et pleurniche quand elle le pose pour pouvoir mettre les couches à tremper, prêtes à être lavées en vitesse demain matin. Les biberons à stériliser.

Neuf heures. Sean boit son lait avec avidité. La transpiration perle à son front et sur sa lèvre supérieure. Il
pousse de gros soupirs et s'endort. Mary le réveille pour
qu'il termine sa bouteille, sinon il pleurera cette nuit.
Dans le silence de leur solitude feutrée on entend l'enfant avaler des gorgées régulières.

Dix heures. Mary s'est couchée avec un livre de médecine. Elle a acheté tous les ouvrages nécessaires pour
préparer sa troisième année. Il se peut que ce soit une
bêtise, car les études ne se font probablement pas ici de
la même manière. Il faut qu'elle s'occupe de ça. Cet été
l'université était fermée. Le sommeil la gagne. Elle fera
ses études. Elle y arrivera. Elle s'endort. Elle voit une
plaque dorée sur sa porte : Docteur MacLaughlin. Sean
va dans un bon collège.

Six heures du matin, le réveil sonne! Sean a faim!
Debout! Vite!

Le bonheur! Mary est heureuse. Elle aime Sean. Elle
aime le dispensaire. Elle n'a pas le temps d'ouvrir ses
livres d'études. Elle n'a pas d'argent : une fois payés la
nourrice, les charges et le loyer, il ne lui reste plus rien.
Cela n'a pas d'importance. Ce qui est important c'est
que sa vie soit pleine à craquer de choses qui lui plaisent.

D'ailleurs elle a embelli, son regard est plus tendre,
son corps est plus souple, sa démarche plus libre. Le
côté sévère de Mary a disparu. Elle sourit toujours. Aux
visites du dispensaire, les malades lui apportent des
fleurs, du chocolat, des babioles pour Sean. Elle est
aimée. Les médecins et les infirmiers lui font la cour.
Elle a un faible pour un interne blond qui lui rappelle Jérémy. Ils déjeunent ensemble tous les midis et parlent
de médecine. Il n'y a pas de place pour un homme dans
sa vie. Plus tard... elle verra. Où le caser? Quand le caser?

Sean pousse sans histoires. Il est grand et fort pour
son âge. Il n'est jamais malade. A six mois, il a ses

premières dents. A un an, il commence à marcher. A deux ans, il parle. Il est normal. Il est au centre de la vie de Mary qui le trouve beau, intelligent, sage, mignon, gentil, doux, drôle...

Quatre années passent comme ça, faciles, rapides, sans problèmes, sans une seconde vide.

Jusqu'au jour où Mme Dunaher amène sa fille à la consultation parce qu'elle a des douleurs dans les jambes.

Miss Dunaher s'appelle Mélanie, elle a dix-huit ans. Comme c'est la première fois qu'elle vient, Mary reste un long moment avec elle pour dresser sa fiche : date de naissance, adresse, le poids, la taille... la routine. Mary pose des questions qui la mettent en confiance et prépare le terrain pour le docteur Molson qui va recevoir Mélanie.

Mélanie a des yeux jaunes et tristes, elle est gentille. On dirait qu'il y a en elle une peine enfouie, un chagrin dissimulé qui lui donne, par instants, un regard pailleté, chaque scintillement de paillette était un silencieux appel au secours.

Mélanie passe devant le docteur Molson qui l'ausculte, consulte la fiche préparée par Mary et conclut :

« Un peu de fatigué, un peu de rhumatisme peut-être. C'est pas grave. »

Il ordonne des vitamines et un anti-inflammatoire.

Mary n'est pas d'accord, elle pense que Mélanie est malade, qu'il faudrait lui faire subir un examen complet, une prise de sang, une vérification des réflexes. Elle se permet de faire remarquer au docteur Molson que Mélanie a été prise de maux de gorge et de vomissements ces derniers temps. Mary a une idée derrière la tête. Pas le docteur Molson.

« Oui, elle est fatiguée. Huit jours de repos et on n'en parlera plus. »

Mary regarde partir Mélanie et sa mère. Il y a une alarme dans son esprit et puis elle n'a plus le temps de s'en occuper, elle a tant de malades à préparer !

Trois jours plus tard, Mélanie revient, elle dit qu'elle a de plus en plus mal aux jambes et Mary remarque qu'elle s'assied maladroitement sur le petit tabouret. Le docteur Molson est pressé, il doit aller faire une visite dans le quartier et c'est parce que Mary insiste qu'il reçoit Mélanie, mais avec agacement. Il ne trouve rien de nouveau et, après avoir rédigé une autre ordonnance, pendant que Mélanie se rhabille, il dit à Mary :

« Elle doit être amoureuse. A mon avis, c'est sa seule maladie. »

Mary sait qu'il a tort. A son avis Mélanie a une grave maladie à virus, dans le genre poliomyélite. Mais elle ne peut se permettre de contredire le docteur.

Une semaine plus tard, Mme Dunaher est à l'ouverture du dispensaire : Mélanie a passé une très mauvaise nuit, elle n'arrive même plus à se tenir assise dans son lit. Mary prévient le docteur Molson qui ne peut pas se déranger, elle demande l'autorisation d'y aller. Le docteur Molson ne demande pas mieux que de se débarrasser de cette corvée.

En quelques jours l'état de Mélanie s'est terriblement détérioré, elle est molle comme une poupée de chiffon, ses muscles ne fonctionnent plus. Elle ne contrôle plus ses jambes ni sa vessie, ses bras bougent mal, ses doigts sont maladroits et, d'un côté du visage, ses traits se tirent. Mary, en voyant Mélanie, sent en elle une sorte de fierté : elle avait raison. Elle ausculte Mélanie, contrôle ses réflexes qui sont inexistants, sa capacité thoracique qui est dangereusement réduite. Mary éprouve en elle une solidité de montagne. Les gestes qu'elle fait, son attention, sa vigilance, font partie de ce qu'il y a de plus profond en elle, ils viennent de son essence, ils ont leur source dans un instinct qui lui est propre.

Elle téléphone au docteur Molson :

« Il faut hospitaliser Mélanie Dunaher immédiatement.

— Qu'est-ce qui se passe ? Elle fait une dépression ?

212

— Non. Il faut pratiquer une ponction lombaire tout de suite.

— Une ponction lombaire ? Pour quoi faire ?

— Je diagnostique une polio.

— Mais de quoi vous mêlez-vous ? Vous diagnostiquez ! Une polio... Vous êtes folle ?

— Excusez-moi, docteur. J'ai parlé maladroitement. Ça m'a échappé, je vous prie de m'excuser... Son état est alarmant, je vous assure qu'il faut l'hospitaliser. »

Elle explique pourquoi.

« C'est bon. Commandez une ambulance et passez prendre une fiche d'hospitalisation au dispensaire, je vous la signerai. Qu'on la mette en observation... Vous êtes une très bonne infirmière, Miss MacLaughlin, mais vous n'êtes pas médecin... Il me semble que certains jours vous l'oubliez... »

Dans l'après-midi, les résultats de la ponction faite à l'hôpital parviennent au dispensaire. La communication est pour le docteur Molson. Top secret. Personne d'autre. Mary enrage : le docteur Molson est occupé par une urgence. Attendre une demi-heure. Puis appeler le laboratoire : « Ne quittez pas, je vous passe le docteur Molson. » Molson joue le jeu : personne dans son bureau, il fait sortir Mary. Il la punit. Elle a de la peine. Elle prépare le patient suivant. Molson l'appelle : « Un beau cas de Guillain et Barret, je m'en doutais ! »

La maladie de Guillain et Barret est une cousine germaine de la poliomyélite...

C'est ce jour-là, par l'histoire de Mélanie Dunaher, que la révolte et l'ennui se sont éveillés en Mary. Ensemble. Colère contre Molson vite étouffée par le « c'est comme ça » de l'évidence, le « c'est la nature des choses » de la bêtise.

Ben oui, c'était comme ça. Elle était infirmière, elle n'était pas médecin. Il n'y avait rien à dire à ça.

Et pourtant, d'aussi longtemps qu'elle s'en souvenait, elle avait toujours eu avec le corps des rapports importants. Elle avait l'intelligence du corps, elle le sentait, elle le pressentait. Quand elle était petite elle regardait les brebis accoucher. Ce qui l'intéressait c'était ce que faisait le corps de la mère, puis le corps de l'agneau, ce n'était pas la naissance telle qu'on a coutume de la célébrer. Le merveilleux n'était pas abstrait pour Mary, et le mystère existait, tout comme la matière qui le porte, le transmet. La matière était porteuse de la perfection. Et le corps était une matière splendide où les correspondances du tangible et de l'intangible ne cessaient de s'effectuer. Chaque corps avait sa vie propre et Mary en avait l'intuition. Les études qu'elle avait faites et la pratique qu'elle avait maintenant de son métier, avaient aiguisé cette intuition. C'était par là qu'elle s'exprimait le mieux, qu'elle existait le plus. Elle voyait venir un malade dans son service. Elle le regardait, elle ne parlait pas ; quelque chose passait de lui à elle qui était déjà une compréhension de son malaise.

Mary était un excellent médecin, mais elle n'était pas médecin.

Reprendre mes études. Exercer complètement mon métier. Oui, mais comment faire ? Où trouver le temps ? Où trouver l'argent ?

Sean était un enfant en bonne santé. Il avait quatre ans passés, il allait au jardin d'enfants de son quartier et le soir, quand Mary le prenait chez sa gardienne, il se mettait à parler sans arrêt, il lui racontait sa journée. Mary était attentive à ce qu'il disait car elle savait que, par ailleurs, il était peu bavard. C'était donc qu'il lui réservait sa parole, sa réflexion ; il ne fallait pas manquer à sa confiance. Il mettait sa petite main dans celle de sa mère et tout le long du chemin il bavardait. Il s'arrêtait quand ils entraient dans un magasin pour faire des courses et il reprenait ensuite.

A la maison c'était pareil, il ne la lâchait pas. Il savait déjà faire des tas de choses pour l'aider : un peu de ménage, un peu de vaisselle, et ranger ses affaires.

Le samedi et le dimanche, ils sortaient ensemble. Chaque semaine c'était une fête... Jusqu'à l'histoire de Mélanie Dunaher. Ce dimanche-là, pour la première fois, Mary pensa que Sean était une charge. Elle éprouva une telle honte d'avoir pensé ça que toute la semaine qui suivit elle fut malade, des maux de tête, des nausées... et elle redoubla d'attentions pour Sean qui en profita pour faire un caprice et décréta qu'il ne voulait plus aller à l'école!

Tout tournait mal.

Que Sean n'aille plus à l'école, cela signifiait qu'il fallait payer la gardienne à la journée, cela représentait une somme astronomique. Ce n'était pas possible. Du coup Sean reçut sa première fessée...

Mary venait d'emménager dans un deux-pièces, cuisine, salle de bain, qui lui coûtait les yeux de la tête. Sa chambre était devenue trop petite pour Sean et elle. Sur le moment, ce déménagement ne lui avait pas paru être un luxe. Maintenant, elle calculait qu'avec un loyer moins élevé elle pourrait confier Sean à la gardienne le samedi et consacrer toute cette journée à ses études. Plus quelques heures prises sur le sommeil, par-ci, par-là, et elle y arriverait peut-être. Seulement voilà, elle avait signé un bail d'un an. Elle était vraiment bête. Du coup elle prit son appartement en grippe. Elle abandonna la peinture des placards de la cuisine qui restèrent gris à l'intérieur. Tant pis! Assez de dépenses. Pour ne pas charger Sean elle oublia qu'elle avait choisi cet appartement parce qu'il donnait sur une rue ensoleillée et qu'il y avait trois arbres dans le terrain de jeu des enfants, ce qui était un luxe à New York. Elle préféra se traiter d'imbécile.

Maintenant Mary était souvent fatiguée. Le soir elle s'allongeait sur son lit, elle n'avait pas envie de préparer le dîner, pas envie de faire le ménage. Il fallait faire ça quand même, alors elle le faisait de mauvaise grâce. Sean parlait moins, il restait dans sa chambre à jouer tout seul. Depuis qu'il allait à la grande école, il s'était fait des copains et, les soirs d'été, il restait jouer dehors, dans la rue, avec eux.

Mary avait vingt-huit ans, vingt-neuf ans, trente ans... elle s'ennuyait souvent. Ses flirts au dispensaire ne la distrayaient plus. Son travail était une routine. Comment faire pour reprendre ses livres ? Elle n'avait pas d'argent. Tout coûtait cher : la nourriture, les vêtements, le loyer, les vacances de Sean, l'électricité, le gaz, le chauffage, tout !

Prendre un mari ? Pour quoi faire ? Epouser un médecin, ce n'est pas être médecin. Alors épouser un infirmier, le comptable qui la regarde amoureusement, un employé, un ouvrier qui vient à la consultation avec des fleurs ? Ce seraient les mêmes difficultés, avec encore plus de ménage et probablement un autre enfant. Qui accepterait de la prendre avec Sean pour qu'elle se remette à ses études ? Que faudrait-il payer en échange de ce dévouement ? Mary veut exister, elle ne recherche pas une plus grande sécurité.

Elle se méfie des autres femmes et ne les envie pas. Elle n'a jamais regretté son choix, son départ. Elle aime Sean et Sean l'aime, elle ne voit pas la nécessité d'une autre vie. Elle observe les femmes au dispensaire. Des femmes de tous les âges. Celles qui ont trente ans, trente-cinq ans, quarante ans... elles sont usées, gommées. Elle vivent par procuration. Elles sont la femme de X, la mère de Y et de Z. Mais qui sont-elles en vérité ? Des architectes, des ingénieurs, des chimistes, des ouvrières du bois, des chaudronnières, des électriciennes, des musiciennes ? Qui le sait ? Elles ne le sauront jamais.

Elles attendent. Elles attendent quoi ? Le mari, les enfants, les petits-enfants, la mort. Elles ne savent même pas qu'elles s'attendent elles-mêmes. Elles se balancent dans leur chaise berceuse, en tricotant, en reprisant, pour ne pas perdre de temps. C'est précieux le temps de ces femmes, il ne faut pas en laisser échapper une miette. Tout est bon à prendre dans leur temps. Quand elles meurent, si leur temps a été bien grignoté, bien bouffé, bien consommé, on dit qu'elles ont été de braves femmes, qu'elles ont eu une bonne vie de femme.

Mary pense à sa mère. Elle a pour elle une compassion qui lui fait venir les larmes aux yeux. Qui peut-elle être? Il se pourrait qu'elle soit un peintre. Mary se rappelle l'acharnement qu'elle mettait à décorer les gâteaux d'anniversaire... Et l'encadrement de la porte d'entrée qu'elle peignait chaque année de couleur différente. Une année jaune, une année verte, une année noire. Une année rose, et son mari disait en lui pognant le cul qu'il vivait dans une maison de poupée... Peut-être un médecin, elle aussi, elle s'y entendait mieux que le père pour soigner le bétail.

Le temps de sa mère, quelle cadence! Depuis tant d'années à ce rythme! Ses grosses mains qui gonflaient sur ses cuisses, comme deux beignets, les jours de fête, quand on l'obligeait à s'asseoir. Inutiles, rouges, maladroites dans le repos. Le corps de sa mère... cette bête de somme. Belle de tout ça? Laissez-moi rire! Moche, oui! Foutue, esquintée, éreintée, attaquée de partout. Vieille avant l'âge, pas belle à regarder, mais solide, experte, active, capable... et bornée, aveugle, obéissante. Dressée...

Tout ça parce qu'elle avait un enfant. Et pourquoi ne pourrait-elle pas avoir un enfant et être elle-même? Qu'est-ce qu'il y avait de mal à ça? Pourquoi était-ce impossible? Pourquoi toujours ce choix : lui ou moi? Si je l'aime, je ne peux pas m'aimer? Pourquoi? J'aime Sean. Je l'aime plus qu'aucune autre personne et je sais que je l'aimerai toujours, mais pourquoi me forcer à l'aimer plus que moi-même? Qu'est-ce que c'est que ce crime?

Dans le fond, Mary n'est pas chrétienne, le sacrifice ne l'excite pas, la souffrance ne la tente pas, elle ne les trouve pas rédempteurs. Au contraire, viscéralement, elle a de la répugnance pour eux.

Quand Mary est en proie à ces pensées, en même temps, elle a honte, elle a l'impression de renier Sean, de l'abandonner. Alors que ce n'est pas vrai : elle aime Sean et ne souhaite pas d'autre compagnie que la sienne.

Coupable. Pensées coupables. Désirs coupables. Mary est coupable. Elle se sent mauvaise, anormale, scandaleuse, indigne de son fils qu'elle se met à dorloter, à gâter. Il faut que Sean soit le mieux habillé, le mieux élevé, le mieux instruit, le mieux nourri. Ce qu'elle ne peut pas faire pour elle, elle le fera pour lui. Sean sera un grand médecin, le plus habile chirurgien, son diagnostic sera fulgurant.

Mary, jour après jour, découvre et revêt toutes les pièces de l'uniforme maternel. Ample vêtement fait pour habiller les gros seins, le ventre généreux, les grandes fesses de la maman. Sous cet amas onctueux, vernissé par les larmes de l'amour désintéressé, animé par le don de soi, Mary la violente, Mary le docteur, Mary la gymnique, Mary l'intellectuelle, Mary qui aime son enfant de toutes les fibres de son corps, s'étiole et s'ennuie.

L'ennui est devenu l'univers de Mary. Il bat comme une migraine dans sa tête. Il place sous sa vie laborieuse de longs toboggans, à peine inclinés, qui n'en finissent pas de descendre. Les jours n'ont aucun goût, aucun parfum, aucune aspérité, ils se ressemblent tous et leur insignifiance est lourde. Chaque heure est épaisse, la vivre est fatigant. Non seulement Mary ne progresse plus, mais, même, elle régresse, et ce piétinement, cette lutte contre rien, l'accable. Elle est lasse et elle verse les beaux pleurs de la mère parce que Sean ne travaille pas bien, parce qu'il a déchiré son pantalon neuf qui avait coûté si cher, parce qu'il ne range pas sa chambre. Dans ses larmes douces elle trouve un réconfort, elles sont une éclaircie dans le gris de l'ennui. En fait, ces larmes sont les croque-morts des désirs de Mary, elles enfouissent ses espoirs, elles sont les fossoyeuses de sa jeunesse. Elles scellent sa cage et l'enferment à double tour dans la résignation.

Derrière les barreaux de sa prison, d'où elle ne tente plus de s'évader, elle vit la plus grande aventure qu'un être humain puisse vivre : muette, sourde, aveugle, elle entend cependant tout, voit tout, comprend tout. A cause de son isolement et de sa méditation inexprimée, pousse en elle la fleur hydrocéphale de la sagacité. Elle sait le mensonge, la dissimulation, le théâtre, la comédie, le cinéma. Elle connaît les supplices, les viols, les tortures. Et elle se tait. Et elle ne bouge pas. S'exprimerait-elle qu'on la ferait taire et la paralyserait, on lui ferait honte publiquement. Alors elle n'agit pas, mais elle regarde. Double face! Mary double face! Mary la voyeuse!

Avant, elle savait l'intrusion des microbes et la vigilance des lymphocytes. Elle savait leurs guerres exterminatrices, leurs combats sans merci, et les cicatrices qu'ils laissaient. Maintenant, tapie au fond des impasses de ses yeux, de ses oreilles, de sa bouche, de son nez, des pores de sa peau, elle est aussi la spectatrice des querelles des individus et de leurs dérisoires victoires. Elle voit leurs grossières stratégies, leurs règles mesquines. Elle entend leurs prétentieux discours. Elle sait la lourdeur des humains, leur balourdise, et elle assiste à leurs envols avortés.

Pour conquérir l'esprit ils ont abandonné le corps. Comme si on pouvait les séparer! Ils croient qu'ils ont maîtrisé le corps et que maintenant ils vont conquérir le reste! Il faut être prisonnière du corps comme l'est Mary pour comprendre la crétinerie d'une telle entreprise. Qu'un seul signe de l'esprit, un mot, un rêve, une pensée, entre dans le corps à son insu — et c'est facile car le corps a une infinité de seuils — qu'il s'y installe, qu'il y prenne ses aises ou même qu'il ne fasse qu'y passer, et voilà le corps changé. Mary sait bien les ravages opérés en elle par le mot mère, par la pensée de la mère, par le rêve instruit de la mère, par l'idée fabriquée de la mère. Elle sait comment la mère l'a corrompue et a envenimé ses rapports avec Sean. Elle sait que maintenant elle est épuisée, qu'elle est amputée de son espoir et que Sean est livré aux humains imbéciles. Elle ne peut que mourir à sa propre vie.

Mary la solitaire est seule comme elle ne l'a jamais été.

La solitude est une machine à broyer les humains qui la craignent plus que tout au monde. Afin d'éviter d'être entraînés dans sa rotation ils se groupent, s'associent, s'assemblent, s'accrochent les uns aux autres, dorment dans le même lit, s'étreignent, s'attachent, se lient, se ligotent, s'accouplent. Ils capturent des animaux et construisent des engins rapides pour se garder d'elle et la fuir. Ils cherchent l'autre partout pour ne pas rester seuls, pour être deux, plusieurs, beaucoup. Mais la solitude est perspicace et, malgré le poids et la complexité de sa machinerie, elle a la finesse et la subtilité des songes. C'est par bals entiers, couple après couple, par trains entiers, le conducteur et tous les voyageurs, par immeubles entiers, les bonnes à tout faire, les étudiants et les familles, par usines entières, le patron avec ses ouvriers, qu'elle engloutit les hommes dans ses entrailles. L'un après l'autre, en prenant son temps, elle a tout le temps, elle les aplatit, les équarrit, les étripe, les décervelle, conditionne, puis elle les relâche, tous semblables, comme des jumeaux, et cependant armés pour s'entre-tuer, ils ne savent même pas pourquoi : la machine ne leur a pas délivré de message.

Mary est seule, mais elle ne veut pas entrer dans la solitude, elle se bat à contre-courant. Sa résignation n'est pas absolument totale. Elle ignore la raison de sa résistance, mais elle ne veut pas ressembler aux autres.

Elle s'aime encore un peu en aimant encore son métier.

Elle vient d'être nommée infirmière en chef. Elle a trente-quatre ans. Ce nouveau grade, c'est plus d'autonomie : elle n'est plus attachée à un médecin particulier, elle dirige plusieurs infirmières et infirmiers qui assistent des médecins différents.

C'est plus d'autorité. Elle peut signer certaines ordonnances et recevoir seule certains patients. Elle est presque médecin. Presque.

C'est plus d'argent aussi. Et ça, c'est un changement important. Elle peut inscrire Sean, qui a dix ans, à un club de jeunes où il est occupé à ses heures de loisirs. Elle est moins anxieuse puisqu'il n'est plus dans la rue. Elle est plus libre d'être elle-même.

« Tu sais, l'argent, disait Simone à Jean-François, avec les enfants, les fins de mois, le loyer, les notes de gaz et d'électricité, quel cauchemar !

« L'argent, le pognon, le fric, les picaillons, le flouze, le pèze, les sous, merde alors, quelle histoire ! Toujours derrière toi les pépètes, à te talonner, à te harceler. Tout coûte de l'argent bon sang de bonsoir, tout !

« Les amoncellements de boustifailles et de fringues dans les vitrines des rues, ça coupe le souffle, ça fait rêver. Mais pas rêver à des contes de fées. Rêver que je pourrais voler ou me prostituer. Et ça n'est pas un cauchemar, c'est bien un rêve : avoir de l'argent, à n'importe quel prix. Pour acheter des chandails, des souliers, de la belle viande rouge, ou la machine à laver qui m'épargnerait les lessives. Je vais dans un grand magasin, je les regarde fonctionner, les machines à rotation horizontale, les machines à rotation verticale. Il y a une fenêtre à travers laquelle je vois le linge brassé, battu, rincé. J'emporte les prospectus chez moi, je les lis, je les relis. J'invente ma vie avec cette machine-là : un rêve.

Pas le premier centime pour la payer. Pourtant je suis sage, j'élève bien mes enfants, je travaille fort, je ne perds pas mon temps, je fais même des économies, alors comment se fait-il que je sois punie comme ça ? Qu'est-ce que j'ai fait au bon Dieu pour que ce soit si dur ?

« Ils s'endorment, je veille. Ils ont mangé des nouilles avec de la margarine pour dîner. Je les avais mises à rissoler dans le fond pour que ça fasse doré, appétissant. Ils dorment. Ils ont ri comme des fous pendant le dîner et ils ont le ventre rempli par cette plâtrasse de pâtes. Moi je pense qu'il faut qu'ils mangent des biftecks. J'ai le devoir de leur faire une santé. C'est peut-être le seul devoir que j'aie à leur égard. Mais, au prix où elle est, je ne peux acheter de la viande qu'une fois par semaine. Un jour des œufs, un jour du poisson, un jour de la viande, un jour du poulet, un jour du gâteau, un jour de la charcuterie, et un jour rien. Aujourd'hui, c'était le jour sans rien. Je ne peux pas faire autrement. Ça me taraude cette nécessité que j'éprouve de les nourrir, de les vêtir, de les protéger, ça m'empêche de penser à quoi que ce soit d'autre. Ça grignote toute ma vie. On appelle ça de l'instinct maternel. Et pourtant je ne vois pas ce qu'il y a d'instinctif là-dedans. Ce que je sens, c'est cette responsabilité que j'ai prise, sans m'en rendre compte, de mettre sur la terre trois vies nouvelles. Mes enfants, c'est de la vie, c'est de la mort en puissance, ce sont des forces, des rythmes, des lignes, des élans, des inventions, des bonheurs, des chagrins, nouveaux. Je vois la vie à travers eux, ils en sont pleins, je ne peux pas ne pas la voir, elle est là.

« La société des humains, celle où nous vivons, c'est une jungle. Je ne peux pas les abandonner dans la jungle, ils seraient dévorés tout de suite. Si je ne veux pas qu'ils soient dévorés, ce n'est pas parce que je suis leur mère, c'est parce que je suis un être humain comme eux et que je connais des défenses, des abris, des plages sûres où ils pourront grandir, trouver leur force, exister par eux-mêmes ensuite, et entrer dans la jungle pour vivre leurs destins... Je ferais ça pour n'importe quel être en péril.

« Pourquoi faut-il qu'un être humain qui en protège d'autres n'ait plus droit à la vie ? La jungle est-elle encore plus épaisse et méchante que je le crois ? La vie est-elle si belle qu'on doive lui sacrifier sa propre vie ? Est-ce comme ça qu'elle se propage la vie, en se détruisant elle-même ? Est-ce ça la vie : l'autodestruction ?

« En plus, me sentir coupable de penser ça. Femme-mère : je ne connais pas de tenailles plus contraignantes, de pinces plus coupantes, de cisailles plus mutilantes. Et que ces outils soient ma parure, c'est encore ça le plus inacceptable. Admirée, reconnue, respectée, aimée, parce que je suis amputée de moi-même par le burin de l'amour, par la lime des baisers, par la gouge de l'attention, par le poinçon de la dilection, par la tarière de la maternité, quelle absurdité !

« Il y avait des jours où je te haïssais parce que tu pouvais, sinon exister, du moins chercher à exister. Tu en avais le droit malgré tes trois enfants. A cause d'eux tu en avais même presque le devoir. De ton épanouissement viendrait notre sécurité. Avec de l'argent que tu aurais gagné et que je dépenserais pour prouver mon existence. Je détestais cette situation et ce maudit argent qu'il fallait d'abord que je possède.

« J'ai volé. Au supermarché, je faisais passer les étiquettes d'une boîte à une autre, d'une bouteille à un paquet : 2,70 au lieu de 2,85, 7,20 au lieu de 12,00, etc.

« Un jour, au moment même où j'allais sortir du magasin, un monsieur m'a arrêtée. Il a sorti sa carte : inspecteur, voulez-vous me suivre. Ils ont déballé mes achats, refait les comptes. Ils m'ont démontré que j'avais volé 24,80 F. Je le savais. »

« Il y a des télévisions qui filment les clients. On vous a vu changer les étiquettes.

— Vous vous trompez. J'ai choisi, j'ai hésité entre plusieurs articles. Je n'ai pas changé les étiquettes.

— Il y a pourtant six articles dans vos achats qui ont de mauvaises étiquettes.

— Ce n'est pas ma faute.

— Vous avez du toupet.

— Appelez ça comme vous voudrez.

— Vous avez du toupet. On dit que les femmes sont menteuses, mais alors vous... »

« Je savais que je n'avouerai jamais. Je ne me ferai pas punir pour ça parce que ce n'était pas du vol. Ça s'appelle chourer ou chouraver, ce n'est pas voler. C'est comme leurs dix cerises pourries au kilo, leur steak haché plein de gras, leurs yaourts avariés depuis trois jours et qui restent quand même au comptoir. C'est léger, léger, petits centimes à droite, petits sous à gauche. Prestidigitation papillonnante. Substitution arachnéenne. Tours de passe-passe flottants comme des fils de la Vierge. Mais ça change la vie. Ce jour-là les 24,80 F s'étaient transformés en un bœuf bourguignon à 24,60 F pour le lendemain. J'avais chouré vingt centimes. Fallait pas pousser. Ils voulaient me faire signer un papier comme quoi j'étais une voleuse. Ils étaient fous. Je n'ai rien signé. »

« En tout cas nous vous aurons à l'œil à partir de maintenant. »

« Qu'ils m'aient à l'œil ou au cul, ça m'était égal. Je changerais de supermarché, ce n'est pas ce qui manque dans les quartiers pauvres !

— Mais ce n'était pas à l'époque où tu travaillais pour l'homme ?

— Si, pourquoi ?

— Il aurait pu t'aider.

— Pourquoi es-tu cynique à ce point ? Tu as honte ?

— Un peu. Je ne me rendais pas bien compte. Ou je ne voulais pas me rendre compte...

— C'est la quotidienneté qui brise. Ce sont les comptes recommencés jour après jour qui viennent à bout des gens. Ce sont les repas irréalisables qu'il faut réaliser trois cent soixante-cinq jours par an qui te suppriment. Le sou qui manque il est énorme, on ne voit plus que lui, on ne pense plus qu'à lui, il te bouche l'horizon... Quant à l'homme... il n'a jamais rien su de ma vie privée. Je préférais me débrouiller toute seule. Les enfants ça peut manger de la viande enragée, c'est solide pour certaines choses. Mais pour d'autres... »

Histoire de Mary MacLaughlin (suite)

Mary était devenue un personnage important du quartier. Tout le monde la connaissait car tout le monde, pour une raison ou pour une autre, passait par le dispensaire dont elle était la grande ordonnatrice. Elle était invitée aux fêtes paroissiales et aux réunions folkloriques organisées par les Irlandais de Brooklyn.

Sean avait fait sa première communion et appartenait à la chorale de M. O'Calaghan. Il chantait de beaux chants rocailleux qui rappelaient aux déracinés de l'île les bardes et les alignements de pierres dressées sur la lande du pays. Le cœur de Mary se serrait quand elle entendait son garçon entonner cette musique.

Elle était impeccable. Ses cheveux étaient tirés en un gros chignon noir, luisant, sur lequel s'appuyait sa coiffe amidonnée. Sa tenue blanche, sans un pli, sans une tache, semblait architecturée sur son corps mince. Ses longues jambes ne parvenaient pas à être alourdies par les épais bas blancs. Elle paraissait incarner la force et l'hygiène. Elle avait appris à mêler une certaine mansuétude à sa réserve. Elle était belle et toujours un peu trop stricte.

Mary n'avait pas une mauvaise vie. Elle en convenait. Elle était une mère exemplaire, bien que Sean ne fût pas le fils dont elle rêvait car il n'aimait pas les études. Elle respectait son caractère et ne le forçait pas, à condition toutefois qu'il se montre correct en toutes circonstances. Elle n'aimait pas le laisser-aller et leur petit train de vie ne devait servir d'excuse à aucun désordre. Elle avait pris le parti de se contenter de ce qu'elle avait, elle ne regardait plus ni à droite ni à gauche, elle ne rêvait plus, mais dans son cantonnement tout devait marcher exactement à son pas. Elle ne s'ennuyait plus et elle était devenue ennuyeuse. Au dispensaire, elle était crainte et respectée.

Tout aurait pu continuer comme ça, jusqu'à sa retraite, si, un matin, Martin Dooley ne s'était présenté à la consultation dans un état abominable.

C'était un grand garçon de vingt-cinq ans, au corps dégingandé, à la chevelure emmêlée. Il était vêtu d'un blue-jean élimé et d'une chemise de soie beaucoup trop belle pour aller avec son pantalon et ses baskets éculés et gris de crasse.

Il gesticulait dans la salle d'attente, il tenait des propos incohérents. Deux patients s'étaient déjà sauvés prétendant qu'il était un fou dangereux. Jessica, la nouvelle infirmière de la réception, qui ressemblait à un petit vison, finit par aller déranger Mary parce qu'elle ne savait plus que faire de cet énergumène. Mary se fit amener l'agité.

L'homme était dans un état d'excitation et d'épuisement extrêmes. Il était incandescent, il brûlait de fièvre et d'anxiété. Sa seule défense contre la maladie et la peur était l'agression. Il avait l'insulte à la bouche et de la violence plein les bras et les jambes. Il prétendait, tout en marchant de long en large et en flanquant des coups de pied dans les meubles, à bout de souffle, que ce dispensaire était l'endroit le plus merdeux du monde, qu'il fallait être moins qu'un paquet d'ordures pour aboutir là, que les gens y étaient tellement moches qu'ils donnaient envie de dégueuler et que, du reste, la connerie et la laideur étaient universelles.

Mary en avait par-dessus la tête de ces vociférations. Son sang d'Irlandaise commençait à s'échauffer. Principalement à la vue du pot de géranium qu'il avait jeté sur son bureau, entraînant, dans une glissade terreuse, les dossiers minutieusement préparés des visites de la matinée. Il lui fallut toute sa volonté, qui était pourtant grande, pour ne pas se jeter sur ce type en train de saccager son domaine.

Mais cet homme était avant tout un malade — à Sligo elle avait souvent été au contact des agités — et il n'était pas question qu'elle perde le contrôle d'elle-même. Elle expédia Jessica chercher un verre d'eau et un calmant. Pendant ce temps il continua ses divagations brutales. Au retour de Jessica, Mary ajusta sa coiffe et d'une voix de stentor, qui fit rouler à Jessica des yeux encore plus ronds, elle hurla :

« Comment vous appelez-vous ? »

Il s'arrêta net et prit cette grande voix pour une bouée jetée au centre de sa tempête. Il regarda Mary comme s'il ne l'avait pas vue jusqu'alors et il s'affala sur un siège, tremblant de tout son corps, son visage très blanc couvert de transpiration. Elle vint vers lui avec l'eau et le comprimé qu'il avala d'un trait. Elle le regardait avec une grande intensité.

« Je m'appelle Martin Dooley. »

Mary sut qu'il y avait en lui deux urgences qui l'oppressaient également. L'une étant, toutefois, plus profonde que l'autre.

« Voulez-vous me suivre dans la pièce à côté, vous allez vous allonger un instant.

— Je ne suis pas malade.

227

— Alors, pouvez-vous me dire ce que vous faites ici?... Vous êtes malade, je vais vous soigner. »

Il la suivit et s'allongea sur la table à examen. Il se laissa faire par Mary qui commença par enlever ses chaussures, découvrant ses longs pieds osseux et glacés. Puis elle l'enveloppa d'une couverture blanche. Il grelottait encore. Elle le trouva immense. De ses yeux très bleus, il surveillait l'infirmière en chef. Il était à la fois méfiant et confiant, comme un enfant. Mary restait debout près de lui, sans rien dire, une main sur son épaule. A travers la laine elle sentit le calme revenir dans le corps de Martin. Elle lui prit le pouls. Il avait beaucoup de fièvre. Quand elle reposa le poignet sous la couverture, il prit la main de Mary et la garda contre lui. Puis il dit :

« Vous êtes belle.

— Où avez-vous mal?

— Partout... Surtout à la gorge. »

Elle l'examina.

« Vous avez une grosse angine, Martin. Il faut faire un prélèvement dans votre gorge pour voir si quelque chose de pernicieux se cache là-dessous. Je vais demander au docteur de venir vous voir.

— Non! Personne que vous. Je ne veux pas voir un docteur.

— Je n'ai pas la possibilité de faire ce prélèvement. Il faut que le docteur Stone m'y autorise. Nous devons passer par lui. Calmez-vous, cela ne vous fera pas mal. »

Une fois le prélèvement effectué, Stone ordonna des antibiotiques quatre fois par jour.

« Nous vous enverrons quelqu'un du dispensaire pour faire les injections. Quelle est votre adresse?

— Je n'en ai pas.

— Alors il faut vous hospitaliser.

— Non. Jamais. Jamais, vous m'entendez!

— Comment voulez-vous vous soigner?

— Je viendrai ici, vous occupez pas. »

Mary intervint.

« Je m'en charge, docteur, je vais arranger ça. »

Elle se demandait pourquoi elle avait dit ça et ce qu'elle allait faire de cet homme. Elle trouverait bien une solution.

A six heures, Jessica fait irruption dans son bureau :

« C'est le patient de ce matin, il est de retour. Il veut que ce soit vous qui fassiez sa piqûre. Personne d'autre.

— Est-ce qu'il est agité ?

— Non, il est calme, il est même abattu, mais il ne veut pas se laisser faire.

— C'est bon, faites-le entrer. »

Il s'est appuyé contre le mur et il s'est mis à la regarder comme s'il était un enfant sage. Il était très haut, penaud, maigre comme un chien des rues, élégant dans ses fripes. Charmant et pathétique. Elle éprouvait pour lui une tendresse profonde. Pourquoi ? Parce qu'il lui avait dit qu'elle était belle ? Pour ça peut-être, mais aussi pour autre chose : Martin était malade et ce dont il souffrait était bien plus grave qu'une angine.

Le soir, elle ramena chez elle cet homme-enfant qui s'installa dans le lit de Mary comme si cela avait été sa place. Elle dormit avec Sean.

Les jours passèrent.

L'angine de Martin guérit, resta son anxiété.

Ce qui attirait le plus Mary, dans l'exercice de son métier, c'étaient les maladies mentales. Probablement parce qu'elle avait fait ses premières armes dans cette spécialité, mais, plus profondément, parce qu'elle avait toujours senti une connivence entre les malades mentaux et elle-même. Elle était persuadée qu'elle aurait réussi avec eux et quand il lui arrivait de rêver à son métier perdu, englouti par la vie de tous les jours, c'est à la psychiatrie qu'elle rêvait, c'est ça qu'elle regrettait.

C'est ainsi qu'elle admit qu'il s'installât chez elle. Sean accepta volontiers ce grand frère qui lui tombait du ciel et Mary si méticuleuse dut fermer les yeux sur l'invraisemblable désordre que Martin créait autour de lui.

Martin avait peur de tout, de la mort particulièrement, et il vivait dans l'angoisse dès qu'il sentait ou qu'il imaginait sa sécurité compromise. Alors il se repliait sur lui-même, s'étouffait, tremblait, transpirait, ou tombait dans des crises de violence terribles.

Mary connaissait très bien tous ces symptômes de la névrose. Elle savait qu'il lui faudrait beaucoup de patience. D'autre part Sean ne devait pas souffrir de cette présence. Mais elle n'avait pas à s'inquiéter de ce côté-là. Sean était très occupé par son école et par son club et quand il rentrait à la maison Martin s'intéressait à lui, jouait avec lui. Mary pensa même que cette attention qu'il avait pour Sean favoriserait le traitement.

Elle expliqua à Martin qu'il devait se considérer en clinique et qu'elle était son médecin. Il accepta le jeu.

Au dispensaire, elle obtenait facilement les remèdes nécessaires pour que, dans un premier temps, les angoisses de Martin soient moins fortes et s'espacent. Peu à peu, il faudrait les supprimer. En même temps, elle entreprit de lui consacrer trois heures par semaine prises sur son temps de travail pour l'écouter. Il fallait qu'il comprenne qu'elle ne prenait pas ça à la légère. Il le comprit.

Les progrès furent rapides. Les angoisses de Martin se firent moins nombreuses et il arriva de plus en plus souvent à les juguler sans remèdes. Mary était radieuse.

Martin parlait. Il racontait son histoire. Puis vint un moment où il n'eut plus d'histoire à raconter et où il dut se mettre à parler de ce qu'il y avait en deçà et au-delà de son histoire, c'est-à-dire de sa vie. Les angoisses revinrent avec des crises de désespoir. Mary eut peur mais elle tint bon. Puis un nouveau progrès se fit. Martin changeait, il devenait responsable, cherchait du travail, il osait sortir seul, faire les courses de la maison.

L'été qui suivit fut l'été le plus gai de la vie de Mary. Sean était en vacances au bord de l'océan. New York était bouillant et poisseux. Mary avait essayé de décider Martin à partir lui aussi, mais il ne savait pas où aller, il ne se sentait pas encore assez fort pour être seul. Il fallait pourtant interrompre les séances pendant quelque temps, c'était nécessaire pour le traitement.

Alors Martin inventa d'inverser les rôles, il décréta qu'il serait pendant trois semaines le professeur ès arts de Mary. Ils passèrent leurs journées dans les musées et Mary découvrit jour après jour un univers merveilleux dont elle n'avait pas la moindre idée.

Après, quand Mary repensa à cette période, elle se demanda ce qui l'avait le plus émerveillée. Les couleurs, les formes, le génie de ce que Martin lui montrait, ou bien l'intelligence avec laquelle Martin s'y prenait pour la faire entrer en contact avec ces couleurs, ces formes, ce génie. Ou encore Martin lui-même, heureux, beau, toujours vêtu de blanc, ses cheveux bouclés en masse lourde autour de son visage, ses yeux clairs qui cherchaient à deviner la découverte, l'étonnement, la joie, dans le regard de Mary. Vif, souple, descendant les escaliers quatre à quatre et la regardant venir en riant. Leurs fringales nourries de sandwiches, assis sur un banc, au milieu des touristes. Martin fort, en bonne santé, capable. Martin, son triomphe, son succès, la preuve qu'elle existait !

Puis une nouvelle année reprit et dès l'automne Martin devint maussade. Mary se demandait ce qui se passait. Elle feuilletait ses livres le soir, dans son lit. Elle était inquiète. La responsabilité qu'elle avait prise l'effrayait. En y réfléchissant, il lui semblait que Martin avait mal pris le retour de Sean. Mais elle ne pouvait rien faire à ça. Elle avait bien expliqué à Martin qu'elle était son médecin, qu'il suivait une cure avec elle, qu'elle ne serait jamais autre chose que son médecin.

Il trouva du travail chez un libraire et loua une chambre dans le quartier. Il venait régulièrement aux séances. Souvent, en rentrant chez elle, elle le trouvait qui jouait avec Sean ou l'aidait à faire ses devoirs. Dans son regard on aurait dit que la porte du bonheur s'était fermée et que s'ouvrait de nouveau, peu à peu, celle de la peur.

Martin lui échappait et elle était incapable de savoir pourquoi et comment. Elle se trouvait confrontée à sa vertigineuse ignorance et la panique la prit. Mais qu'est-ce qu'elle avait fait ! Pendant l'hiver il commença à manquer les séances et finalement ne vint plus. Elle téléphona chez le libraire où elle apprit que Martin travaillait toujours. C'était réconfortant. Elle pensait qu'un jour ou l'autre elle allait le voir réapparaître. Elle se mentait même parfois à elle-même en s'imaginant qu'il était tiré d'affaire et qu'il n'avait plus besoin d'elle.

Mais un matin, très tôt, le téléphone sonna. C'était le commissariat de police qui lui demandait des renseignements sur un certain Martin Dooley. On avait trouvé le nom et l'adresse de Mary dans la chambre de Martin Dooley. Que lui était-il arrivé ? Que lui était-il arrivé ? Il s'était suicidé en avalant un tube de barbituriques. Savait-elle s'il avait de la famille et où ? Oui, dans le Connecticut... etc.

Elle savait tout de Martin. Tout. Elle savait même comment il était maintenant dans son tiroir de la morgue, son long corps élégant, son visage blême, son nez aquilin, ses joues encore plus creuses, ses boucles brillantes, ses yeux qui avaient tourné sous ses paupières, gardant au secret, pour toujours, sa peur et son rire de pervenche. Mary était foudroyée. Elle avait tué Martin. Elle l'avait tué avec ses prétentions de médicastre. Elle avait été avec lui d'une légèreté impardonnable.

Plus rien n'avait de sens, sa vie n'était qu'un échec. Elle n'avait plus aucune confiance en elle, plus aucun intérêt pour elle-même. Qui la soulagerait jamais de la mort de Martin? Personne. D'ailleurs elle ne le souhaitait pas. Elle se découvrait incapable. Elle était incapable.

Elle dit qu'elle sait tout de Martin? Mais elle ne sait rien. Elle ne sait pas l'essentiel. Elle ne sait pas pourquoi il a avalé son remède par petites poignées de trois ou quatre comprimés. Tout le tube! Mais il ne fallait pas, Martin! C'était un par un, quand tu avais peur de la peur. Pas le tube entier! Pourquoi as-tu fait ça?

Mary va perdre la tête. New York vacille devant elle, se barbouille. Jamais elle n'avait vu, comme elle les voit maintenant, les parkings noyés de pluie, les trottoirs crevés, les clochards du Bronx, les regards insaisissables de Harlem et la rouille zigzagante des escaliers de secours. Où est le New York de cet été, où sont les musées accueillants, l'herbe de Central Park et Martin qui parle de peinture, de sculpture, d'architecture? La ville, dans ces conditions, était humaine. Alors que Mary n'entend plus que les cris hystériques des enfants de Brooklyn, encagés derrière leurs grillages troués, qui jouent au base-ball avec une planche de caisse en guise de batte et une balle de chiffons sales. Cependant que les grosses voitures dures et souples, cloportes fumants, font gicler la boue sur une foule d'aveugles.

Elle entre dans un pub pour retrouver ses esprits, pour faire la paix avec Martin. La pièce est longue et s'enfonce dans une ombre douteuse qui sent la bière usée, le pipi, et un relent chimique de détergent. La lumière est jaunâtre. Dans la vitrine deux plantes d'intérieur sont à l'agonie mais un sursaut poignant les fait grimper quand même vers un ciel impossible. Un couple est venu s'asseoir en face de Mary, de l'autre côté de la fenêtre. L'homme est blanc et mauve, d'un mauve qui rosit autour des yeux. Ses cheveux rasés court s'écartent sur la nuque grasse et découvrent un crâne couleur de cérumen. Il déclare qu'il est un catholique pratiquant. La femme, sans âge, habillée de rouge, chaussée d'orange, est très grosse avec un double menton et de rares cheveux blonds gonflés de laque. Elle ne dit rien. Mary, sous la table, voit les cuisses de cette femme, des jambons, qu'elle ne parvient pas à croiser. L'homme tâche de glisser une main dans cette ravine chaude. La femme, avec obstination, le repousse, parfois avec des gestes vastes, d'autres fois avec de petits mouvements vifs. Ils ne parlent plus. Vision des jambes de la femme qui s'ouvrent sur un sexe glaireux, sur un con puant, tunnel au fond duquel se décomposent l'envers, le malsain, le mauvais vin, le sang d'un corps avachi, dans un taudis, sur des draps sales. La misère, le chancre, la fin sans espoir. Et l'homme qui a envie de ça, qui bande en y pensant !

Mary fuit. Elle a perdu Martin qui gommait la laideur !

Elle hait la ville, le dispensaire, sa maison. Un instinct lui dit qu'il faut sauver son fils et se sauver elle-même.

Le besoin de la lande la prend. Il faut qu'elle s'en aille. Là-bas, elle pourra peut-être se reconstruire. Que Sean termine son année scolaire et qu'ils s'en aillent. Elle n'en peut plus. Elle étouffe ici. Elle s'agrippe aux images de sa jeunesse. A l'herbe roide sur la tourbe, à l'odeur des vagues, à la ferme sous les rhododendrons, au port de Sligo, aux mouettes. A sa mère, à son père. Là-bas, elle se reposera, elle se recomposera et Martin ira rejoindre les fantômes des châteaux en ruine, il jouera sur la lande avec les moutons à tête noire et les jours de grand vent il appellera les ancêtres égarés des jeunes Américains.

Un grand vent sec, du sud, répand l'odeur de la poussière et fait se frotter l'un contre l'autre les virgules des feuilles d'eucalyptus. Les longues branches traîneuses de ces arbres s'agitent comme une chevelure glauque dans le ciel décoloré par le soleil. Elles font un bruit de papier froissé au-dessus de la petite fille qui regarde, à travers une grille, un rectangle de terre moussue et sombre où se tassent des crapauds.

Pourquoi ce morceau de sol, long de six mètres et large de deux, est-il ainsi enfermé par des murs surmontés de barreaux fléchés ? Elle ne le sait pas et ne tient pas à résoudre ce mystère.

C'est toujours quand le vent du sud souffle et que les eucalyptus balaient l'air blanc, que l'envie la prend de grimper sur le mur et de regarder dans le trou. Peur, cependant, si elle saute là-dedans, de se faire piquer par les orties et d'affoler les crapauds aux aguets qui se mettront alors à sauter, à sauter sous sa jupe, se colleront à ses cuisses, à sa culotte « petit-bateau » qui ne résistera pas au poids de leur accumulation et dont les boutons latéraux céderont, découvrant ainsi son derrière nu où s'enfouira le plus gros crapaud pustuleux qui ouvre par moments une gueule rosâtre, ce qui lui donne une expression d'ébahissement stupide.

Le vent du sud est sec et chaud, il vient du désert, on l'appelle le sirocco. C'est un vent fatigant, qui énerve. Il siffle par les portes et les fenêtres, il bourdonne, il psalmodie, il se plaint. Dehors, il secoue les végétations, on dirait qu'il veut les déraciner, qu'il les attaque. La vigne trapue, bien agrippée au sol par son cep, ne bouge pas, mais son feuillage bat vivement comme des ailes de cigales. C'est une tempête en plein soleil qui projette cruellement des particules de terre, des lambeaux de feuillages et des boules d'herbes séchées.

La petite fille blonde et bouclée a le corps en feu à cause de la démence grandiose et lumineuse de la nature. Elle court vers ce coin frais et calme qui est au nord, cette fosse aux crapauds abritée sur deux côtés par les hautes enceintes aveugles de la ferme. Elle grimpe sur le mur et s'agrippe à la grille. Toujours là, les poitrines de sa famille lui viennent à l'esprit. Peut-être parce que l'écartement des barreaux correspond exactement à l'écartement des tétons de son petit torse. Elle se frotte contre les hallebardes que la rouille a rendues grumeleuses et douces. Elle les sent à travers la toile écrue de sa robe, elle sent leur rigidité et leur texture.

Elle sait que la maison, avant, il y a très longtemps, était entourée d'une muraille, pour la protéger des hordes nomades qui galopaient sur de courts chevaux gris ou blonds, donnant des coups de yatagan et mettant le feu. Finalement, ils avaient perdu toutes les batailles et étaient devenus bergers. Au fur et à mesure qu'ils disparaissaient, on avait abattu, morceau par morceau, l'ouvrage protecteur devenu inutile. Il n'en était plus resté qu'un pan sur lequel sont venues s'adosser les écuries qui butent contre la maison d'habitation. Six mètres subsistaient encore qui ne servaient plus à rien. Alors, à angle droit, on a relié, par un mur plus bas, la ferme à la vieille muraille, enfermant ainsi un bout de sol désormais abandonné.

Peut-être a-t-on fait cela pour garder le souvenir du temps où cette terre était conquise arpent par arpent dans le danger et la chaleur. Peut-être pour que ceux qui se promènent maintenant dans les allées de grenadiers, bordées de romarin, n'oublient pas la valeur inestimable de ce sol et le vénèrent. Peut-être pour ça, pourquoi sinon ?

On raconte souvent à la petite fille l'histoire de sa famille, le soir, à table. Elle l'écoute, comme elle écoute l'Histoire de France, à l'école. Ça ne l'intéresse pas beaucoup. Ça ne l'intéresse que lorsque, par des anecdotes ou des photos exhumées, elle peut imaginer ce que contiennent les corsages tendus à craquer des dames de sa famille. Tous ces seins prisonniers, comme le morceau de terre à crapauds. Etouffés, comprimés, cachés. Que pouvaient bien masquer les corsets à baleines, les guimpes de dentelle ou les larges décolletés ?

Sans doute pensait-elle à ça parce qu'elle était à l'âge
où la poitrine vient aux filles. Pour l'instant elle était
encore comme un garçon et on lui permettait de se
baigner torse nu tant son corps n'était pas indécent, ne
pouvait faire penser à un corps de femme. Pourtant,
elle sentait déjà qu'elle avait des seins. Elle avait deux
disques très clairs, rosés, presque de la couleur de sa
peau, dont le centre se chiffonnait en un minuscule
monticule qui s'érigeait en pépin de raisin quand l'eau
froide le saisissait, ou quand, ainsi qu'elle le faisait
maintenant, elle se frottait contre quelque chose de
doux et de ferme. Alors, les disques entiers devenaient
plus foncés et une couronne de petits volcans se dressait sur leur périphérie cependant que l'aspérité centrale se développait, un peu comme cet appareil de
photo à soufflet que son père sortait pour fixer les fêtes
familiales.

La sensation était bonne et chaude.

Etait-ce pour ne pas perdre cette sensation bonne et
chaude que sa grand-mère s'était laissé grignoter par un
mal pétrisseur ? Plusieurs fois, dans certaines occasions
graves, dans sa chambre fermée à double tour, elle
l'avait vue défaire son corsage et montrer aux femmes
de la famille la large cicatrice qu'elle avait à l'endroit
où elle était amputée du sein gauche. C'était une plaque
de chairs en désordre qui s'incrustait dans sa peau de
rousse toute piquetée de grains de beauté. Des monts et
des vallons rosâtres, blanchâtres, avec des reflets sati-
nés et lisses comme si les lames entaillantes avaient
laissé leurs empreintes. Un charivari de viande pro-
prette et parfumée comme le reste de son corps et qui
n'avait pourtant rien à voir avec le reste de son corps,
tant la peau, les muscles et les graisses s'étaient livrés
là à une divagation incompréhensible et révoltante.
Quand toutes les femmes avaient vu, elle replaçait sur
sa cicatrice les mouchoirs de linon qui lui servaient à
bourrer son soutien-gorge, elle reboutonnait sa blouse.

Et hop! ni vu ni connu, on aurait dit qu'elle avait deux seins comme tout le monde. Elles étaient seules à savoir que la grand-mère avait ce champ de bataille en plein poitrail. Et elle n'en était pas morte.

Aussi, dans l'intimité tiède de la salle de bain, sa mère lui avait montré la trace mauve d'un abcès qu'elle avait eu au sein pendant qu'elle la nourrissait. Cela se voyait à peine. Ce qui avait troublé la petite fille c'était la beauté du sein de sa mère. Cela la faisait penser à une colombe palpitante nichée dans la mousseline, quelque chose de ravissant, de tendre, de fragile, quelque chose d'infiniment précieux.

En regardant les crapauds, tandis que les eucalyptus agitent leur crinière bleue, la petite fille se demande par où sera entamé son corps de femme. Il lui tarde de prendre la relève, elle n'a pas peur.

L'enfance est lente et les émotions ont tout le temps de s'y graver, comme des poinçons.

Histoire de Mary MacLaughlin (suite)

Mary est restée douze ans aux Etats-Unis. Elle était partie légère d'un espoir. Elle revient lourde d'une vie.

Il faut avoir de la force pour supporter les retrouvailles avec la famille et le pays. Il faut être une personne entière pour ne pas être entamée par la vague des affections, des coutumes, des habitudes, qui vous emporte au retour. Mary y succomba.

Pour que Sean soit accepté, elle dut se conduire comme une fille et une femme repentie. Elle joua ce jeu au point de s'y perdre complètement. Mais Sean fut reconnu par les siens.

Un jour elle baissa les bras, elle abandonna. Elle ne sut même plus pourquoi elle avait lutté jusque-là. Tout à coup elle eut honte de son orgueil, de ses prétentions. Elle devint encore plus silencieuse, plus renfermée, plus solitaire qu'avant.

Sean allait dans un collège agricole tenu par les Bons Pères. Il avait trouvé ses racines : il aimait les animaux, la terre, les bateaux. Il deviendrait fermier ou marin. Ses grands-parents, ses tantes, ses oncles, ses cousines et cousins lui faisaient une famille qui lui convenait parfaitement. Il était robuste, éclatant de santé. Son accent américain disparut en quelques semaines. Une chose était certaine : il ne serait ni médecin ni vétérinaire.

Mary prit du service, comme simple infirmière, dans le nouvel hôpital psychiatrique qui venait de s'ouvrir près de Sligo. Elle ne désirait plus avoir la moindre responsabilité.

« Tu crois qu'elle s'est suicidée ?

— Oui.

— C'est possible... Possible aussi qu'elle soit tombée d'une falaise. Elles s'effritent comme du gâteau. Rappelle-toi la vache morte que nous avons vue l'autre jour au pied des falaises de Ballyshannon.

— Mary était légère comme une plume... Nous verrons ce que dira le juge quand il rendra son jugement. L'enquête est finie maintenant. »

Il y eut une période, pendant que Jean-François et Simone inventaient la vie de Mary MacLaughlin, où les querelles étaient si fortes entre eux qu'elles se terminaient par un éclatement. Jean-François partait alors seul et Simone allait généralement rejoindre Heidrun. Elle l'aidait à biner son potager, à repiquer les laitues, à nettoyer le poulailler. Elles bavardaient de choses et d'autres : des enfants, des repas, de l'usure, de la salissure, des corps, des naissances, des saisons.

« Et Jean-François ?

— Il est parti se balader. Il aime bien être seul.

— T'en fais pas, il finira par retrouver Hans au pub des pêcheurs et ils reviendront soûls, comme l'autre jour. »

C'était vrai que ça se terminait toujours comme ça. Jean-François et Hans se retrouvaient au pub avec les hommes du pays. Ils parlaient de la tornade de l'année dernière, du prix de la laine qui était en baisse, du prix des machines agricoles qui était en hausse, du foutu gouvernement, de la guerre qui se déroulait à six kilomètres de là, et des filles en général. Ils revenaient éméchés, la braguette en feu, et ils riaient, ensuite, tous les quatre comme des fous.

Mais les querelles entre Simone et Jean-François ne cessaient pas pour ça. Elles étaient autant d'averses appartenant au gros orage qui couvait dans leur couple. Il y avait des années et des années qu'il les alourdissait, qu'il rendait l'atmosphère trouble entre eux. Il aurait pu ne jamais crever, les laissant vivre côte à côte sans que plus rien soit échangé. Au contraire il aurait pu éclater brutalement, d'un seul coup, les séparant complètement.

L'histoire de Mary MacLaughlin, qu'ils inventaient ensemble, les unissait en même temps qu'elle les faisait se heurter violemment. Une communication très profonde s'établissait entre eux à travers cette création. Mais ce que Jean-François n'admettait pas c'était que Simone prenne toujours le dessus, sous prétexte qu'il s'agissait d'une vie de femme. Elle lui clouait sans cesse le bec avec des petits détails de sa propre vie qui avaient un sens bouleversant, indiquaient qu'elle était une inconnue pour lui. Il ne l'admettait pas. Il disait qu'elle exagérait, qu'elle dramatisait et que, en admettant que cela soit vrai, cela ne permettait pas à Simone de généraliser. Car, dans le fond, la vie de Mary MacLaughlin, c'était une vie tout court qu'ils inventaient. Ils sentaient bien que la noyée n'était plus aussi morte que le premier jour, qu'ils la faisaient exister. Maintenant ils l'imaginaient plus souvent dans son uniforme d'infirmière ou sa belle robe de femme enceinte que telle qu'elle était sur la plage, mangée par les oiseaux, aux trois quarts enterrée dans le sable.

« Parle pour toi, disait Jean-François, tu ne l'as jamais vue. Moi, je l'ai vue.

— Quand nous arriverons à la fin de la vie de Mary, je la verrai aussi. Mais pour en arriver là où tu l'as trouvée, il a fallu qu'elle passe par des chemins que tu ne connais pas. »

C'était ce que Jean-François n'acceptait pas : que Mary lui échappe. Elle lui appartenait puisqu'il l'avait trouvée et Simone prétendait qu'elle pouvait la partager avec lui parce qu'elle était une femme.

« Ç'aurait été un homme que nous l'aurions déjà oublié, disait-elle, toi le premier. »

Elle avait raison. Jean-François en convenait : un homme les aurait moins bouleversés que Mary. Pourquoi ? C'était ça l'histoire.

En tout cas ce que Jean-François trouvait inadmissible c'était qu'il n'y ait pas d'homme dans la vie de Mary, ou plutôt que les hommes ne fassent qu'y passer en la blessant. Ça, c'était un parti pris de la part de Simone qui était inacceptable et qui agaçait particulièrement Jean-François parce qu'il le mettait face à une contradiction fondamentale, lui qui réclamait le droit à l'expression, à la liberté. Simone s'acharnait. A croire qu'ele était devenue enragée. Elle ne voulait à aucun prix du partage : lui et la création, elle et la gestation.

« Le poids de l'enfant, le poids de l'amour qu'une mère a pour lui, est plus lourd que tout. C'est de la sauvagerie que de prétendre que c'est par mes enfants que je m'exprime le mieux. C'est un mensonge, c'est un massacre, c'est le supplice le plus cruel ! » hurlait Simone.

Et elle pleurait de honte d'avoir crié ça, d'avoir avoué ça. Jean-François ne supportait pas ces crises et généralement la laissait en plan sur le coin de plage ou de prairie où elle s'était effondrée pour mieux sangloter : « Tu es folle ! »

Non, elle n'était pas folle. Ses enfants étaient grands, ils partaient déjà. Elle allait être seule. Or la solitude c'était encore un couple, c'était moi avec moi. Et qui était-elle ? Elle ne le savait pas. Elle ne pouvait pas être seule. Alors ? Toute son énergie allait-elle passer à récurer, jour après jour, jusqu'à la manie, une maison inhabitée ? Ou bien allait-elle être occupée, jour après jour, à savoir où étaient ses enfants, ce qu'ils faisaient, les paralysant par son attention exprimée ou tue, toujours sensible ? Ou bien espionnerait-elle Jean-François, jour après jour, jusqu'à ce qu'il la quitte ou se résigne ?

Fallait-il qu'elle se mette maintenant à la caisse de l'amour pour exiger son dû, réclamer l'intérêt de ses placements affectueux, quémander les revenus de son dévouement, solliciter la rente du don de soi, revendiquer le rapport des nuits blanches, quêter le gain de l'attention, mendier la commission de la fatigue, prélever les dividendes de l'oubli d'elle-même ?

Niant ainsi ce qu'elle avait vécu, ravalant la Passion, le Bonheur, la Joie, l'Espoir, l'Amour, au rang d'un simple arrangement, d'un marché !

Les marées montaient et descendaient. Les moutons paissaient. Leur laine commençait à repousser. Les vacances passaient.

Simone se calmait. Elle admettait qu'elle se faisait plus victime qu'elle ne l'était en réalité. Et l'histoire de Mary MacLaughlin continuait parce qu'ils s'étaient laissé prendre à son appât, tous les deux. Ce mystère les attirait ensemble, mais pour des raisons différentes. Ils devenaient de plus en plus conscients de cette double attraction dans laquelle ils trouvaient, enfin, une unité.

Aussi, aucun ne lâchait prise.

Simone voulait faire savoir à Jean-François qu'elle n'avait pas le goût du sacrifice mais qu'il était peut-être trop tard pour elle de s'en rendre compte. L'ineptie de sa vie, son naufrage, si elle en ôtait la fleur carnivore du sacrifice, lui faisait peur. Elle commençait à voir qu'elle avait pris Jean-François pour une bouée, qu'elle avait confondu amour avec sécurité et elle n'osait pas le dire. Dans le fond... elle ne savait plus pourquoi elle l'aimait ou comment elle l'aimait.

Aimer. Aimer un enfant. Aimer un travail. Aimer un homme. Aimer la musique. Aimer une femme. Aimer une idée. Aimer l'amour. Aimer un livre. S'aimer. Aimer l'autre. Aimer le pot-au-feu. Aimer la mécanique. Aimer nager. Aimer... Faisceau de longs élans, liés ensemble par la joie, autour de la hache des conflits. Simone et Jean-François sont pathétiques, ils escortaient le dictateur Bonheur. Bonheur civilisé, agencé, réglé, consacré, délimité, défini. Bonheur-prison. Bonheur-juge. Bonheur-sanction. Bonheur forcé : hors de ce bonheur point de bonheur.

A cette époque, il s'est mis à pleuvoir sans arrêt, pendant quatre ou cinq jours. Une grosse pluie obstinée qui les forçait à rester chez eux. L'humidité était telle qu'ils avaient dû allumer un poêle. Les fenêtres s'étaient couvertes de buée, les isolant encore plus.

Par instants, l'un ou l'autre se levait, ouvrait, du bout des doigts, un éventail sur la vitre embuée du salon, par où ils apercevaient un paysage gris, un ciel bas, l'eau et la terre constamment battus par les gouttes serrées. On aurait dit que la nature stagnait dans le déluge. Ils auraient voulu sortir mais ils ne le pouvaient pas. Ils n'étaient pas équipés pour une si grosse et si longue pluie.

Depuis le début de leurs vacances, c'est-à-dire depuis que Jean-François a trouvé le corps de Mary, Simone écrit dans un gros cahier qu'elle a acheté à Sligo. Dès qu'elle est seule, elle se recroqueville sur son lit et elle écrit. Quand elle écrit, elle a un peu le sentiment de le faire en cachette, de tromper Jean-François. Le souvenir d'Angèle lui revient souvent. Elle ne le rejette plus.

Pendant ces jours de pluie l'atmosphère est lourde. Ils s'ennuient. De nouveau le silence s'est installé entre eux.

L'échec de la vie de Mary s'est imposé. Jean-François ne l'aurait pas voulu mais Simone a tout fait pour qu'il en soit ainsi. Elle a pesé fort sur Jean-François

« Mary n'avait pas choisi de mener une vie anormale. Ce sont les circonstances qui en ont décidé ainsi. Elle ne le souhaitait pas, elle n'avait pas été préparée à ça. Comme elle était courageuse, elle a accepté ce sort, ce malheur (le fait d'avoir un enfant naturel), mais son bonheur elle ne le voulait pas comme ça, son bonheur, lui, la ferait rentrer dans le rang, dans l'ordre, il la consacrerait dans la normalité.

— Puisqu'elle est sortie du cercle, pourquoi ne cherche-t-elle pas son bonheur là où elle est ?

— Parce que ce n'est pas dans le caractère des femmes. Elles cherchent à être comme tout le monde. Peut-être pour préserver leurs enfants. C'est dur une vie dans la marge avec un enfant. »

Ce genre de réflexion exaspérait Jean-François.

« Qu'est-ce que tu en sais ?

— Je le constate, c'est tout. Je vois les femmes autour de moi. Elles vivent comme ça, elles respectent ce qui les opprime le plus. Moi aussi je vis comme ça. J'ai peur de l'ailleurs. Ce n'est pas que je n'aie pas le goût de l'aventure, mais celles qui tentent l'aventure sont souvent punies et leurs enfants avec elles. »

Jean-François n'avait rien à ajouter, ce n'était pas faux ce que disait Simone. Alors, il se taisait. Lui, aurait voulu que Mary vive autrement, qu'elle soit heureuse, et qu'un jour, en se promenant sur la côte, la tête pleine de beaux rêves, le sol s'effondre sous elle, l'entraînant dans le vide. Son corps aurait heurté les roches, en bas, une grande vague l'aurait enveloppée, comme les bras d'un amoureux, et l'aurait emportée dans ses transparences ravissantes.

« Elle s'est tuée. Je te dis qu'elle s'est donné la mort parce qu'elle n'en pouvait plus », affirmait Simone.

Pour qu'ils puissent continuer à inventer ensemble la vie de Mary, il fallait que l'un ou l'autre cède. Ils en étaient à la période où Mary commençait à vivre à New York, où elle était heureuse avec son petit et son travail. Son fils aurait pu lui suffire, elle aurait pu construire son bonheur autour de lui. Mais elle voulait plus et en même temps elle voulait être comme tout le monde.

« C'est insoluble, disait Jean-François, autant renoncer à cette histoire.

— C'est soluble, à condition que la vie de Mary soit un échec. Ou alors inventons qu'elle se trouve un vieil oncle milliardaire qui la fait son héritière, ou qu'elle découvre une mine d'or dans sa cave... sans fortune et avec un enfant, elle ne peut qu'échouer. »

Ils n'avançaient plus. Simone avait tout rangé, tout nettoyé. Elle n'avait rien à faire. Son cahier l'attirait, elle avait envie de ce qui se passait quand elle était avec lui, cette impression d'être entière, complètement absorbée. Mais Jean-François se serait demandé ce qu'elle faisait, il l'aurait questionnée. Et — elle ne savait pas pourquoi — elle craignait qu'il se moque d'elle, ou qu'il fasse la tête, ou, pire, que cela ne l'intéresse pas. Alors elle restait assise et regardait danser le feu derrière la fenêtre du poêle.

Elle n'aimait pas rester inoccupée, elle n'en avait pas l'habitude. Et puis ces heures préfiguraient trop ce que serait sa vie avec Jean-François. Pire que la solitude : les brouilles, les silences, les phrases de politesse, le sauvetage des apparences...

C'est pourquoi elle dit finalement :

« Tu sais, j'ai acheté un cahier à Sligo et je me suis mise à écrire dedans. Quand je suis seule.

— Qu'est-ce que tu écris ?

— Je ne sais pas.

— Pourquoi tu me racontes ça ?

— Parce que j'étouffe... Nous étouffons.

— ... Tu veux que je lise ce que tu as écrit ?

— ... Peut-être.

— Fais voir. »

Simone est allée chercher son cahier qu'elle a caché sous le matelas.

« Tu te caches pour faire ça ?

— Non... pas vraiment. »

Dans ce cahier elle avait inscrit la vie de Mary MacLaughlin telle qu'elle se la racontait. Mais surtout elle avait écrit sa propre vie mêlée à celle de Mary. Non pas des événements, des faits, mais des élans, des sanglots, des impulsions, des foucades, des rigolades, des pleurs et des désirs.

Pendant que Jean-François tournait les pages, Simone prit conscience de l'indécence qui y était contenue. Jamais elle n'avait été aussi crûment elle-même que là-dedans. Et elle en éprouva de la honte. Elle eut l'impression aussi qu'en montrant son cahier elle avait tout abîmé.

Un grand vide se fit en elle où se lova un désespoir vertigineux. Sans larmes, sans peur. Un creux immense dans lequel sa vie était annulée.

Elle était rien, moins que rien. Elle n'existait pas du tout. Elle n'était qu'un amas de cellules étrangères les unes aux autres et agglomérées momentanément sous sa propre forme par une volonté arbitraire, mécanique, incompréhensible. Les parois du gouffre étaient glissantes, elle n'y trouvait aucune prise, rien qui soit une parcelle d'elle-même. A part, justement, ces pages dérisoires que Jean-François tournait sans rien dire. « C'est tout ce que j'ai fait dans ma vie », pensait-elle, et cela lui parut grotesque, ridicule, inutile.

Simone rêvait à l'enfant qui avait porté ses dix ans, à l'adolescente de ses quinze ans, à la femme de ses vingt ans, de ses trente ans, de ses quarante ans... qui était-elle ? Personne, une marionnette. Tout lui indiquait sa nullité : la pluie dehors, le charbon qui s'effondrait mollement à l'intérieur du poêle, le bruit coupant des pages que Jean-François tournait.

Elle alla s'allonger sur le lit pour essayer de reprendre ses esprits mais là encore tout lui indiqua son néant : la qualité de la lumière signifiant l'heure, l'air qui passait sous la porte signifiant le temps, le vide entre les objets signifiant la vie. Quelle vie ? Qu'est-ce que ça veut dire vivre ? Je ne suis pas capable de vivre. Je ne vis pas ! Simone était étendue, raide, sur son lit, elle fixait le plafond. Elle ne devait plus bouger.

Immuabilité. Statue. Minerve dans une allée de buis taillés, dont les yeux blancs ne cillent pas, que rien ne touche, qui ne sent ni la pluie ni le vent, ni le regard des promeneurs. Surtout pas le regard des autres. Yeux à facettes, luisants, péremptoires, meurtrissants, fourbes. Epées. Dagues. Fourches. Couteaux. Armes des jugements. Munitions des sanctions.

Simone se décomposait. Elle était au centre d'un cataclysme qui embrasait l'univers, qui ravageait la maison, le pays, les continents et Jean-François en train de lire.

Fermer la bouche, les yeux, les oreilles, le nez. Ne plus faire un mouvement, se replier, se murer. Que le dehors n'existe plus.

Sous-marin. Etre un sous-marin blindé, aveugle, reposant sur le sable d'une plage des grandes profondeurs, là où rien ne bouge. Mort.

La mort était l'unique solution pour parvenir à la paix. Quelle mort? La lame de rasoir, le revolver, la chute dans le vide, les comprimés, le gaz, le métro, la corde, la noyade? Lequel de ces toboggans ferait le mieux glisser Simone jusqu'à la mort?

Maintenant c'est à l'intérieur que Simone déniche la punition. Elle a imaginé son corps mort, son corps suicidé offert aux regards. Au regard de Jean-François. Comme le corps de Mary, comme les pages entre ses mains. Non, pas la mort!

Elle est prisonnière d'elle-même, de son sang, de ses excréments, de sa sueur, de son urine, de ses larmes, de sa salive, de sa circulation. Ses cellules s'usent et se remplacent sans la prévenir. Son cœur bat sans lui dire comment. Son sang tourne sans l'avertir. Ce qu'elle mange se transforme en merde, ce qu'elle boit se transforme en pisse. Tout bouge malgré elle. Pourquoi? Putréfaction. Décomposition. Fermentation. Tout bougera encore dans la mort. La viande noire de Simone pue. Son sang coule sur les galets, son ventre est gonflé d'eau à péter. Son cadavre gris est à la morgue, il attend d'être livré à une famille, à son fils. Non ! pas ça !

Mais que veut-elle donc si elle ne veut ni mourir ni vivre comme elle vit ? Elle veut retrouver ce qu'elle a mis dans ses pages. Le regard de Jean-François sur elles les lui révèle. Elle veut exprimer la fosse aux crapauds de la petite fille qui n'a pas de seins, l'insouciance, l'innocence, le formidable désir de vivre que le sirocco irrite et la force du vent qui peigne les eucalyptus.

Simone est épouvantée par les pensées qui lui viennent à l'esprit. Elle ne sait pas nommer son désir, plus que son désir : son besoin. Elle se dit : « Pour faire ça, il faut que je vive autrement. »

Ça, autrement. Ça, autrement. Ça, autrement. Ça, autrement. Ça, autrement.

Elle ne va tout de même pas mettre son existence sens dessus dessous pour des griffonnages dans un cahier ! C'était absurde de consacrer son temps à ces alignements de petits signes tarabiscotés, à ces ratures, à ces ajouts dans les marges qui faisaient que les pages n'étaient même plus des pages. Du gribouillage !

Ça l'éloignait de Jean-François, Ça l'éloignait de sa famille, Ça l'éloignait de sa maison, Ça l'éloignait de la femme qu'elle était, Ça anéantissait sa réalité. Quand elle faisait Ça plus rien ne comptait, sa durée était abolie, ses devoirs étaient supprimés, son temps était résolu. Ça est un monstre, un géant qui dilapide les mesures et les réserves.

Ça est une mauvaise herbe. Du plus profond de la lourde terre elle a haussé son corps souple de voleuse, insinué sa mince chair décolorée, jusqu'à la surface. Aucun obstacle, aucun granit, aucune argile, aucun sable, n'a su stopper sa progression perfide.

Quand le jasmin est en pleine floraison et que le vent souffle de l'Atlas, il n'est pas rare qu'il embaume les rues d'Alger. Il vient des jardins, par bouffées, il dévale les ruelles en pente, il se mêle aux tramways et aux automobiles. On le sent, on se dit : « L'été arrive », « Le vent vient du sud », « Les pêcheurs auront du mal à rentrer au port », « Bientôt il y aura du raisin », « Bientôt il n'y aura plus d'eau. » On le perd aux carrefours. On le sent de nouveau, il y a du désir dans sa fragrance, on se dit : « Je ferai l'amour ce soir », « Mon ventre a besoin d'être rempli », « Ma fille va avoir vingt ans », « Mon père est mort depuis combien de temps déjà ? » Où est-il ce jasmin ? Grimpe-t-il le long d'une mosquée ou après les grilles rouillées d'une demeure coloniale ?

Jardins de la tête de Simone. Volets à jalousie, maisons couleur de sable. Poussières. Géraniums. Capucines. Roses thé. Terre battue. Un pigeon bleu s'élève en claquant de son vol l'air déjà chaud du matin. Les palmiers hiératiques à peau de pachyderme sont les sentinelles de sa personne.

Les jardins et la guerre ! Trottoirs ensanglantés. Massacre des frères. Djellabas lacérées. Maisons cassées. Puits ensablés. Amours décapitées... Osselets des lettres qui se lient entre elles pour exhumer les squelettes des fantasmes et leur donner la chair des mots. Magie du rêve impalpable, insaisissable, qui prend corps tout à coup sous la forme élancée des lignes.

Quel est ce sortilège ? Simone ne connaît pas les règles de cette liberté.

Fluides, courants, émanations, ondes, dans les fibres des phrases. Idées, notions, pensées, dans le tissu des paragraphes.

Mary MacLaughlin naît du papier. Son fantôme obsédant sort de l'encre. Elle existe.

Jamais Simone n'a eu tant de pouvoir. Jamais. Et pourtant l'exercice de ce pouvoir ne lui est pas inconnu. Aussi loin qu'elle remonte dans ses souvenirs, elle retrouve dans sa vie des cocons à l'intérieur desquels elle se racontait des histoires, pour elle seule, repliée sur sa propre tiédeur, enfermée dans le dédale de son intimité, plus libre dans la prison de son être qu'elle ne l'était en courant dans les champs.

Certaines fois, cela se passait alors qu'elle était apparemment occupée à autre chose, elle brodait, elle cousait, elle préparait un repas, en général une besogne rythmée. Il fallait qu'il y ait à la fois une cadence et de l'intérêt pour ce qu'elle manipulait : le tissu, les cotons de couleur, la laine, les légumes, la viande... Alors elle s'évadait, elle créait.

D'autres fois, au contraire, elle était immobile devant un spectacle infime qui exerçait de la fascination sur elle : la fosse aux crapauds, les chenilles en train de préparer leur retraite, une entrée de fourmilière. Elle pouvait rester des heures sans bouger. Quelque chose la berçait : le bruit des eucalyptus agités par le vent, le va-et-vient opiniâtre de l'abdomen des chenilles, la frénésie anxieuse des fourmis... Alors elle inventait, elle vivait ailleurs.

On disait : c'est une jeune femme appliquée, c'est une enfant sage...

A Corvagh, quand elle écrit dans son cahier, un phénomène comparable s'opère : elle est envoûtée, plus rien n'a d'importance en dehors de ce qu'elle est en train d'inscrire ou d'imaginer.

Habituellement il ne sortait rien de ses évasions, ce qu'on appelle rien : un regard égaré, un bœuf bourguignon, un geste déplacé, une fleur brodée, une réflexion saugrenue, une chaussette reprisée, un lapsus, une encolure de chandail : RIEN.

Ici, de ces pages, sort Mary.

Ce qui effrayait le plus Simone, ce qui lui paraissait le plus menaçant, le plus dangereux dans cet événement, c'était, en premier lieu, la lecture de Jean-François. Jamais personne n'avait eu avec elle une telle accointance, jamais personne n'était entré dans sa réserve. Qu'allait-il lire ? Qu'allait-il dire ?

En second lieu, ce qui la troublait jusqu'à la peur,

c'était la singularité de sa situation. Elle n'avait pas l'habitude de se singulariser, on lui avait, depuis toujours, déconseillé de le faire. Elle devait être complice, compagne, collaboratrice, pas singulière, pas « personnelle ». Dans le temps, la directrice de sa pension lui avait fait cette remarque : « On me rapporte que vous êtes très personnelle, Simone, faites attention de ne pas vous dévergonder. » Elle n'avait jamais oublié l'expression sévère de la vieille femme dont les hochements comminatoires étaient énormément amplifiés par la cornette empesée.

Et puis, ce qui l'affolait aussi, c'était la surprenante trame de ce qui faisait cet instant. Les troncs d'arbres dravés sur le Saint-Maurice, entassés en montagnes près de Shawinigan, concassés, malaxés, réduits en pâte à papier, au Canada. Les tonnes de sépias pêchées au filet du côté de Palikao et de Constantinople, ou les caravanes qui venaient de Chine, empruntant la route de la soie, Tachkent, Samarkand, pour fournir de la belle encre noire. L'école. La petite fille qui apprend à écrire en faisant des barres puis des lettres, avec les pleins et les déliés, en s'appliquant. La fierté du f! La gravité du g! La mécanique des lettres à jambes! L'arrondi des lettres à ventre! Les zébrures du z! Quelle difficulté, quel temps passé à étudier la forme de ces lignes, avant de comprendre qu'en s'accolant les unes aux autres, en une infinité d'unions savantes, elles signaleraient des univers, des mondes, les galaxies de l'existence humaine, dans sa totalité! Et elle, Simone, à Corvagh, avec un cahier et une plume, qui écrit l'histoire de Mary!

C'est éblouissant. C'est un destin trop grand pour elle, inaccessible. Elle est capable de mettre des enfants au monde mais elle n'est pas capable de mettre Mary MacLaughlin au monde. D'ailleurs elle n'avait pas voulu faire ça, c'est la lecture qui donnait ce sens à son cahier. Elle, elle avait voulu mettre au propre ce qu'ils se racontaient Jean-François et elle, pour ne pas oublier certains détails, peut-être même pour consigner certaines de ses victoires, les jours où elle imposait son point de vue. Mais, tout de suite, elle avait inscrit des choses à elle, elle ne savait pas comment appeler ça. Des rythmes, des parenthèses. Cela ne constituait un tout que depuis que le cahier était entre des mains étrangères.

Un étranger, Jean-François ? OUI.

On aurait dit que tout s'effondrait autour d'elle. La noyée, une fois introduite dans la maison de Simone — cette maison qu'elle avait voulue solide, confortable, sécurisante — ne faisait que détruire l'édifice, par sa seule présence. La morte donnait à l'architecture du foyer, pourtant lentement élaborée, des proportions impossibles. Elle désignait infailliblement les mensonges et les silences où s'appuyaient certaines poutres maîtresses, elle éclairait, d'une lumière crue, les principes stupides, les préjugés idiots, les traditions aveugles, qui servaient de point d'appui aux fondations. La demeure se lézardait et s'écroulait, pan après pan, de la cave au grenier.

Jean-François, un étranger ?

La maison de Simone était une maison à colombage dont la charpente était Jean-François, elle-même n'étant que la maçonnerie légère qui garnissait les vides. Que l'image de Jean-François vienne à devenir floue et plus rien ne tenait. Car l'assise du bâtiment c'était Jean-François, le mari, et « sa » femme Simone. Pour que l'assemblage soit solide il fallait qu'ils ne soient, l'un et l'autre, que cela : un mari et sa femme. Plus les jours passaient, plus ils se révélaient être autre chose et, du coup, la bâtisse se disloquait.

La pluie était obstinée, elle n'arrêtait pas. A l'intérieur l'atmosphère était moite, à cause du poêle et de l'humidité. Jean-François, dans son fauteuil, lisait attentivement et Simone, sur son lit, était à l'agonie. Du gâchis, elle avait tout gâché avec ce cahier. Pourquoi n'avait-elle pas continué à jouer son rôle d'épouse auquel elle était habituée? Pourquoi cette subversion tout à coup? Elle avait entraîné Jean-François à Corvagh pour consolider sa maison et voilà qu'elle la détruisait. Elle avait voulu qu'ils inventent ensemble l'histoire de Mary et voilà que cette histoire les révélait étrangers l'un à l'autre; deux individus indépendants que le hasard avait réunis dans un lieu isolé, prisonniers de la pluie, différents, voire ennemis.

Si seulement ils avaient pu être occupés autrement. Si seulement il avait pu se balader, si elle avait pu avoir une lessive au bout des bras, ils n'en seraient pas là... elle n'aurait pas sorti son cahier mortifère. Maudite pluie, maudit climat, maudite paresse. Ils auraient pu jouer aux cartes ou au scrabble. Ça aurait fait passer le temps. Mais Jean-François n'aimait pas les jeux de société.

Simone se fuyait, elle voulait fuir le temps et la durée que la pluie rendait interminable, pesante, suffocante. Elle était cloîtrée dans une serre chaude où ne poussaient que des plantes vénéneuses. Végétation hostile armée de piquants, de dards, qui la forçait à rester immobile, seule avec elle-même. Confrontation insupportable.

Pourquoi n'avait-elle pas voulu de l'incendie? Jean-François, ces derniers jours, avait souvent réclamé que cet événement, appartenant à leur couple, soit introduit dans la vie de Mary. Elle l'avait refusé. Elle avait rejeté le feu. Pourquoi?

C'était pourtant un événement récent qui les avait rapprochés.

Arrivée à New York. Jean-François installé dans un appartement magnifique qu'il partage avec une femme. Elle a vidé les lieux à cause du passage de Simone, mais ses traces sont visibles partout. Plus que visibles : cette maison n'est pas celle de Jean-François, c'est la maison de cette femme, ou, pire, la maison du couple qu'elle forme avec Jean-François. Simone, comme une chienne, renifle partout l'odeur de ce couple. Il y a des relents de plaisir dans tous les coins, des senteurs d'amour, des vestiges d'harmonie, jusque dans la cuisine et la salle de bain et même, en évidence au-dessus du grand lit, un poster punaisé où deux formes s'accouplent.

Simone ne dit rien, elle ne marque d'aucune manière sa jalousie, sa colère, son envie, sa peur de perdre Jean-François, sa panique de rencontrer cet inconnu qui est son mari. Elle nie ce qu'elle voit, ce qu'elle sent.

Pourquoi ?

L'homme la gêne, ce qu'elle a fait avec l'homme à Paris. Elle ne peut pas réclamer de Jean-François une conduite qu'elle ne suit pas. Elle n'a plus de vertu, elle ne peut pas se draper dans la cape blanche de la fidélité. Mais ce n'est pas ça. Ce qui la bouleverse, c'est que cette maison lui plaît; elle aurait voulu avoir une maison comme ça, elle aurait voulu savoir la faire. Elle aurait voulu s'offrir l'insouciance, la liberté. Elle ne le savait pas.

C'est écrit dans le cahier qu'elle ne peut pas s'entourer de légèreté, d'indépendance, de hardiesse, de désinvolture. Sa propre écriture a marqué sur le papier qu'elle ne s'exprime que pour édicter les lois, les règles, les règlements. Dans sa maison, chaque meuble, chaque objet représente un ordre à lui seul. Ordre nécessaire à la cadence des vies imposées, heures des bureaux, heures des écoles, heures des loisirs, heures des sommeils, heures des repas. Discipline indispensable à un rendement normal : que les devoirs soient faits, que le linge soit propre, que la nourriture soit suffisante, que la santé soit bonne. Economie obligatoire pour une consommation médiocre : ne pas user les vêtements, ne pas gâcher le pain, ne pas gaspiller l'électricité, ne pas perdre de temps. Elle ne sait faire que ça : poser, dans un paysage nettoyé, agencé, sûr, les rails de la famille qui viennent de l'infini et vont vers l'infini.

Elle ne dit pas à Jean-François que la maison lui plaît, qu'elle la convoite, qu'elle la désire, comme on a la tentation d'un bijou, à travers une vitrine, alors qu'on n'a pas le premier centime pour l'acheter. Cette maison, pour Simone, c'est l'impossible, c'est le désir d'un rêve délicieux qui est en elle mais qu'elle ne peut pas, qu'elle ne doit pas, exprimer. Cette maison c'est, justement, ce contre quoi elle se bat, c'est cela qu'elle détruit pour poser ses rails.

Elle parle d'autre chose à Jean-François : de l'avenir des enfants, du sacrifice des parents. Elle s'y prend adroitement, en mettant de la gentillesse, de la sagesse, de la tolérance, dans ses discours. Tant et si bien qu'un jour c'est le feu.

Par hasard — mais il n'y a pas de hasard — Jean-François, en allumant un barbecue, ne fait pas attention à un bidon d'essence qui s'enflamme. Tout brûle !

Le feu monte tout à coup, comme un geyser, vif, beau, aveuglant, avec un ronflement qui craquette. Tandis que Jean-François court dans tous les sens pour essayer d'arrêter le feu, elle, Simone, elle ne fait rien. Elle regarde, dressée comme une abbesse de l'Inquisition, flamber la belle maison en trompe-l'œil, les costumes de théâtre, les vêtements de cinéma, les ornements de parade. Tous fondent, éclatent, brûlent et disparaissent. Plus rien de faux, pense-t-elle, plus rien que la misère qu'elle sait organiser. Un grand brasier d'éventails à brasser de l'air glacé, de chaussures d'ogres, de guêpières à étrangler les amants, de hachisch pour les endormir, de pantalons à transformer les culs en chaudrons de sorcières, de gants pour épingler les papillons, de colliers, de dentelles, pour cacher la vieillesse. Ça brûle en pétant, ça nourrit un fameux incendie ! Le terrain est déblayé, elle va pouvoir exister.

Jean-François, ensuite, découvrira que le feu a tout purifié, qu'il l'a rapproché de Simone et de la famille qu'elle brandit à bout de bras. Plus jamais il n'aura une si belle maison ni une si belle compagne. Simone a gagné par la tromperie.

Car ce que Jean-François voulait faire entrer dans la vie de Mary MacLaughlin c'était son grand mouvement pour s'unir à Simone. En lisant le cahier il va découvrir la perfidie cachée sous les beaux discours de sa femme, sa jalousie, son envie et son impuissance. Au fond, à l'époque de l'incendie, ce qu'elle voulait c'était qu'il partage avec elle la vie dure, non pas parce qu'il y avait du bon dans cette vie, mais, simplement, parce qu'elle était dure. Y avait-il de l'amour là-dedans ?

Non, il n'y avait aucun amour. Il n'y avait que de l'hypocrisie, qu'un effort enragé pour faire entrer Jean-François dans l'image d'Epinal, dans la tradition du couple. Ce couple qu'elle hait aujourd'hui. Elle hait les deux bêtes harnachées qui tirent le corbillard du mariage. Elle hait cette habitude qu'ont les entrepreneurs de pompes funèbres de laisser, entre les cérémonies, la jument attachée aux brancards pendant que le cheval cavalcade. Elle hait cette sale boîte noire et fermée à laquelle elle est enchaînée.

Au moment de l'incendie, elle voulait que Jean-François soit attaché aux brancards, comme elle, qu'il en bave !

Maintenant, à cause de l'histoire de Mary, elle ne veut plus cela. Mais elle ne sait pas ce qu'elle veut exactement. Elle rêve d'évasions, de libertés, de grands voyages, d'un flot de paroles. Ce serait ça sa corbeille de mariée et dans la corbeille de Jean-François il y en aurait autant. Ils partageraient en riant, ou avec gravité...

Tout ça est écrit dans le cahier.

Jean-François a bougé, elle entend le bruit qu'il fait en repoussant son siège. Puis le silence de nouveau, avec la pluie. Elle se soulève pour voir ce qu'il fait. Il a essuyé la buée à un endroit de la vitre et il regarde dehors. Elle se recouche, son cœur bat à tout rompre et, quand elle l'entend venir vers elle, elle se recroqueville, fait semblant de dormir. Il s'assied au bout du lit et ne bouge plus, longtemps. Puis il s'allonge auprès d'elle. Elle ouvre les yeux, il la regarde. Il y a dans son regard une très belle tendresse, une curiosité qui pétille et une sorte de respect.

« Je trouve ça très bien.

— Quoi ?

— Ce que tu as écrit dans ton cahier. »

Il écarte doucement, du bout de l'index, les cheveux de Simone, pour dégager son visage, comme s'il voulait la voir entièrement. Il sourit. Elle sourit aussi en chuchotant :

« Et l'incendie ?

— Quoi l'incendie ?

— Ça ne t'a pas choqué ?

— Non... C'était logique... Il fallait que je sois aveugle pour y avoir compris autre chose... Tu as raison, c'est comme ça qu'il faut faire la vie de Mary.

— Comment ?

— Sans mari. »

Elle se rapproche de lui, elle passe ses bras autour de son cou, elle glisse une jambe entre ses jambes. Il dit :

« Tu m'intimides.

— Toi aussi tu m'intimides. »

Ils rient. Il pose une main sur sa hanche, il la berce doucement :

« C'était une femme courageuse.

— Qui ?

— Mary.

— Tu l'aimes ?

— Oui. »

Ils s'embrassent. Lèvres chaudes et humides qui s'entrouvrent, glissent les unes sur les autres, s'adaptent minutieusement. Salive. Suc. Sève. Simone :

« Moi aussi je l'aime.

— Mary est ta sœur.

— Elle est moi-même. »

Ils font l'amour.

Mary MacLaughlin a revêtu la plus belle robe du monde. En mousseline de soie aussi légère que l'écume d'une vague d'été. Couleur d'une aurore ensoleillée. Brodée de larmes de cristal. Transparente. On devine le long corps souple dans les jeux des plis, et les pieds nus. Elle avance d'une démarche aérienne, impondérable, au long d'une allée de sable ratissé, sans en déranger un grain. Elle se dirige vers le fond du jardin, vers l'ombre odorante d'une allée de cyprès, à l'endroit où poussent les violettes. Là, après avoir retroussé sa robe, découvrant ses jambes sveltes et fortes, elle s'accroupit. Elle se penche en avant et de ses mains délicates, blanches, ravissantes, elle déniche les violettes. Petits visages serrés autour d'une pointe d'or, à l'abri de leurs rondes feuilles sombres. Elle en fait un bouquet parfumé de secrets, et rond, qu'elle offre à Simone, plus loin, au pied d'un palmier enguirlandé de jasmin. Se tenant par la taille elles entrent dans le soleil en riant, jusqu'à la plage.

Elles se déshabillent, elles sont nues. Corps solide de Simone. Corps impalpable de Mary. Et elles plongent. Elles folâtrent dans l'eau, elles s'amusent avec elle. Mary appelle Angèle :

« Angèle ! »

Angèle arrive par le ciel, allongée sur un fluide rouge, écartelée comme une étoile de mer, riant. Elles voient sa nuine nacrée qui s'ouvre au soleil, dilate sa pulpe sensitive. Elle plonge aussi, en arrière, la tête la première, en fossbury flop. Stupéfiante. Elles nagent ensemble dans l'eau profonde, elles ouvrent et ferment les ciseaux de leurs jambes, elles font tourner les moulins de leurs bras, calmement, pour une course de fond. Quand il n'y a plus autour d'elles que du bleu-vert et du vert-bleu elles s'arrêtent puis elles plongent. On voit leurs trois derrières, vernissés par l'eau tiède, qui roulent sur eux-mêmes et disparaissent. Le gros cul de jument de Simone, le joli cul de poule d'Angèle et le petit cul de chatte de Mary. Elles descendent en libérant une traînée de bulles d'argent. Elles croisent de lourdes tortues et d'agiles saumones qui se hâtent vers les lieux lointains de leur frai. De longues algues bistre caressent leur ventre et leurs cuisses.

Simone remonte à la surface pour reprendre son souffle. Elle fait la planche. Elle ferme les yeux. La mer est paisible, elle pose de légers baisers sur le corps de Simone qui flotte. Où sont Angèle et Mary? Les bruits de la terre parviennent jusque-là. Simone entend le bruit de la noria que l'âne aveugle fait tourner. Chapelet de sons clairs qui s'égrène sans cesse, tandis que l'âne attaché au gros bâton creuse le chemin rond de ses piétinements.

Simone entend la voix de Jean-François qui l'appelle : « Simone! Simone! » Il est sur la plage, il porte un petit slip rouge indécent, il est bronzé. Il a allumé un grand feu qui s'agite. Elle nage vers lui. Le feu mange avidement tout ce que Jean-François lui donne à manger : des valises, des meubles, des bijoux, des perruques, du papier d'emballage, des couronnes de marguerites en plastique, et des dentelles, des quantités de dentelles blanches, une robe de mariée, un voile de mariée et un ruban de satin bleu. Il gesticule autour du beau feu qui ronronne de plaisir.

« Où est passée Mary?

— Elle est avec Angèle. Elles visitent les grottes sous-marines. »

Il bande. Son sexe dressé dépasse son slip rouge et fascine Simone comme un œil. Jean-François prend la main de Simone et la pose sur son pénis.

« Viens, faisons l'amour ici.

— Pas auprès du feu. Il me brûle.

— Où veux-tu?

— Là. »

Elle indique sur la plage la trace qu'a laissée le corps de Mary tout à l'heure. Ils s'allongent dans cette marque qui se creuse encore plus sous leur poids, qui devient vaisseau, qui glisse hors des rails du chantier de construction, qui vogue, qui divague, qui est libre. Le Bonheur !

A partir de ce jour, à cause du cahier qui est une œuvre commune — même si elle est seule à l'écrire — Jean-François et Simone ont commencé à former un couple.

Le tribunal de Ballyshannon ne s'était pas réuni depuis cinq ans. Il se tenait dans une grande et haute salle au centre de laquelle se dressait une table qu'un bras pressé n'avait dépoussiérée qu'à moitié, à l'endroit où se tiendraient le juge et les témoins. Deux chaises. Au-dessus était suspendu un dais rouge dont le tissu frangé était complètement décoloré par la lumière, du côté des étroites fenêtres à petits carreaux qui faisaient penser à une église parce qu'elles se terminaient en ogive. Autour de la table, l'isolant dans un espace vide, courait une balustrade qui forçait l'assistance à s'asseoir sur les bancs et les stalles placés le long des murs nus.

Je ne sais plus quel était le visage du juge, ni sa tenue. Il me semble qu'il portait un attribut désignant sa fonction : une toge, ou une ceinture, ou une perruque peut-être. Mais je n'en suis pas certaine, il faudra que je demande à Jean-François s'il en a le souvenir. En tout cas, il était évident qu'il était le juge car il se tenait ostensiblement et dignement seul, près de la table, au milieu de la pièce, tandis que les gens qui entraient, allaient tous s'asseoir sur les sièges, de l'autre côté de la balustrade. Jean-François et moi nous nous sommes assis dans une stalle à deux places, tout près de la porte d'entrée qu'une sorte de bedeau maintenait ouverte.

A nos figures, à nos vêtements, à nos attitudes, il était

visible que nous étions des étrangers et nous sentions des regards peser sur nous. Le juge lui-même se tourna vers nous et nous fixa un instant.

A un moment donné, tout le public devait être entré car le bedeau ferma la porte et prit une pile de dossiers qu'il déposa sur la table, devant le juge. Celui-ci prononça alors une phrase à haute voix et il s'assit. Il avait dû déclarer la séance ouverte mais son accent et le jargon juridique nous l'avaient rendue incompréhensible. Il se lança ensuite dans une sorte de discours dont nous ne comprenions pas grand-chose, à part le nom de Mary qui revenait souvent. A chaque fois que je l'entendais il me semblait que le juge s'adressait directement à nous, mais ce n'était qu'une impression car il parlait dans le vide, débitant des formules consacrées, comme s'il récitait une leçon apprise par cœur, en allant vite de peur de laisser échapper une syllabe, ce qui stopperait alors le flux des mots qu'il prononçait et qui n'avaient de sens, apparemment, que par leur cadence.

Mary flottait, elle tournoyait autour du dais, elle avait abandonné la belle robe du plaisir pour reprendre ses somptueux vêtements de mort. Ses cheveux pendaient dans le vide, frôlant les franges du dais.

J'oublie d'écrire qu'au centre de la table se trouvait un minuscule parapluie rouge, un tom-pouce, un parapluie de petite fille que le bedeau avait amené en même temps que les dossiers et que Mary regardait souvent avec tendresse.

Jean-François me pousse du coude et me chuchote à l'oreille :

« Tu as vu le parapluie ?

— Oui.

— Il est tout petit. »

Je fais « oui » de la tête. Il me semble que nos voix vont déranger Mary.

Le juge appelle le premier témoin. C'est le frère de Mary, un paysan cossu qui tient à la main une casquette de tweed. Il est trapu, court sur pattes, il ne ressemble pas à Mary. Il s'avance avec déférence vers le juge qui, après les formules d'usage, l'invite à s'asseoir et à faire sa déposition.

Il parle de sa sœur : une personne inquiète, discrète, malheureusement mal partie dans sa vie parce qu'elle avait rencontré un voyou. Il n'en dirait pas plus sur cet homme qui a quitté le pays depuis longtemps d'ailleurs. Sa sœur avait toujours été très appliquée dans son travail, elle élevait bien son fils et tenait proprement son appartement où il était allé en avril, pour fêter Pâques.

Puis la sœur aînée de Mary vint déposer. Une femme accorte, de la cinquantaine. Pour elle, Mary était une personne studieuse et pieuse qui avait payé sa faute par une vie laborieuse, vertueuse et solitaire. Elle était devenue une femme sans histoires et une bonne mère. A la pensée de son neveu, elle sort un mouchoir de sa poche et se met à renifler. Il aura eu la vie dure cet enfant, ballotté à droite et à gauche. Mais il n'a rien à craindre, elle s'en occupera comme s'il était son propre fils. Elle n'a rien à ajouter, sinon qu'il fallait s'y attendre. Le juge ne parvient pas à lui faire dire ce qu'elle entendait par là.

« Rien, monsieur le juge, je voulais rien dire de spécial. C'était son destin, nous sommes entre les mains de Dieu. »

Ensuite vient une cousine qui retient notre attention un instant car nous trouvons qu'elle a quelque chose de Mary : une certaine élégance, une sauvagerie, des cheveux noirs tirés en chignon. Mais elle est geignarde et ennuyeuse. Elle parle en chuintant. Elle dit qu'elle habite Sligo, que Mary logeait chez elle quand elle allait à l'école d'infirmières. Puis elle l'a perdue de vue quand elle a commencé à travailler à l'hôpital. C'est à cette époque qu'elle a rencontré l'employé des chemins de fer avec lequel elle a eu son fils. Cet homme lui a tourné la tête, elle ne pensait qu'à se maquiller, à aller au bal...

Jean-François glisse son bras sous le mien et se penche vers moi :

« Le type même de la vieille fille aigrie. Elle projette dans la vie de sa cousine tout ce qu'elle aurait voulu faire et qu'elle n'a jamais fait. Quand elle se déshabille, ça doit puer la naphtaline et le poisson avarié. »

Je suis contente qu'il dise ça parce que c'est exactement ce que je pense. Du coup nous n'écoutons plus la cousine et nous nous mettons à parler à voix basse des courses qu'il faudra faire en sortant.

Mary, elle, fait ce que j'ai envie de faire : elle progresse sur la balustrade, à la manière des funambules. Elle est pieds nus, comme toujours. Elle est transparente. Elle avance doucement, ses bras lui servent de balancier. Elle est complètement absorbée par la recherche de son équilibre. Ce qui est surprenant, car elle ne peut pas tomber, elle ne peut pas se faire de mal puisqu'elle est aérienne, intangible. C'est un jeu.

Les familiers et les proches continuent de défiler et de témoigner. Plus ou moins longuement. Il naît de leurs discours une femme à la santé délicate, à la cervelle vacillante. Un être imprévisible, une simple d'esprit en quelque sorte. Jamais personne n'a prononcé le mot folle ou débile, mais c'est pourtant autour de ces mots que tournent les dépositions.

Jean-François insinue gentiment sa main dans la mienne et la serre. Il a son air de garçon raisonnable pour dire :

« Faut qu'elle soit enterrée à l'église, tu comprends. Alors, si le juge décide que c'est un suicide, ils diront au curé que Mary était une malade mentale. Ni vu ni connu j't'embrouille, amen. »

Je le trouve beau et charmant. Je me sens très proche de lui. Ce qu'il y a entre nous est fort mais fragile : il y a si peu de temps que nous avons fait connaissance. Je demande :

« Tu n'as pas l'impression qu'elle est là ?

— Elle est là. »

Nos mains sont blotties l'une dans l'autre, comme deux amoureuses.

Qui est cet homme avec lequel je vis depuis tant de temps, dont j'ai eu trois enfants? Pourquoi nous sommes-nous mariés? Quelles sont les véritables racines de cette union? Dans quelles profondeurs plongent-elles? Cette harmonie qui existe aujourd'hui entre nous, cette capacité de nous séduire mutuellement, cette impression que je suis lui et qu'il est moi, me semble être ce qu'il y a de plus important dans une vie d'humain, la première chose à protéger. Mais quelle est cette chose, comment la préserver si je ne sais pas ce qu'elle est?

Nos enfants ne nous ont pas unis, ils nous ont liés par un réseau de tendresses, de devoirs, de souvenirs, une sorte de filet qui nous emprisonne mais dans lequel nous ne nous confondons pas. Ils nous ont assigné, malgré eux, le rôle du père et de la mère que nous devons jouer avec une grande monotonie, ils n'aiment pas que nous changions. La stabilité de ces personnages, chaque jour interprétés de la même façon, les a aidés à trouver leur équilibre. Nous sommes un père et une mère inhabituels, mais nous sommes un père et une mère et c'est l'essentiel pour eux. Pas pour nous. Pas pour moi.

Mary s'est endormie. Elle s'est couchée sur la table, du côté poussiéreux, sa tête repose sur le petit parapluie rouge. On dirait une gisante. Des mouettes sont descendues du plafond, elles tournoient dans la salle. Un seul profond coup d'ailes suffit à les faire planer longtemps, silencieusement, en rond. Mary ne dort plus, d'un mouvement alangui des bras elle arrange sa robe puis dresse ses mains vers les mouettes.

Il fait beau, mon dieu qu'il fait beau! Le sirocco dérange les esprits parce qu'il transporte avec lui le désert, un autre monde, l'univers de la connaissance, celui où l'on ne peut survivre que si l'on emmène avec soi l'essentiel, que si l'on connaît l'emplacement des palmeraies. Il y a des points d'eau. Le Sahara est un passage désolé, avec des étapes improbables, où tremblent les mirages. Faut-il rester ici où le lait des femmes croupit dans leurs seins rongés? Faut-il faire la traversée? Si je m'y aventure je ne pourrai plus faire marche arrière car le chemin est envoûtant. Quelles sont mes provisions pour entreprendre ce voyage? Je n'ai que mon cahier. Il n'est pas suffisant, il faudrait qu'il soit plus gros, qu'il y ait beaucoup de cahiers.

La mort est un passage. Mary est un désert. Je me suis déjà aventurée en elle. Est-ce que je peux revenir sur mes pas? Oui, car Jean-François est avec moi. Faut-il que j'y aille seule? Pourquoi?

Terminé pour la famille. Maintenant sont appelés les témoins des dernières vingt-quatre heures de la vie de Mary. Voilà un chauffeur de taxi qui comparaît. Un bonhomme aux couleurs de tout le monde, ni grand ni petit, ni vieux ni jeune, ni gros ni maigre, habillé de grisailles. Il prend un air de circonstance, attristé et respectueux, mais on sent qu'il est content d'être là, que cela lui donne de l'importance.

Il a chargé Mary dans sa voiture à la gare de Ballyshannon le dimanche 29 juin. Elle descendait du train de quatorze heures trente. Elle avait une valise, un sac à main et un petit parapluie rouge. Celui qui est sur la table et qu'il reconnaît. Il en a un souvenir très précis, car, après avoir conduit Mary MacLaughlin de chambre à louer en chambre à louer, jusqu'à ce qu'elle trouve un logement convenable — c'était déjà les vacances et les meilleurs chambres étaient prises...

« Vous avez donc l'impression qu'elle n'avait rien prévu pour se loger? intervient le juge.

— J'en suis sûr puisque je l'ai conduite de pancarte en pancarte, là où c'était inscrit « Bed and Breakfast ». Elle avait pas l'air de s'en faire.

— Continuez.

— Quand elle a pris la décision de rester à un endroit, elle m'a réglé et je suis parti. C'est en chargeant mon prochain client que je me suis rendu compte qu'elle avait oublié son parapluie. Après la course je suis retourné le lui rendre. Il y avait deux ou trois heures qui s'étaient écoulées parce que j'étais allé jusqu'à Ballentra avec mon dernier client. Elle était là. Elle a semblé très contente de retrouver son parapluie... C'est tout.

— Je vous remercie », dit poliment le juge.

Mary s'est redressée, elle s'est assise en tailleur. Elle repousse derrière elle le volume de sa robe noire. Elle est indécente. On voit sa fourrure sombre qui s'entrouvre, dans l'ombre, au bout de ses longues cuisses de garçon. Elle regarde fixement le parapluie rouge.

Jean-François :

« Pourquoi tenait-elle tant à ce parapluie ? »

Je hausse les épaules pour dire que je n'en sais rien. Mais je pense à tous les objets auxquels je me suis agrippée dans ma vie. Colifichets, poupées, bibelots, ustensiles divers, chiffons, babioles, vieilles lettres, photos anciennes... Que représentent-ils ? De quoi sont-ils les symboles ?

Bouts de rêves rangés dans les fonds de tiroirs, les coins de placards, les secrets des armoires. Eclats de désirs, morceaux d'évasions, parcelles de voyages, bribes de combats.

Il faudrait que j'aille aux tréfonds des objets que je conserve, que je comprenne pourquoi je suis conservatrice. Il faudrait que, par ces bricoles qui signalent autant d'événements, je remonte le chemin de mon histoire. Qu'est-ce que raconteraient ces « riens » conservés génération après génération si on les décryptait ? Ils raconteraient l'histoire de la liberté conditionnelle, de la frustration déguisée en zélée ménagère, du labeur portant un masque de colombine. Ils raconteraient l'histoire de l'attente truffée de cabrioles, de l'immobilité farcie de fantasmes, de la tradition lardée de terribles légendes. Ils raconteraient l'histoire du mensonge obligatoire, de la duplicité imposée, de la dissimulation exigée, de la trahison forcée. Ils raconteraient la seule histoire qui n'a jamais eu de fin, celle de la possession et de son alliée la prison.

Mary s'ennuie. Elle vogue devant les fenêtres, elle regarde dehors. Elle se fout de ce tribunal. Ils ne savent même pas de qui ils parlent. Elle n'a jamais fait ça, jamais dit ça, jamais été comme ça.

Le juge a appelé la logeuse. Une Irlandaise sèche et noueuse comme un sarment de vigne, surmontée d'une permanente fraîche probablement faite pour l'occasion. Elle dit que sa maison est parfaitement tenue, qu'elle ne loue que des chambres impeccables, que d'ailleurs les vacanciers qui ont séjourné chez elle lui envoient des cartes postales pour Noël. (Elle en a plein son sac : « Si vous voulez les voir. »)

« Inutile, je vous crois »

Elle dit que l'entretien de sa maison est le but de sa vie et que, du reste, elle en mourra.

« Qu'avez-vous à dire du comportement de Mary MacLaughlin pendant le temps qu'elle a résidé chez vous ?

— Aussitôt arrivée elle s'est enfermée à double tour dans la chambre et elle n'a plus bougé. D'habitude les locataires ouvrent la fenêtre, ouvrent les placards, font couler de l'eau, essaient le lit. Elle, rien. Je n'ai pas entendu le moindre bruit. Puis le chauffeur de taxi est revenu pour lui rendre son parapluie qu'elle avait oublié. Alors elle est sortie avec son parapluie, sans dire un mot. D'habitude les gens demandent des adresses de restaurant, où est la plage, où se trouve la pharmacie ou bien la poste... Elle, rien. Même pas bonsoir ou un mot sur le jardin que j'entretiens avec soin pour eux, pour les locataires. Tout le monde m'en fait compliment. Elle, ça n'a pas eu l'air de l'intéresser. Je m'y connais en gens — parce que j'en vois passer de toutes les couleurs — eh bien je peux vous dire que cette personne n'était pas une femme d'intérieur... ou alors qu'elle n'était pas à son aise.

— Avait-elle l'air inquiet ?

— Inquiet ?... Non, absent.

— Continuez.

— Eh bien, elle est revenue une heure après environ. Elle m'a appelée et elle m'a dit qu'elle ne resterait pas mais qu'elle allait payer la nuit parce qu'elle m'avait peut-être fait perdre un client. C'est vrai que j'avais enlevé la pancarte pour ne pas être dérangée inutilement toutes les cinq minutes. Elle m'a offert ça d'elle-même, je n'ai rien eu à réclamer. Y'avait un autre taxi qui l'attendait à la porte. Elle était pressée mais je lui ai quand même demandé s'il y avait quelque chose qui ne lui convenait pas. Elle m'a répondu : « non, non » et elle est partie avec sa valise. Dans la chambre, rien n'avait bougé. Je peux vous certifier qu'elle n'avait touché à rien... Voilà. J'ai pensé qu'elle avait de l'argent à jeter par les fenêtres ou qu'elle n'avait pas la tête sur les épaules.

— Je vous remercie. »

L'autre chauffeur de taxi raconte qu'il a simplement conduit Mary depuis la maison de la logeuse jusqu'à un petit hôtel-pension de famille. Sans histoire. Rien de spécial à déclarer sur sa cliente qui lui a paru normale. Peu bavarde mais normale.

Les mouettes se sont posées sur la balustrade. Leurs ailes croisées dans le dos, elles se tiennent immobiles. Elles regardent, de leurs yeux ronds qui ne cillent pas, Mary qui joue à la marelle derrière le juge. Tenant sa jupe à deux mains, elle sautille à cloche-pied, de dalle en dalle, en faisant attention à ne pas poser le plus petit bout de ses orteils ou de son talon sur les jointures des pierres.

Dehors le ciel s'est momentanément dégagé et le

soleil entre par les fenêtres en faisceaux obliques qui éclairent Mary comme des projecteurs. Dans la lumière dorée gigote une multitude de particules brillantes.

Je ne sais plus depuis combien de temps nous sommes là.

« Ils ont bien travaillé, dit Jean-François.

— Qui, « ils » ?

— Ceux qui ont mené l'enquête.

— Tu ne trouves pas que le juge passe à côté de l'essentiel ?

— Comment ?

— Il leur fait raconter leur histoire, ils ne parlent pas de Mary.

— C'est comme ça. Que veux-tu qu'il fasse ? »

C'est comme ça ! Les moutons de Karl, on les tond, on les blesse, on les libère grotesques, c'est comme ça ! Mary, elle n'a pas pu faire ses études parce qu'elle avait un enfant à élever, c'est comme ça ! Je n'ai pas voulu flirter avec Alain parce que la virginité est importante, c'est comme ça ! Nicole, elle a tué son orignal après lui avoir fait croire pendant trois jours qu'elle l'aimait, c'est comme ça !

Non, ce n'est pas comme ça ! Qui décide de ce que sont nos existences ? Qui ? Qui fait la loi ? Qui l'applique ? Qui dit que c'est la nature, que c'est la vie, que c'est comme ça ? Qui se nourrit de nos morts ?

Sur la vieille carte du globe coulent de grands fleuves, plus grands que le Mississippi, plus longs que le Yang-tseu-kiang. Ils sont larges, plus larges que le Saint-Laurent, beaucoup plus larges. Ce sont des fleuves de sang.

De tout le travail des hommes, de toutes les guerres des hommes, de toutes les amours des hommes, s'écoule un beau sang rouge, épais, en rapides, en cataractes, qui irrigue la terre, qui anime les gens, qui fertilise le sol, qui est la gloire de l'humanité.

D'où vient ce sang dont la source ne tarit jamais, qui

n'arrête pas de courir, dont les flots énormes maintenant me menacent? Il vient du ventre des femmes, goutte à goutte, chaque mois, dans le secret. Tout le sang du monde. Le sang des maris, le sang des fils, le sang des pères, le sang des amants. Et aussi le sang des épouses, des mères, des filles, des amoureuses, qui pleurent, qui rient, qui meurent. Gouttes de larmes, gouttes de sang; doux chagrin, amère résignation. Et le bonheur, l'avons-nous tous oublié? Oui. Pourquoi? Parce que c'est comme ça...

Les mouettes, le juge et l'assistance n'ont qu'une idée: manger.

La directrice de l'hôtel-pension de famille fait sa déposition. Elle raconte que Mary est venue lui demander si elle avait une chambre avec vue sur la mer, qu'elle prendrait à n'importe quel prix. Il en restait une justement, libre pour deux jours. Après-demain, il faudrait la rendre. Mary a réglé à l'avance, elle est sortie puis elle est revenue peu de temps après avec une valise. Elle est montée dans la chambre et elle n'est pas descendue pour dîner. La dame a pensé que Mary avait dû manger dans sa chambre car le prix du dîner n'est pas compris dans la pension, seulement le déjeuner. Les clients agissent souvent comme ça pour raison d'économie. En faisant le ménage il n'est pas rare de trouver des boîtes de conserve vides, des miettes de pain, des peaux de saucisson... Il y en a même qui ont de petits butagaz pour faire de la cuisine. Mais c'est interdit à cause du feu, alors on leur fait la chasse. En général on les détecte facilement par les odeurs.

Le lendemain, en début d'après-midi, la femme de chambre est venue se plaindre que la cliente restait enfermée et qu'elle ne pouvait pas faire son travail. Elle n'avait pas osé entrer. C'est une jeune qui n'est pas habituée, elle vient de la campagne, elle a peur des touristes... De nos jours, ce n'est pas facile d'avoir un service convenable...

« Alors je suis montée avec elle, parce que ça m'étonnait moi-même de ne l'avoir pas vue pour le déjeuner. D'habitude ils mangent même quand ils n'ont pas faim puisqu'ils ont payé les repas. J'ai pensé qu'elle était malade. Je n'aime pas beaucoup avoir des clients comme ça, qui ne sont pas comme tout le monde. Ça fait des histoires. On a frappé. Pas de réponse. J'ai ouvert avec le passe. La cliente n'était pas là, le lit n'était pas touché, la valise n'était pas ouverte. Elle n'avait pas dormi là, en tout cas si elle avait dormi ce n'était pas sur le lit. Bon. Je me suis demandé à quel moment elle était sortie parce que je suis toujours dans l'entrée, à la réception. Sauf la nuit... Je ne peux pas vous dire quand elle est sortie, monsieur le juge. Personne de l'hôtel ne l'a aperçue. Très tôt probablement... Après on a regardé dans sa valise. Il n'y avait pas grand-chose, rien pour ainsi dire... A mon avis, c'était une femme qui était inquiète ou qui attendait quelque chose. »

Ensuite le juge a appelé un jeune homme qui ne ressemblait pas aux autres témoins. Un marin domicilié à Kilibeg, petit port situé à une trentaine de kilomètres de Ballyshannon, sur la côte qui fait face à Corvagh.

« Voulez-vous me dire quel jour et à quelle heure vous avez vu Mary MacLaughlin ?

— C'était le lundi 30 juin, à sept heures et demie du matin.

— A quel endroit ?

— Au port de Kilibeg.

— Continuez.

— J'étais occupé à réparer la barque de mon père qui avait besoin d'être goudronnée. J'étais seul. J'ai vu descendre au port quelqu'un que j'ai pris, de loin, pour un garçon. A cause du blue-jean et du blouson. Puis j'ai vu que c'était une fille parce qu'elle avait un sac à main. Et quand elle est passée près de moi, j'ai vu qu'elle n'était pas si jeune que je croyais.

— Avait-elle l'air d'avoir fait trente kilomètres à pied?

— Je n'y ai pas pensé. Elle avançait. On aurait dit qu'elle avait une idée fixe. Ce qui m'a le plus étonné c'est qu'elle avait un parapluie rouge, tout petit. Un sac et un parapluie rouge.

— Avez-vous l'impression que quelqu'un l'avait accompagnée en auto?

— Non, elle est venue à pied. J'aurais entendu le moteur.

— Continuez.

— Elle s'est dirigée vers la jetée. Elle est restée un moment sans bouger et puis elle s'est avancée sur la jetée, jusqu'au bout. Je l'ai bien regardée parce qu'elle n'était pas comme tout le monde.

— Expliquez-vous. Elle ne paraissait pas normale?

— C'est pas ça... C'est que c'était difficile de voir si elle était un homme ou une femme, surtout de loin... Et aussi... elle était là, puisque je l'ai vue, mais elle était ailleurs... je ne sais pas comment dire.

— Ensuite?

— Elle est descendue et elle est allée jusqu'à la barque la plus loin.

— Exprimez-vous plus clairement.

— Eh bien, les barques sont amarrées en épi, les unes aux autres. Elle est passée de barque en barque jusqu'à celle qui était la plus au large. La première quoi.

— Quel est le fond à cet endroit?

— Une dizaine de mètres, une douzaine même. C'est profond. Y'a des chalutiers qui peuvent s'amarrer à cette jetée, à marée haute.

— Continuez.

— Je l'ai regardée faire. Elle s'est assise. J'ai recommencé à travailler. Et puis je l'ai regardée de nouveau. Elle était toujours là, sans rien faire. Elle était tournée du côté du large. Je ne sais pas combien de temps ça a duré. Assez longtemps, la marée était presque basse. Plus d'une heure. A un moment je me suis arrêté de travailler pour fumer une cigarette. Elle, elle était debout sur un des bancs de la barque.

— Elle était en déséquilibre ?

— Non, elle était stable. Elle était droite, elle regardait toujours le large, comme si elle s'attendait à voir arriver quelque chose... J'ai même pensé qu'elle attendait un bateau. Je me suis remis à travailler et quand j'ai regardé de nouveau dans sa direction elle n'était plus là. J'ai pensé qu'elle était partie. Après j'ai voulu en avoir le cœur net. Peut-être qu'elle s'était couchée dans la barque. Il n'y avait personne. J'ai trouvé le parapluie rouge — celui qui est là, je le reconnais — que j'ai remis au commissariat de police de Kilibeg.

— Vous ne l'avez pas vue tomber ? Vous n'avez entendu aucun bruit ?

— Non, monsieur le juge. J'ai vu et entendu ce que je vous ai dit.

— Je vous remercie. »

Le juge demande à revoir le frère de Mary.

« Votre sœur savait-elle nager ?

— Non, monsieur le juge, pas à ma connaissance.

— Je vous remercie. »

Jean-François et moi nous nous sommes serrés l'un contre l'autre dans notre stalle.

Mary vient de plonger. Elle a sauté les pieds en avant dans l'eau noire. Elle va voyager maintenant jusqu'au lendemain, jusqu'à ce que la marée montante la dépose là où Jean-François la trouvera.

Mary, ton silence ! Ton silence terrible qui t'entraîne par le fond comme une lourde pierre ! Aucun mot ne sera sorti de ta bouche, aucune explication, aucune trace, aucun signe. Rien. Ils t'enterreront au cimetière, avec des prières. Ils diront que tu avais l'esprit dérangé. Dérangé par quoi ? Ils ne veulent pas le savoir, ils ne le sauront jamais. C'est comme ça et puis voilà.

Moi je dirai par où tu es passée, Mary, pour en arriver là. Ma décision est prise...

Jean-François a sursauté. Il se redresse, sort de la prostration, du rêve, dans lequel il était plongé comme moi :

« Il m'a appelé ! J'ai l'impression que le juge m'a appelé ! »

Le juge est tourné vers nous. Il tient un papier à la main qu'il a l'air de déchiffrer avec application. J'entends :

« Gin... Frin... Fraine... koille. Frainekoillesse... Gin Frainekoillesse... Lé... naille... drék. Lénailldréque... Gin Frinquoillss Lénayedrék !

— Oui, c'est ça, c'est toi ! »

Jean-François a bondi. Tout le monde le regarde. Il est le clou du spectacle. Il y a des chuchotements. L'assistance, jusque-là recueillie, s'anime. C'est le Français. C'est le Français qui a découvert le corps de Mary MacLaughlin !

Il est intimidé, subitement embarrassé par ses vêtements. Il tire sur ses poignets de chemise, prend un air sérieux et aimable.

Pour faire sa demande en mariage à mes parents, il avait accepté dè se vêtir exactement comme je le voulais. On aurait dit qu'il était déguisé, il était aussi mal à son aise ce jour-là qu'en ce moment. Il m'attendrit. Il n'est vraiment pas fait pour les cérémonies, le décorum. Il me regarde, je souris, il sourit à son tour. Nous sommes complices.

Le juge récite ses formules consacrées puis tend la Bible vers Jean-François, comme il l'a fait pour chaque témoin, et lui demande de répéter après lui : « Je jure de dire la vérité, rien que la vérité, toute la vérité. »

« I swear to say the truth, only the truth, all the truth. »

Jean-François se lance dans la longue phrase et en fait de la bouillie. Le juge est sidéré par les bruits produits par Jean-François. Une expression de perplexité irradie son visage. Le fou rire me prend.

Le juge reste muet. Dans le silence rebondissent, en écho, les gargouillis de Jean-François. Que s'est-il passé ? A-t-il parlé en français ? Délire-t-il ? Jean-François me regarde de nouveau. Lui aussi a du rire plein les yeux. Quelle connivence entre nous ! Nous sommes deux comparses pris en flagrant délit d'irrespect. Deux étrangers, deux aliénés ! La réprobation se lit sur toutes les figures.

Le juge, toujours la Bible en main, recommence le cérémonial, redemande à Jean-François de répéter la phrase rituelle.

Le silence lui répond, suspendant le temps. Il me semble que ces secondes sont interminables. Je sais que Jean-François a le fou rire lui aussi. Je sais qu'il est capable de le refréner comme de le laisser jaillir en éclats. J'en frémis. Il baisse les yeux, il pose la main sur la Bible et ne dit rien. Je fais moi-même de tels efforts pour résister au rire que j'en ai mal à la gorge.

Enfin Jean-François parle, lentement. Il s'applique à dire le mieux possible la phrase consacrée : « Je jure de dire la vérité, rien que la vérité, toute la vérité » en anglais. Puis il commence à raconter le premier jour. Le corps enfoncé dans la plage. Les mains dressées... la découverte de Mary.

Mary est montée sur la table où elle se tient debout, hiératique, presque sévère. Puis, avec les mouvements ralentis du songe par lequel je la fais exister, elle enlève sa toilette. Un moment elle disparaît dans la profusion des mousselines et des tulles de sa robe d'ombre, sa robe de mystère. Doucement elle naît de cette magnifique obscurité. Elle est nue. Elle est une femme nue. Son regard est émouvant, on dirait qu'elle ne comprend pas pourquoi elle est là.

Jean-François peine pour s'exprimer. Ces derniers temps il avait fait des progrès mais, là, peut-être à cause de la dignité du juge, son vocabulaire s'est envolé. Il ne trouve pas ses mots et quand il les trouve il a perdu l'accent. Il bredouille, il n'a plus de parole, il est visiblement malheureux de ne pouvoir s'exprimer. Le juge cherche à l'aider en lui posant des questions qu'il ne comprend pas. Alors qu'il comprenait très bien le discours du juge avant d'être lui-même sur la sellette. Je voudrais l'aider, je le trouve pathétique.

Mary s'est allongée. Ses cheveux sont en éventail autour de sa tête. Au bout de ses bras tirés en arrière, ses mains s'élèvent. Elle paraît immense et fragile. Les mouettes planent au ras des gens, au ras de la table, sans bruit. Puis, une à une elles se posent, et avancent en claudiquant vers le corps de Mary.

Jean-François essaie de parler de sa rencontre, du beau temps qu'il faisait ce matin-là. Mais ce que le juge veut savoir c'est le jour. L'heure précise ?

« C'était le mardi 1er juillet, vers onze heures. »

Et puis l'état de la marée, les distances.

Jean-François se perd dans des conversions problématiques de kilomètres en miles, d'enjambées en yards, en pouces. C'est compliqué ; pourtant les mots de Jean-François sont plus clairs, son accent est meilleur. Il semble retrouver une sorte d'assurance dans ses calculs. Il se reprend. Il me regarde et je vois dans ses yeux une sorte de regret. Comme s'il me disait : tu vois, je parle mais je ne dis rien de Mary. Je le comprends, je lui souris.

Les mouettes se sont groupées autour de Mary. Certaines se sont juchées sur son ventre et sa poitrine. Elles donnent, par instants, avec indifférence, des coups de bec, secs, vifs, dans la chair qu'elles ont investie. Elles se méfient, elles sont aux aguets. Après chaque becquée elles se redressent et scrutent les alentours, de leurs yeux écarquillés.

Je regarde Jean-François. Il me plaît. Si je le rencontrais aujourd'hui pour la première fois, il me plairait.

Pourtant, je ne suis pas capable de l'aider en ce moment. Il est seul face au juge et le fait que je sois son épouse ne sert à rien. Ce qui sert c'est le regard que nous venons d'échanger dans lequel il était question d'une Mary que nous sommes seuls à connaître, d'une Mary qui n'a rien à faire dans ce prétoire. Elle est, entre nous, un lien bien plus fort que nos noms artificiellement identiques.

Quelle bêtise j'ai faite ! J'ai cru que nous serions un couple quand nous serions unis pour défendre une valeur, pour protéger ce qui est estimé et estimable. Estimable pourquoi ? Estimé par qui ?... Je croyais que défendre cette valeur c'était conquérir un amour interminable, c'était donner de la valeur au couple. Mais je suis folle ! C'était une association que je voulais former, pas un couple. Je voulais construire la muraille de Chine et nous enfermer derrière elle... Où est l'amour ?

Pour le moment ce qui nous unit c'est l'espace qui nous sépare, c'est le vide qui va de la stalle où je suis assise à la table où il se tient, et à travers lequel je sais — et il sait — que nous sommes capables de faire passer, si nous le désirons ensemble, un pont qui ne servira à personne qu'à nous. Ce qui compte c'est notre affrontement solitaire, bien que partagé, lointain, bien que parallèle, avec la mort, la solitude, l'injustice, l'étouffement, la dépendance, la vénalité, le mensonge. Nous ne pouvons nous rencontrer que par instants, en empruntant des sentiers secrets que nous sommes seuls à connaître.

Le juge désire savoir la position exacte du corps au moment où Jean-François l'a découvert. Il veut aussi une description des vêtements. Il est beaucoup plus disert avec Jean-François qu'avec les autres témoins. Il lui explique pourquoi il lui pose certaines questions. Ce sont des problèmes de marées, de courants et de végétations sous-marines qui l'intéressent. Si le blouson de cuir et le blue-jean ont tenu, si Jean-François a remarqué qu'ils étaient intacts et bien fermés, il est possible qu'une seule marée ait transporté le corps de Kilibeg à la plage de Corvagh. Etant donné la vitesse du reflux et la force du flux... Etant donné la lune ce jour-là... Etant donné les conditions météorologiques sur l'Atlantique et l'Islande... Etant donné le relief des fonds... Etant donné l'habillement de la noyée, il est possible qu'elle ait été transformée en une sorte de navette qui aurait glissé sans encombre d'un point à un autre... Sinon, étant donné le court séjour du corps dans l'eau, cela prouverait qu'il a été jeté en pleine mer, face à Corvagh. Ainsi Jean-François doit comprendre l'importance de sa déposition et l'importance des détails qui lui sont demandés.

Les mouettes ne sont plus inquiètes. Elles savent que personne ne les dérangera avant longtemps. Car elles connaissent tout du lieu où elles se trouvent et leurs instincts leur disent qu'elles sont libres. Elles se disputent les places au festin et criaillent quand de nouvelles venues veulent les déloger. Chacune son tour !

Les plus favorisées sont celles qui sont proches des orifices du corps de Mary. A coups de bec obstinés elles picorent, jusqu'à ce qu'elles aient crevé les chairs fragiles, jusqu'à ce que s'écoulent le cristallin et les liquides lymphatiques dont l'odeur les excite. Alors, avec une grande adresse, elles incisent, agrandissent les cavités pour dégager les morceaux de roi dont elles se régalent, que les autres leur disputent et qu'elles finissent par emporter à l'écart de la troupe avide, pour mieux en profiter. Elles sont vite remplacées.

Les entrailles s'arrondissent, formant des plaies aux lèvres ouvertes où plongent les becs. Ils cisaillent profondément les muscles et les nerfs, parviennent jusqu'au crâne et aux dents contre lesquels ils se heurtent avec un bruit creux. Toc. Toc. Ils s'acharnent, cherchent le passage qui les conduira à la langue et à la cervelle délectables.

Celles qui se sont attaquées au ventre ont mis les entrailles à nu. Les mouettes pullulent dans cette corbeille de fruits gris et violets. Elles se chamaillent et tiraillent sur les volutes moelleuses des viscères qui se déroulent, débordent du bassin, élargissant le champ de bataille.

D'autres, celles des cuisses et de la poitrine, ont pratiqué de larges déchirures rosâtres dans lesquelles elles arrachent des lambeaux de chair exsangue qu'elles emportent au loin, par un bel envol blanc.

La curée continue.

Jean-François répond le mieux qu'il peut aux questions. Il est maladroit et plein de bonne volonté. Il est touchant face à ce juge pour lequel il n'a pas de nom, pas de paroles.... Jean-François est fragile, comme moi. Ignorant, comme moi. Innocent, comme moi... Il n'y a que le bonheur pour nous apprendre à vivre, tous les deux. Et le bonheur n'est pas là où je croyais qu'il était.

Le visage de Mary n'a plus de lèvres et plus d'yeux. L'éventail noir de ses cheveux encadre la sérénité de sa mort. Elle s'est donné en pâture. Son destin est accompli, il est parfait. Mais c'est son destin, ce n'est pas le mien.

De son cadavre, j'ai pris la face. C'est à partir de sa figure que j'ai imaginé. C'est sa tête ravagée qui m'a saisie. Jean-François, lui, avait été attiré par les mains, qui restent intactes.

J'ai cru avoir fabriqué AVEC Jean-François la vie de Mary MacLaughlin. Mais c'est faux. En réalité, c'est le matériau de ma vie avec Jean-François que j'ai utilisé pour construire, en solitaire, l'histoire de Mary. J'ai fait ça, sans m'en rendre compte, pour exorciser mes démons et conquérir... ma... liberté. Parce que c'est le seul royaume de l'amour. Je comprends aujourd'hui seulement que je ne peux pas aimer en dehors d'elle.

Je ferme les yeux. La voix de Jean-François maltraite des mots étrangers. J'aime les intonations sourdes de cette voix. J'ai toujours aimé que les paroles ondulent, se brisent, s'étouffent, en sortant d'une bouche... J'aime ce qui mue et ce qui est en mutation... La petite fille marche derrière son frère et Alain, son bien-aimé, dont elle entend la voix adolescente qui lui parvient, par bribes, au milieu des bruits de la circulation, dans le matin chaud à Alger... « Je t'aime, je t'aime. Mais je ne veux pas t'appartenir. » ... Se peut-il que j'aie maquillé en vertu mon désir de liberté ? Se peut-il que je me sois fourvoyée à ce point ? Depuis si longtemps ?

Les mouettes se disputent ce qu'il reste de Mary. De leur démarche gauche elles se promènent sur les débris, attentivement, comme des surveillantes. Elles ne laisseront rien perdre.

Jean-François revient près de moi :
« Ouf !
— Il t'en a posé des questions.
— Je ne m'y attendais pas. Je m'en suis bien sorti ?
— Très bien. A part au début. Je me demande comment tu as pu garder ton sérieux.
— Tais-toi. Quel fou rire !
— Et moi donc.
— Je le sentais. Je me disais que si je te regardais c'était foutu. »

Le juge écoute le dernier témoignage, celui du médecin légiste. Un petit homme jeune à l'aise dans son costume trois pièces : veston, pantalon, gilet. Il apporte une bouffée de modernité presque choquante dans ce tribunal campagnard. Il détaille avec assurance et compétence le corps de Mary, organe par organe, morceau par morceau : la tête, les poumons, le cœur... Chaque partie fait l'objet d'une observation savante et incompréhensible, truffée de mots techniques. Je n'y comprends pas grand-chose. Sauf quand, à propos des poumons, il dit qu'ils étaient remplis d'eau, que la victime est donc morte par noyade. Plus tard aussi il énoncera : « Stomach : small fishes in it... »

Sur la table, les oiseaux ont fini leur besogne. Il ne reste plus que des ossements ivoirins, nettoyés, récurés, qui ressemblent plutôt à du bois flotté. Les restes bien propres d'un squelette d'être humain. Les mouettes ont rejoint la balustrade, les fenêtres, le dais. Repues, elles s'engoncent dans la nacre de leur plumage. Elles digèrent.

Le juge, en conclusion, dira que Mary MacLaughlin n'a pas été assassinée et qu'elle s'est probablement suicidée, bien qu'il soit impossible d'en fournir la preuve.

Les vacances sont terminées.

Seuls, nous deux, encore une fois assis devant le spectacle de Corvagh. Océan. Terre. Ciel. Ne formant qu'un tout dans l'embrasement du soleil ou la noirceur de la nuit.

Enfin seuls, forts de nos deux vies. Immobiles. Attablés à nos places habituelles, devant l'éternel banquet de Corvagh. Chacun choisissant du regard, dans l'infinie profusion des richesses, ce qui convient le mieux à ses désirs, ce qui répond le plus à ses questions.

L'un et l'autre paisiblement conscients de nos regards différents. Ayant découvert et accepté nos divergences. Respectueux de nos singulières provocations au plaisir, au départ, à l'action, à l'amour, au jeu, à la création, au sommeil. Décidés à ce que jamais l'un ne soumette l'autre. Fuyant la résignation et sa sécurité.

Tout cela vole dans nos silences.

Si je me permets d'écrire « nos silences » ou « l'un et l'autre conscients »... c'est que, par moments, nous parlons. Nous arrêtons le cours de nos méditations ou de nos observations pour échanger, faire part, demander de l'aide, questionner. C'est autour de nos différences et de nos affrontements que tournent nos esprits.

C'est depuis que j'ai dit : « Je veux rester seule, quelque temps, et finir mon cahier », que nous sommes devenus calmes et graves et soulagés.

Enfin seuls avec la fragilité de nos deux vies. Sages. A regarder la marée qui commence à refluer, laissant le sol jouer son rôle, jusqu'à ce qu'elle reprenne le sien et reparte encore. Dans l'alternance des éléments, dans le subtil instant où ils se mêlent, étant à la fois terre et mer, chacun de nous défie ou évite ce qui lui fait le plus peur, ce qui souligne le mieux son ignorance.

Seule avec mon cahier. Quelle est cette solitaire? Quel est ce compagnon? Qui est ce couple?

Le soleil couchant barbouille le ciel de traînées rouges. En Algérie ce serait signe de vent pour demain. Pas ici.

Seule avec mon cahier. Quel goût aura cette solitude? Quelle femme naîtra d'elle? Je veux la rencontrer car je l'aime. Je veux apprendre celle que Jean-François a vue dans mes pages, celle vers laquelle il est venu, ensuite, avec des yeux inconnus, car j'aime Jean-François. Une étrangère. Une nouvelle. Une autre. Une personne singulière. Une magicienne capable de changer mon regard et de changer le sien.

Seule avec mon cahier. Loin de la nourrice. Loin de l'épouse. Ces belles gorgones, ces vierges athlétiques aux cheveux de serpents, ces compagnes fidèles, ces puissantes alliées, ces étouffantes sœurs.

La terre émerge. Lentement apparaissent ses flancs d'éléphante ruisselants de leur bain.

Solitude. Pour connaître cette femme insensée que je suis. Pour que, librement, elle sorte du blanc des feuilles comme émane du sol fécondé, dans l'été algérien, une vapeur ondoyante qui fait danser les vignes et les vendangeurs.

Composition réalisée en ordinateur par IOTA

IMPRIMÉ EN FRANCE PAR BRODARD ET TAUPIN
Usine de La Flèche (Sarthe).
LIBRAIRIE GÉNÉRALE FRANÇAISE - 6, rue Pierre-Sarrazin - 75006 Paris.
ISBN : 2 - 253 - 02458 - 9